Maternelle *et* jardin d'enfants

Math

Mathique

GUIDE PÉDAGOGIQUE

Les mathématiques...
un peu, beaucoup, à la folie!

▷ **Géométrie**

▷ **Sens de l'espace**

▷ **Modélisation**

▷ **Probabilité**

CENTRE FRANCO-ONTARIEN DE RESSOURCES PÉDAGOGIQUES

Gestion de la rédaction :   Johanne Gaudreault
Rédaction :   Francine Charette-Poirier
Consultation :   Nathalie Bélanger, Lucille Desroches
Conception du CD de chansons :   Francine Charette-Poirier et Philippe Legault
Mise en pages :   Mireille Croteau
Illustrations :   Jo-Anne Guindon
                                   © 2007, JupiterImages Corporation (pour certaines illustrations)
Révision linguistique :   Annie Chartrand
Impression :   Centre franco-ontarien de ressources pédagogiques

Le ministère de l'Éducation de l'Ontario a fourni une aide financière pour la réalisation de ce projet. Cet apport financier ne doit pas pour autant être perçu comme une approbation ministérielle pour l'utilisation du matériel produit. Cette publication n'engage que l'opinion de ses auteurs, laquelle ne représente pas nécessairement celle du Ministère.

ISBN 2-89581-301-9
Dépôt légal — deuxième trimestre 2007
Bibliothèque et Archives Canada

Le guide pédagogique *Les mathématiques... un peu, beaucoup, à la folie!* – Maternelle et jardin d'enfants permet aux enseignantes et aux enseignants d'enseigner de façon efficace les concepts de mathématiques en créant un environnement dynamique, où la communication est mise au premier plan. Ce guide touche à toutes les attentes et à tous les contenus d'apprentissage du programme-cadre *Jardin d'enfants* des domaines Géométrie, Sens de l'espace, Modélisation et Probabilité en mettant l'accent sur la compréhension des concepts, sur la création d'une atmosphère propice à l'apprentissage, sur l'utilisation de matériel de manipulation et sur la communication.

Mise à l'essai

Les enseignantes et enseignants ci-dessous ont pris part aux mises à l'essai des différents modules de ce guide. Ces personnes ont grandement contribué à l'amélioration et à la qualité de ce document.

Pauline Bastien
École Sainte-Ursule
CSDÉCSO

Johanne Beauregard-Létang
École de la Découverte
CECLFCE

Jacqueline Beausoleil
École Montfort
CECLFCE

Isabelle Boulerice-Leblanc
École de la Rivière-Castor
CEPEO

Clémence Bercier-Larivière
École de la Découverte
CECLFCE

Anne-Marie Dupont
École Académie de la Seigneurie
CEPEO

Nicole Foisy
École Montfort
CECLFCE

Nathalie Gingras-Gareau
École Saint-Joseph
Franco-Nord

André Hamel
École Académie de la Seigneurie
CEPEO

Julie Kingsley
École de la Découverte
CECLFCE

France Léveillé
École de la Découverte
CECLFCE

Susanne Paroyan
École de la Découverte
CECLFCE

Renée-Claude Pitre-Taillefer
École Saint-Joseph
Franco-Nord

Josée Racine
École de la Rivière-Castor
CEPEO

Marie-Josée Rocque-Morris
École de la Découverte
CECLFCE

Remerciements

Nous tenons à remercier les enseignantes et enseignants mentionnés ci-dessus de leur engagement à l'égard du projet ainsi que les conseillères pédagogiques Nicole Laferrière et Lise Landel qui les ont appuyés lors des mises à l'essai.

Table des matières

Module 2 : Changeons de côté, on s'est trompés! (position et déplacement)
Domaine : Sens de l'espace (position et déplacement)

Module 3 : De l'ordre, s'il vous plaît!
Domaine : Modélisation

Module 4 : Ça se peut! Ça ne se peut pas!
Domaine : Probabilité

Introduction générale

Buts et objectifs du guide pédagogique
Les mathématiques… un peu, beaucoup, à la folie! –
Maternelle et jardin d'enfants

Aujourd'hui, l'apprentissage des mathématiques diffère de l'apprentissage des mathématiques d'autrefois. La venue de nouvelles technologies a transformé les besoins de la société. L'élève doit développer des habiletés mathématiques axées davantage sur la communication d'idées, sur le travail de collaboration, sur la résolution de problèmes et sur le développement de stratégies permettant de résoudre une variété de problèmes. Ce document de travail présente une variété d'activités de mathématiques qui visent le développement des compétences énumérées ci-dessus. Ces activités d'apprentissage se rapportent aux domaines Géométrie, Sens de l'espace, Modélisation et Probabilité du programme-cadre *Jardin d'enfants – 2006*. Au-delà des activités, ce guide s'appuie sur des principes fondamentaux desquels doit s'inspirer l'enseignant ou l'enseignante pour enseigner efficacement les mathématiques. Ces principes sont présentés brièvement dans les paragraphes ci-dessous et sont intégrés dans toutes les activités du guide.

La compréhension des concepts

L'élève d'aujourd'hui non seulement doit apprendre les concepts de mathématiques, mais doit aussi les comprendre. L'accent ne doit pas être mis sur la mémorisation et sur la rapidité d'exécution, mais plutôt sur une compréhension profonde des concepts et des différentes méthodes qui permettent de les utiliser. Il importe que toutes et tous les élèves connaissent et embrassent les mathématiques, mais cela suppose qu'elles et ils les comprennent. Lorsque l'élève mémorise les concepts, elle ou il n'apprend pas réellement les mathématiques. Apprendre et comprendre signifient que l'on peut établir des liens entre un nouveau concept et un concept que l'on connaît déjà. Apprendre des concepts, c'est simuler la situation à l'aide de matériel de manipulation, c'est l'expliquer avec des mots, c'est associer une expérience personnelle à cette expression. L'élève qui comprend peut communiquer sa compréhension verbalement, par écrit ou la montrer à l'aide de matériel de manipulation. Comprendre un concept exige de la réflexion et de la communication. L'élève réfléchit lorsqu'on lui demande d'objectiver sur ses apprentissages, elle ou il réfléchit lorsqu'elle ou il écoute et discute avec d'autres élèves et elle ou il réfléchit lorsqu'elle ou il est conscient du but d'une activité. En prenant le temps de réfléchir à un concept, l'élève établit automatiquement des liens avec ses connaissances antérieures. Les activités de ce guide visent donc la compréhension des concepts et devraient permettre à l'enfant du cycle préparatoire d'établir des liens entre les connaissances informelles qu'elle ou il possède déjà et celles qu'elle ou il est en train de construire.

La communauté d'apprentissage

Dans une communauté où le travail de collaboration prime et où l'apport de chacun est valorisé et désiré, l'élève parle, écoute, écrit, montre et observe. Dans cette communauté, les élèves choisissent et font part de leurs stratégies. Les idées et les stratégies de tous et de toutes sont acceptées.

L'exactitude d'une réponse réside dans son sens et les erreurs sont considérées comme des sources d'apprentissage. En utilisant ce document, l'enseignant ou l'enseignante doit avant tout créer un climat favorable à un apprentissage significatif. Cela implique qu'il ou elle :

– permet à chaque élève de choisir sa propre stratégie pour résoudre un problème en utilisant ou non du matériel de manipulation;

– met l'accent sur les stratégies plutôt que sur les réponses;

– encourage l'élève à communiquer et à travailler en collaboration;

– perçoit les erreurs comme des occasions qui permettent aux élèves d'approfondir leur compréhension;

– permet à l'élève de juger de l'exactitude d'une solution apportée en fonction de son raisonnement et de la logique du problème;

– mise sur la qualité des problèmes résolus plutôt que sur la quantité;

– prend plaisir à faire des mathématiques avec les élèves;

– questionne les élèves pour les inciter à la réflexion (voir la feuille **Questionner pour inciter à la réflexion mathématique** à la fin de cette section).

Les stratégies d'enseignement et d'apprentissage

Ce guide présente une variété d'activités. Parmi elles, on trouve des jeux, des activités d'exploration et de manipulation, des activités destinées aux centres d'apprentissage ainsi que des activités de résolution de problèmes où l'enfant simule la situation en vue de résoudre un problème. Ces différentes activités peuvent être modifiées, adaptées et répétées selon les besoins des différents groupes-classes.

1 – Le jeu

Le jeu remplit plusieurs fonctions. En plus d'être une activité naturelle pour l'enfant, il lui permet de réfléchir sur son apprentissage tout en s'amusant. De plus, le jeu lui permet d'apprendre certains concepts très précis et de développer certains automatismes de base. Le jeu a remplacé les feuilles d'exercices utilisées régulièrement en salle de classe et permet à l'élève d'exercer certaines habiletés. En plus de motiver l'élève, le jeu est une excellente occasion d'apprentissage qui favorise la collaboration et la communication.

2 – Les activités d'exploration et de manipulation

Les activités d'exploration et de manipulation se font généralement en trois temps : la mise en situation, la période d'exploration et de manipulation et l'échange mathématique.

Au cours de la mise en situation, l'enseignant ou l'enseignante présente l'activité en interagissant avec les élèves pour cibler et réactiver leurs connaissances antérieures. Il ou elle s'assure que tous et toutes les élèves comprennent la situation d'apprentissage sans toutefois donner d'indices au sujet de la solution ou de la réponse. Il ou elle présente les modalités du travail et le matériel de manipulation mis à la disposition des élèves. Cette partie de l'activité est habituellement très courte (de 5 à 10 min).

Pendant la période d'exploration et de manipulation, l'élève travaille généralement en équipe. Les élèves sont actifs et actives. Ils et elles manipulent, discutent, observent, posent des questions et apprennent les uns des autres. Le groupe-classe est bruyant mais productif. Pour sa part, l'enseignant ou l'enseignante :

– observe les élèves;

– pose des questions;

– facilite le travail de certains groupes, au besoin;

– favorise les discussions;

– recueille des données d'évaluation qui l'aideront à prendre des décisions à propos des futures activités à présenter, des besoins particuliers de certaines et de certains élèves;

– …

L'échange mathématique est essentielle et est probablement la partie la plus importante d'une activité d'exploration et de manipulation. Au cours de cet échange, les élèves sont réunies et réunis dans une aire de rassemblement. L'enseignant ou l'enseignante anime une discussion et fait ressortir les différentes stratégies qu'ont utilisées les élèves pour accomplir le travail ou résoudre un problème. Il ou elle choisit différentes équipes qui ont utilisé des stratégies variées et leur permet de mettre en commun leur travail et de le présenter. Au fur et à mesure que les élèves présentent leur travail, l'enseignant ou l'enseignante les questionne pour les amener à justifier leurs idées et leurs solutions et à les clarifier. Il ou elle accepte toutes les stratégies et ne discute que de celles qu'ont soulevées les élèves sans porter de jugement. Il ou elle laisse les élèves évaluer les solutions présentées par leurs pairs en leur permettant de les comparer.

3 – Les centres d'apprentissage

Le centre de mathématiques est un endroit dans la salle de classe où quelques élèves se rassemblent pour travailler en petits groupes ou individuellement sur une activité très précise. Les activités des centres d'apprentissage permettent généralement aux élèves d'approfondir et de consolider certains apprentissages précis qui ont été amorcés lors d'activités d'exploration et de manipulation. Les élèves y développent leur autonomie et se responsabilisent davantage en ce qui concerne leur apprentissage. De plus, c'est une excellente occasion pour l'enseignant ou l'enseignante d'évaluer certaines et certains élèves. En observant l'élève qui accomplit une tâche et en discutant avec elle ou lui, l'enseignant ou l'enseignante peut mieux comprendre son degré de compréhension. Plusieurs activités présentées dans le guide peuvent facilement être modifiées et devenir des activités à réaliser dans des centres d'apprentissage.

4 – La résolution de problèmes

La résolution de problèmes permet à l'élève d'établir des liens entre les mathématiques trouvés dans les activités quotidiennes et les stratégies utilisées en vue de résoudre un problème. L'établissement de liens entre la vie quotidienne de l'élève et les mathématiques est primordial, puisqu'il permet à l'élève de raisonner et de donner un sens à ce qu'elle ou il fait. Les activités de résolution de problèmes se font, elles aussi, en trois temps : la mise en situation, la période d'exploration et de manipulation et l'échange mathématique.

Des activités adaptées

Les activités présentées dans ce document ont été mises à l'essai et validées par plusieurs enseignantes et enseignants. Elles doivent parfois être modifiées pour tenir compte des besoins des élèves du groupe-classe. En utilisant ce document, l'enseignant ou l'enseignante doit donc :

– observer et écouter attentivement ses élèves pour faire le bilan des acquis et décider des prochaines activités à présenter;

– modifier, au besoin, les activités en simplifiant les énoncés, en modifiant le contexte, en utilisant des pictogrammes, etc.;

– répéter certaines activités en vue de consolider certains apprentissages;

– créer un environnement rassurant où l'opinion de chaque élève est valorisée et respectée.

Une évaluation continue et intégrée à l'enseignement

En faisant réaliser les activités du guide à ses élèves, l'enseignant ou l'enseignante aura de nombreuses occasions d'évaluer de façon continue le progrès de chacun ou de chacune. Dans le but d'aider les enseignantes et les enseignants à noter leurs observations, chaque module du guide comprend une section **Évaluation**. Dans ces sections, on trouve différentes grilles d'observation (grilles d'observation du groupe-classe, grille d'observation d'une équipe utilisée au cours des centres d'apprentissage, grille d'observation individuelle) qui contiennent les pistes d'observation liées aux concepts à l'étude.

Ces grilles d'observation devraient permettre à l'enseignant ou à l'enseignante :

– de déterminer le type d'intervention nécessaire pour faire cheminer chaque élève;

– de planifier une séquence d'activités permettant de faire cheminer l'élève vers l'apprentissage d'un certain concept;

– de faire des interventions appropriées pour amener l'élève à réfléchir aux mathématiques qui se dégagent d'une activité ou d'un problème;

- d'observer, d'écouter et d'évaluer le progrès de chaque élève en fonction de ce qu'elle ou il fait ou de ce qu'elle ou il dit;
- d'évaluer de façon continue le progrès de chaque élève;
- d'intégrer le processus d'évaluation dans son enseignement quotidien;
- de suivre le cheminement de chaque élève.

Des outils d'évaluation

Des outils d'évaluation pour les classes de maternelle, de jardin et de 1re année sont offerts sur le DVD du guide pédagogique de 1re année *Numération et sens du nombre*. Pour y accéder, votre ordinateur doit posséder un lecteur DVD (et non strictement un lecteur pour cédérom). Dans l'environnement Windows, double-cliquer d'abord sur **Poste de travail**. Ensuite, cliquer sur l'icône du DVD avec le bouton droit de la souris. Finalement, choisir **Explorer** dans le menu pour pouvoir lire le contenu du DVD. Les fichiers, en format Word, se trouvent dans le répertoire nommé « MJ1 Contenu du DVD-ROM ».

Des pictogrammes

Voici la liste des pictogrammes que l'on trouve dans ce document :

Ce symbole indique qu'il est nécessaire de faire un transparent de cette feuille.

Ce symbole indique un lien livre possible avec l'activité présentée.

Ce symbole indique un lien maison. L'activité ou le jeu présenté peut être réalisé à la maison.

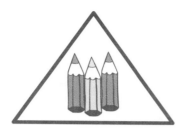

Ce symbole indique à l'élève qu'elle ou il doit utiliser des crayons-feutres.

Ce symbole indique à l'élève qu'elle ou il doit utiliser des ciseaux.

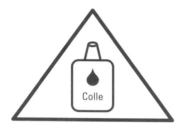

Ce symbole indique à l'élève qu'elle ou il doit utiliser de la colle.

Ce symbole indique à l'élève qu'elle ou il doit utiliser ses doigts pour accomplir la tâche.

Une semaine typique dans une classe de maternelle

Lundi	Mardi	Mercredi	Jeudi	Vendredi
Routines (5 – 10 min)	Routines (5 – 10 min)	Routines (5 – 10 min)	Routines (5 – 10 min)	Routines (5 – 10 min)
Activité d'exploration et de manipulation ou jeu (15 – 20 min)	Minileçon de numération (5 – 10 min)	Activité d'exploration et de manipulation ou jeu (15 – 20 min)	Minileçon de numération (5 – 10 min)	
Activités au centre de mathématiques (15 – 20 min)	Activités au centre de mathématiques (15 – 20 min)	Activités au centre de mathématiques (15 – 20 min)	Activités au centre de mathématiques (15 – 20 min)	Activités au centre de mathématiques (15 – 20 min)

Note : Cet horaire doit être modifié pour les classes de maternelle qui suivent un horaire en journées alternées.

Une semaine typique dans une classe de jardin d'enfants

Lundi	Mardi	Mercredi	Jeudi	Vendredi
Routines (5 – 10 min)	Routines (5 – 10 min)	Routines (5 – 10 min)	Routines (5 – 10 min)	Routines (5 – 10 min)
Minileçon de numération (5 – 10 min)	Minileçon de numération (5 – 10 min)	Minileçon de numération (5 – 10 min)	Minileçon de numération (5 – 10 min)	Minileçon de numération (5 – 10 min)
Activité d'exploration et de manipulation ou jeu (20 – 30 min)		Activité d'exploration et de manipulation ou jeu (20 – 30 min)		Activité d'exploration et de manipulation ou jeu (20 – 30 min)
Activités au centre de mathématiques (15 – 20 min)	Activités au centre de mathématiques (15 – 20 min)	Activités au centre de mathématiques (15 – 20 min)	Activités au centre de mathématiques (15 – 20 min)	Activités au centre de mathématiques (15 – 20 min)

Note : Tous les jours, de petits groupes d'élèves réalisent des activités au centre de mathématiques.

Planification annuelle pour une classe de maternelle

Étape 1 (septembre – novembre)	Étape 2 (décembre – février)	Étape 3 (mars – juin)
Module 1 Partout! Partout! Partout! Je vois des formes partout! (Géométrie) – figures planes **Module 3** De l'ordre, s'il vous plaît! (Modélisation)	**Module 1** Partout! Partout! Partout! Je vois des formes partout! (Géométrie) – solides **Module 2** Changeons de côté, on s'est trompés! (Sens de l'espace)	**Module 2** Changeons de côté, on s'est trompés! (Sens de l'espace) **Module 3** De l'ordre, s'il vous plaît! (Modélisation)

Planification annuelle pour une classe de jardin d'enfants

Étape 1 (septembre – novembre)	Étape 2 (décembre – février)	Étape 3 (mars – juin)
Module 1 Partout! Partout! Partout! Je vois des formes partout! (Géométrie) – figures planes **Module 3** De l'ordre, s'il vous plaît! (Modélisation)	**Module 1** Partout! Partout! Partout! Je vois des formes partout! (Géométrie) – solides **Module 2** Changeons de côté, on s'est trompés! (Sens de l'espace)	**Module 2** Changeons de côté, on s'est trompés! (Sens de l'espace) **Module 4** Ça se peut! Ça ne se peut pas! (Probabilité)

Note : Les modules présentés dans ce document ne sont pas séquentiels.

Questionner pour inciter à la réflexion mathématique

Questionner pour inciter à la réflexion mathématique

Construire le sens des mathématiques
- Que pensez-vous au sujet de ce que _____ vient de dire?
- Es-tu d'accord? Pas d'accord? Pourquoi?
- Est-ce que quelqu'un qui a la même réponse aurait une façon différente de l'expliquer?
- Est-ce que quelqu'un a une réponse différente? Comment as-tu obtenu cette réponse différente?
- Pourrais-tu poser ta question à tout le groupe-classe?
- Comprends-tu ce qu'elle ou il vient de dire?
- Peux-tu nous convaincre que cela a du sens?
- Peux-tu me (nous) dire à quoi tu penses?

Bâtir la confiance
- Qu'est-ce qui te fait penser ça?
- Pourquoi est-ce vrai?
- Comment en es-tu arrivé à cette conclusion?
- Cela a-t-il du sens? Pourquoi?
- Peux-tu montrer ce que ça signifie à l'aide de matériel concret ou de matériel de manipulation?
- Qu'est-ce qui te paraîtrait plus raisonnable?
- Quelle serait ta prochaine étape? Comment le sais-tu?
- Comment peux-tu vérifier la réponse par toi-même?
- Peux-tu travailler avec un ami et essayer de trouver une solution.
- Comment as-tu réfléchi au problème?
- D'après toi, quelle décision devrait-il ou devrait-elle prendre?
- En quoi ta démarche ressemble-t-elle ou diffère-t-elle de la sienne? Pourquoi?
- Quelles sont les étapes de ta démarche?
- Peux-tu modifier quelque chose dans ta démarche?

Questionner pour inciter à la réflexion mathématique (suite)

Raisonner de façon mathématique
- Peux-tu faire un dessin pour expliquer ce que tu as fait?
- Quels mots mathématiques peux-tu utiliser pour décrire ce que tu viens de faire?
- Est-ce que ça fonctionne chaque fois? Pourquoi?
- Est-ce que c'est vrai dans chaque cas? Explique ta réponse.
- Peux-tu trouver un contre-exemple, c'est-à-dire un exemple où ça ne fonctionne pas?
- Comment peux-tu le montrer?
- Peux-tu le représenter d'une autre façon?
- Pourquoi veux-tu changer ta réponse?

Formuler des hypothèses
- Qu'arriverait-il si _____? Et dans la situation contraire?
- Remarques-tu une régularité? Explique ta réponse.
- Que penses-tu du dernier commentaire?
- Est-ce que le résultat sera le même en changeant les couleurs? Pourquoi? Pourquoi pas?
- Penses-tu que cela pourrait arriver?

Établir des liens mathématiques
- À quoi cela te fait-il penser?
- En quoi cela est-il pareil?
- Quel lien y a-t-il entre ces deux objets?
- Comment cela se rapporte-t-il à _____?
- Quelles idées t'ont été utiles pour résoudre ce problème?
- Où a-t-on utilisé des mathématiques ce matin?
- Peux-tu donner un exemple de _____?
- Avons-nous déjà vu un problème de ce genre?
- Écris une histoire ou un problème semblable à cette histoire.

Introduction

Module 1

Partout! Partout! Partout!
Je vois des formes partout!

Maternelle et jardin d'enfants

Géométrie – Maternelle/Jardin

Module 1 – Partout! Partout! Partout! Je vois des formes partout!

But du module

L'enfant qui débute en maternelle/jardin possède déjà certaines connaissances de géométrie; par exemple, elle ou il peut généralement reconnaître certaines formes géométriques simples et les nommer ou construire des structures à l'aide de solides et de blocs. Ces apprentissages doivent servir de base à tout apprentissage subséquent.

Initialement, au cycle préparatoire, les interventions pédagogiques doivent permettre à l'élève de reconnaître les différentes formes géométriques qui composent son environnement et de les nommer. Par la suite, l'élève doit être amené ou amenée à découvrir que les formes géométriques peuvent être décrites en fonction d'attributs et de propriétés. L'étude de ces propriétés permet à l'élève de reconnaître les différentes formes en faisant abstraction de leur position, de leur taille, de leur couleur ou de leur texture.

Une recherche effectuée par deux chercheurs hollandais, Dina et Pierre Van Hiele, permet de mieux comprendre le cheminement de l'enfant dans l'apprentissage des concepts géométriques. En effet, ils ont développé un modèle à cinq niveaux décrivant la pensée géométrique et la compréhension des concepts à différentes étapes du développement de l'élève. L'élève qui se situe au niveau 0 est à l'étape de la visualisation et perçoit de façon globale une figure ou un solide, sans voir ses caractéristiques. Toutefois, l'élève du niveau 1 est à l'étape de l'analyse et peut décrire les figures et les solides en fonction de leurs propriétés. L'élève du cycle préparatoire se situe donc au niveau 0. Le passage du niveau 0 au niveau 1 est amorcé au cycle préparatoire et se poursuit tout le long du cycle primaire. Puisque ce passage ne se fait pas naturellement, c'est au moyen d'activités pertinentes, de la manipulation, de l'expérimentation et d'interventions telles que l'objectivation et le questionnement que l'enseignant ou l'enseignante peut amener l'élève à passer d'un niveau à l'autre.

Ce guide comprend une variété d'activités dont le but est d'initier l'élève à une pensée géométrique. Il clarifie le vocabulaire, les attentes et les contenus d'apprentissage du programme *Jardin d'enfants – 2006, édition révisée* en proposant des stratégies d'enseignement et d'apprentissage pour lesquelles l'utilisation de matériel de manipulation est primordiale.

Attente et contenus d'apprentissage – Géométrie

Attente
À la fin du jardin, l'enfant peut identifier les caractéristiques des figures planes et des solides.

Contenus d'apprentissage
Pour satisfaire aux attentes et dans le contexte d'activités ludiques, de manipulation, d'exploration, d'expérimentation, d'observation et de communication, l'enfant :
- utilise les termes *le carré*, *le triangle*, *le rectangle*, *le cercle*, *le cube*, *le cylindre*, *le cône*, *la sphère* et *le prisme* pour décrire des figures géométriques et faire part de ses observations.
- utilise des termes mathématiques pour décrire les figures planes et les solides.
- identifie des figures planes et des solides dans son environnement.
- identifie et compare des figures planes et des solides en fonction d'attributs et de propriétés simples (p. ex., « Mon ballon est comme une sphère. »; « Le triangle a trois côtés. »).
- trace, dessine et assemble des figures planes pour obtenir des illustrations, des dessins ou des formes (p. ex., « J'ai tracé, dans le sable, un triangle avec un carré en dessous : c'est une maison! »).
- construit des structures avec des solides (p. ex., une fusée construite avec de gros blocs de construction en bois ou en caoutchouc et avec un cône au bout).

Description des activités

*(FP : figures planes) (S : solides) (V : variantes)

Activités	Description	Pistes d'observation	FP*	S*
Activité 1 : Des illustrations pleines de formes **(maternelle/jardin)**	L'élève assemble des figures planes pour représenter un objet ou un dessin et découvre quelques attributs et propriétés des figures planes.	L'élève : – utilise des figures planes dans le but de créer une nouvelle forme ou un dessin; – nomme les figures planes suivantes : le triangle et le carré à la maternelle; le cercle, le rectangle, le triangle et le carré au jardin; – décrit les figures planes mentionnées ci-dessus en se servant d'attributs (p. ex., couleur, taille, forme) ou de propriétés simples (p. ex., côté, coin, pointu).	✓	✓V*
Activité 2 : Des formes géantes **(maternelle/jardin)**	L'élève marche sur la frontière de différentes formes géantes au gymnase, dans la salle de classe ou dans la cour d'école.	L'élève : – reconnaît (dans son environnement, dans un dessin, etc.) les figures planes suivantes : le cercle, le triangle, le carré et le rectangle; – explore le sens de l'espace et la notion d'intérieur et d'extérieur; – nomme les figures planes suivantes : le cercle, le triangle, le carré et le rectangle.	✓	
Activité 3 : Fais un dessin comme le mien **(jardin)**	L'élève assemble des mosaïques géométriques et des jetons pour représenter le même dessin que celui de l'enseignant ou de l'enseignante.	L'élève : – utilise des figures planes dans le but de créer une nouvelle forme ou un dessin; – reconnaît (dans son environnement, dans un dessin, etc.) les figures planes suivantes : le cercle, le triangle, le carré et le rectangle; – nomme les figures planes suivantes : le cercle, le triangle, le carré et le rectangle.	✓	
Activité 4 : Un sac-cadeau pour classer **(maternelle/jardin)**	L'élève classe des figures planes parmi les blocs logiques en fonction d'un attribut qu'elle ou il a choisi (p. ex., la couleur, la grandeur [grosseur ou épaisseur] et la forme).	L'élève : – classe les figures planes en fonction d'attributs (p. ex., couleur, grandeur, texture, forme, position) ou de propriétés simples (p. ex., côté, coin, rond, droit, pointu); – nomme les figures planes suivantes : le cercle, le triangle, le carré et le rectangle; – décrit les figures planes suivantes : le cercle, le triangle, le carré et le rectangle.	✓	✓V*

Activités	Description	Pistes d'observation	FP*	S*

Activité 5 :
Les formes sont dans les verres, Marilon Dondé!
(maternelle/jardin)
	L'élève prend part au jeu *Les formes sont dans les verres, Marilon Dondé!* en classifiant des figures planes en fonction d'attributs ou de propriétés simples.	L'élève :
		– classifie les figures planes en fonction d'attributs (p. ex., couleur, grandeur, texture, forme, position) ou de propriétés simples (p. ex., côté, coin, rond, droit, pointu);
		– nomme les figures planes suivantes : le cercle, le triangle, le carré et le rectangle;
		– décrit les figures planes suivantes : le cercle, le triangle, le carré et le rectangle;
		– récite les nombres de 1 à 10;
		– compare des ensembles en fonction de la quantité;
		– utilise les termes *plus que*, *moins que* et *autant que* pour comparer des quantités, ainsi que les termes *plus grand que*, *plus petit que* et *entre* pour comparer des nombres;
		– utilise la correspondance un à un :
		  • en étiquetant chaque objet une seule fois;
		  • en synchronisant un nombre par objet;
		  • en étiquetant de façon organisée.
			✓	

Activité 6 : La mémoire des formes **(maternelle/jardin)**	L'élève désigne rapidement des figures planes.	L'élève : – reconnaît (dans son environnement, dans un dessin, dans un jeu, etc.) les figures planes suivantes : le cercle, le triangle, le carré et le rectangle; – nomme les figures planes suivantes : le cercle, le triangle, le carré et le rectangle; – décrit les figures planes suivantes : le cercle, le triangle, le carré et le rectangle; – fait appel à sa mémoire visuelle.	✓	✓V*
Activité 7 : La course aux solides **(maternelle/jardin)**	L'élève prend part à une course aux solides durant laquelle elle ou il doit trouver, dans la salle de classe, un ou deux solides ou des objets ayant la forme de solides qui correspondent à l'indice affiché sur un dé.	L'élève : – reconnaît (dans son environnement, dans un dessin, etc.) les solides suivants : la sphère, le cône, le cylindre, le cube et le prisme; – nomme les solides suivants : la sphère, le cône, le cylindre, le cube et le prisme; – décrit les solides suivants : la sphère, le cône, le cylindre, le cube et le prisme.		✓

Activités	Description	Pistes d'observation	FP*	S*
Activité 8 : Une tour bien solide! **(maternelle/jardin)**	L'élève construit une tour en choisissant les solides appropriés pour que la tour ne s'effondre pas.	L'élève : – utilise des solides ou des objets pour construire des structures; – nomme les solides suivants : la sphère, le cône, le cylindre, le cube et le prisme; – décrit les solides suivants : la sphère, le cône, le cylindre, le cube et le prisme; – explique clairement sa démarche.		✓
Activité 9 : Une promenade **(maternelle/jardin)**	L'élève se promène dans la salle de classe, dans l'école ou dans le quartier et nomme des objets ayant la forme de différentes figures planes ou de divers solides.	L'élève : – reconnaît (dans son environnement, dans un dessin, etc.) les figures planes suivantes : le cercle, le triangle, le carré et le rectangle; – nomme les figures planes suivantes : le cercle, le triangle, le carré et le rectangle; – décrit les figures planes suivantes : le cercle, le triangle, le carré et le rectangle; – reconnaît (dans son environnement, dans un dessin, etc.) les solides suivants : la sphère, le cône, le cylindre, le cube et le prisme; – nomme les solides suivants : la sphère, le cône, le cylindre, le cube et le prisme; – décrit les solides suivants : la sphère, le cône, le cylindre, le cube et le prisme.	✓	✓
Activité 10 : Des lignes, des lignes, des lignes! Des formes, des formes, des formes! **(jardin)**	L'élève écoute l'histoire *Des lignes, des lignes, des lignes! Des formes, des formes, des formes!* et découvre les propriétés des figures planes en formant différentes figures planes au moyen de la pâte à modeler.	L'élève : – reconnaît (dans son environnement, dans un dessin, etc.) les figures planes suivantes : le cercle, le triangle, le carré et le rectangle; – décrit les figures planes suivantes : le cercle, le triangle, le carré et le rectangle; – utilise des figures planes dans le but de créer une nouvelle forme ou un dessin.	✓	✓V*
Activité 11 : La fabrique à formes **(jardin)**	L'élève fabrique des formes en n'utilisant qu'une seule figure plane (p. ex., le carré).	L'élève : – utilise des figures planes dans le but de créer une nouvelle forme ou un dessin; – nomme les figures planes suivantes : le cercle, le triangle, le carré et le rectangle.	✓	✓V*

Activités	Description	Pistes d'observation	FP*	S*
Activité 12 : Des mains pour voir **(maternelle/jardin)**	L'élève prend part à un jeu. Elle ou il met ses deux mains dans un sac pour toucher une figure plane et la décrit pour faire deviner aux autres ce qu'ont touché ses mains.	L'élève : – nomme les figures planes suivantes : le cercle, le triangle, le carré et le rectangle; – décrit les figures planes suivantes : le cercle, le triangle, le carré et le rectangle.	✓	✓V*
Activité 13 : Le sac à toucher **(maternelle/jardin)**	L'élève prend part à un jeu dont le but est de trouver, par le toucher, une figure précise.	L'élève : – nomme les figures planes suivantes : le cercle, le triangle, le carré et le rectangle; – décrit les figures planes suivantes : le cercle, le triangle, le carré et le rectangle.	✓	✓V*
Activité 14 : Le château de Cami et de Papi **(maternelle)**	L'élève construit un château à la suite de la lecture du livre *Le château de Cami et de Papi.*	L'élève : – utilise des solides ou des objets pour construire des structures; – reconnaît (dans son environnement, dans un dessin, dans une structure, etc.) les solides suivants : la sphère, le cône, le cylindre, le cube et le prisme; – nomme les solides suivants : la sphère, le cône, le cylindre, le cube et le prisme.		✓
Activité 15 : La suite royale **(maternelle)**	L'élève fabrique, au moyen de figures planes en carton, la reine Cercle, le roi Rectangle, la princesse Triangle, le prince Carré, le fou du roi ou d'autres personnages qui vont habiter le château de Cami et de Papi.	L'élève : – utilise des figures planes dans le but de créer une nouvelle forme ou un dessin; – nomme les figures planes suivantes : le cercle, le triangle, le carré et le rectangle.	✓	✓V*
Activité 16 : Pinceton, le caneton **(jardin)**	L'élève construit une maison pour Pinceton, le caneton à la suite de la lecture du livre *Le rêve de Pinceton, le caneton.*	L'élève : – utilise des solides ou des objets pour construire des structures; – reconnaît (dans son environnement, dans un dessin, dans une structure, etc.) les solides suivants : la sphère, le cône, le cylindre, le cube et le prisme; – nomme les solides suivants : la sphère, le cône, le cylindre, le cube et le prisme.		✓

Activités	Description	Pistes d'observation	FP*	S*
Activité 17 : De drôles d'amis! **(jardin)**	L'élève fabrique de drôles d'amis au moyen de figures planes en carton pour Pinceton, le caneton.	L'élève : – utilise des figures planes dans le but de créer une nouvelle forme ou un dessin; – nomme les figures planes suivantes : le cercle, le triangle, le carré et le rectangle.	✓	✓V*
Activité 18 : Des formes mur à mur **(jardin)**	L'élève fabrique un mural pour donner des idées de décoration à Pinceton, le caneton.	L'élève : – utilise des figures planes dans le but de créer une nouvelle forme ou un dessin; – nomme les figures planes suivantes : le cercle, le triangle, le carré et le rectangle; – décrit les figures planes suivantes : le cercle, le triangle, le carré et le rectangle.	✓	

Évaluation

Évaluation

L'évaluation des élèves est **continue, intégrée à l'enseignement** et souvent **fondée sur des observations** relevées **pendant que** les élèves travaillent et réalisent diverses activités en groupe-classe et au cours d'activités et de jeux dans les centres d'apprentissage.

Au cours des activités, l'enseignant ou l'enseignante doit **observer, écouter, questionner** et **examiner de près** les démarches et les stratégies qu'utilisent les élèves en fonction des pistes d'observation qui permettent de cerner leur compréhension.

Tel qu'il est écrit dans le *Rapport de la table ronde des experts en mathématiques* (2003), l'évaluation consiste à recueillir des informations ou des preuves observables de ce que peut faire l'élève. Il n'est donc pas de mise d'attendre seulement à la fin d'une étape pour porter un jugement sur l'apprentissage d'un ou d'une élève. Pour cette raison, nous préconisons davantage une **évaluation formative**.

De plus, des **grilles d'observation** sont fournies aux pages suivantes. Il est donc possible de s'en servir pour noter des observations au cours des activités de mathématiques quotidiennes.

Une **évaluation diagnostique** se trouve au début de cette section pour permettre aux enseignantes et aux enseignants de cerner, dès le début de l'année, les forces de chaque élève et les défis à relever dans le domaine Géométrie. Par la suite, il est possible de choisir les activités et les jeux de ce module et de les adapter aux divers besoins des élèves.

Évaluation diagnostique (maternelle/jardin)

L'évaluation diagnostique proposée est une entrevue qui ne dure qu'une dizaine de minutes, mais qui donne beaucoup d'informations sur ce que connaît l'élève. Les renseignements recueillis permettront à l'enseignant ou à l'enseignante de présenter des activités qui tiennent compte des acquis et des besoins des élèves du groupe-classe.

Matériel requis
✓ feuilles **Évaluation diagnostique – Propriétés des formes géométriques** (une copie par élève)
✓ deux de chacun des blocs logiques suivants : carré, triangle, cercle et rectangle
✓ deux de chacun des solides suivants : cube, sphère, cylindre, cône et prisme à base rectangulaire

Au cours de l'entrevue
✓ ne pas aider l'élève, donc ne pas intervenir;
✓ accepter toutes les réponses;
✓ permettre à l'élève de communiquer sa compréhension dans ses propres mots;
✓ ne pas dire si une réponse est correcte ou non;
✓ s'abstenir de tout commentaire.

Évaluation diagnostique – Propriétés des formes géométriques

☐ **Maternelle**   ☐ **Jardin**

Nom de l'élève : _____

Date : _____

Note : En ce qui concerne les élèves de la **maternelle** ou du programme ALF, suivre les étapes 1 et 2 dans l'ordre proposé. Concernant les élèves du **jardin**, suivre les étapes 2 et 4 seulement. Réaliser les étapes 1 et 3, au besoin.

Figures planes (maternelle/jardin)

Déroulement de l'évaluation diagnostique	Observations	Oui	Non
Mettre huit blocs logiques devant l'élève.			
Étape 1 Montrer une figure plane à la fois et donner les consignes suivantes : ▸ Montre-moi un carré. ▸ Montre-moi un cercle. ▸ Montre-moi un rectangle. ▸ Montre-moi un triangle.	▸ L'élève montre les figures planes suivantes : • le carré • le cercle • le rectangle • le triangle		
Étape 2 Pour chaque figure plane, suivre la démarche suivante. Montrer une figure plane et poser les questions suivantes : ▸ Quel est le nom de cette forme?	▸ L'élève nomme les figures planes suivantes : • le carré • le cercle • le rectangle • le triangle		

▶ Pourquoi dis-tu que c'est un _____?

▶ L'élève décrit les figures planes ci-dessous en utilisant le vocabulaire mathématique simple lié aux propriétés des figures planes montrées (p. ex., côté, coin, rond, droit, pointu).
  • le carré
  • le cercle
  • le rectangle
  • le triangle

Solides (jardin)

Déroulement de l'évaluation diagnostique	Observations	Oui	Non
Mettre 10 solides devant l'élève.			
Étape 3 Montrer un solide à la fois et donner les consignes suivantes : ▶ Montre-moi un cube. ▶ Montre-moi une sphère. ▶ Montre-moi un cône. ▶ Montre-moi un cylindre. ▶ Montre-moi un prisme.	▶ L'élève montre les solides suivants : • le cube • la sphère • le cône • le cylindre • le prisme		
Étape 4 Pour chaque solide, suivre la démarche suivante. Montrer un solide et poser les questions suivantes : ▶ Quel est le nom de ce solide?	▶ L'élève nomme les solides suivants : • le cube • la sphère • le cône • le cylindre • le prisme		

Évaluation

▶ Pourquoi dis-tu que c'est un ou une _____ ?

L'élève décrit les solides ci-dessous en utilisant le vocabulaire mathématique simple lié aux propriétés des solides montrés (p. ex., côté plat, côté rond, coin, roule, glisse).

- le cube
- la sphère
- le cône
- le cylindre
- le prisme

Évaluation diagnostique – Module 1 – Géométrie – Propriétés des formes géométriques
Portrait du groupe-classe

☐ **Maternelle**   ☐ **Jardin**

Titulaire : _____   **Date :** _____

Figures planes

Nom de l'élève :	montre les figures planes suivantes : • le carré	• le cercle	• le rectangle	• le triangle	nomme les figures planes suivantes : • le carré	• le cercle	• le rectangle	• le triangle	décrit les figures planes ci-dessous en utilisant le vocabulaire mathématique simple lié aux propriétés des figures planes montrées • le carré	• le cercle	• le rectangle	• le triangle

Évaluation diagnostique – Module 1 – Géométrie – Propriétés des formes géométriques Portrait du groupe-classe

☐ **Maternelle**   ☐ **Jardin**

Titulaire : _____   **Date :** _____

Solides

Nom de l'élève :	montre les solides suivants : • le cube	• la sphère	• le cône	• le cylindre	• le prisme	nomme les solides suivants : • le cube	• la sphère	• le cône	• le cylindre	• le prisme	décrit les solides ci-dessous en utilisant le vocabulaire mathématique simple lié aux propriétés des solides montrés • le cube	• la sphère	• le cône	• le cylindre	• le prisme

Grille d'observation du groupe-classe –
Module 1 – Géométrie –
Attributs et propriétés des formes géométriques

☐ **Maternelle** ☐ **Jardin** **Titulaire :** _____

Figures planes

Nom de l'élève :	utilise des figures planes dans le but de créer une nouvelle forme ou un dessin	classe les figures planes en fonction d'attributs ou de propriétés simples	classifie les figures planes en fonction d'attributs ou de propriétés simples	reconnaît les figures planes suivantes : • le carré	• le cercle	• le rectangle	• le triangle	nomme les figures planes suivantes : • le carré	• le cercle	• le rectangle	• le triangle	décrit les figures planes suivantes : • le carré	• le cercle	• le rectangle	• le triangle
1.															
2.															
3.															
4.															
5.															
6.															
7.															
8.															
9.															
10.															
11.															
12.															
13.															
14.															
15.															
16.															
17.															
18.															
19.															
20.															

Grille d'observation du groupe-classe – Module 1 – Géométrie – Attributs et propriétés des formes géométriques

☐ **Maternelle**   ☐ **Jardin**   **Titulaire :** _____

Solides

Nom de l'élève :	utilise des solides ou des objets pour construire des structures	classe les solides en fonction d'attributs ou de propriétés simples	classifie les solides en fonction d'attributs ou de propriétés simples	reconnaît les solides suivants : • le cube	• la sphère	• le cône	• le cylindre	• le prisme	nomme les solides suivants : • le cube	• la sphère	• le cône	• le cylindre	• le prisme	décrit les solides suivants : • le cube	• la sphère	• le cône	• le cylindre	• le prisme
1.																		
2.																		
3.																		
4.																		
5.																		
6.																		
7.																		
8.																		
9.																		
10.																		
11.																		
12.																		
13.																		
14.																		
15.																		
16.																		
17.																		
18.																		
19.																		
20.																		

Grille d'observation d'une équipe –
Module 1 – Géométrie –
Attributs et propriétés des formes géométriques

☐ **Maternelle**   ☐ **Jardin**   **Titulaire :** _____

Figures planes

Nom de l'élève :	utilise des figures planes dans le but de créer une nouvelle forme ou un dessin	classe les figures planes en fonction d'attributs ou de propriétés simples	classifie les figures planes en fonction d'attributs ou de propriétés simples	reconnaît les figures planes suivantes : le carré	le cercle	le rectangle	le triangle	nomme les figures planes suivantes : le carré	le cercle	le rectangle	le triangle	décrit les figures planes suivantes : le carré	le cercle	le rectangle	le triangle

Grille d'observation d'une équipe –
Module 1 – Géométrie –
Attributs et propriétés des formes géométriques

☐ **Maternelle**   ☐ **Jardin**   **Titulaire :** _____

Solides

Nom de l'élève :	utilise des solides ou des objets pour construire des structures	classe les solides en fonction d'attributs ou de propriétés simples	classifie les solides en fonction d'attributs ou de propriétés simples	reconnaît les solides suivants : • le cube	• la sphère	• le cône	• le cylindre	• le prisme	nomme les solides suivants : • le cube	• la sphère	• le cône	• le cylindre	• le prisme	décrit les solides suivants : • le cube	• la sphère	• le cône	• le cylindre	• le prisme

Grille d'observation individuelle –
Module 1 – Géométrie –
Attributs et propriétés des formes géométriques

Nom de l'élève : _____ **Date :** _____

☐ **Maternelle** ☐ **Jardin** **Titulaire :** _____

Figures planes

Pistes d'observation	Commentaires
utilise des figures planes dans le but de créer une nouvelle forme ou un dessin	
classe les figures planes en fonction d'attributs (p. ex., couleur, grandeur, texture, forme, position) ou de propriétés simples (p. ex., côté, coin, rond, droit, pointu)	
classifie les figures planes en fonction d'attributs (p. ex., couleur, grandeur, texture, forme, position) ou de propriétés simples (p. ex., côté, coin, rond, droit, pointu)	
reconnaît (dans son environnement, dans un dessin, etc.) les figures planes suivantes : • le carré	
• le cercle	
• le rectangle	
• le triangle	
nomme les figures planes suivantes : • le carré	
• le cercle	
• le rectangle	
• le triangle	
décrit les figures planes suivantes : • le carré	
• le cercle	
• le rectangle	
• le triangle	

Grille d'observation individuelle –
Module 1 – Géométrie –
Attributs et propriétés des formes géométriques

Nom de l'élève : _____   **Date :** _____

☐ **Maternelle**   ☐ **Jardin**   **Titulaire :** _____

Solides

Pistes d'observation	Commentaires
utilise des solides ou des objets pour construire des structures	
classe les solides en fonction d'attributs (p. ex., couleur, grandeur, texture, forme, position) ou de propriétés simples (p. ex., forme, côté, coin, rond, droit, pointu, roule, glisse)	
classifie les solides en fonction d'attributs (p. ex., couleur, grandeur, texture, forme, position) ou de propriétés simples (p. ex., forme, côté, coin, rond, droit, pointu, roule, glisse)	
reconnaît (dans son environnement, dans un dessin, etc.) les solides suivants : • le cube • la sphère • le cône • le cylindre • le prisme	
nomme les solides suivants : • le cube • la sphère • le cône • le cylindre • le prisme	
décrit les solides suivants : • le cube • la sphère • le cône • le cylindre • le prisme	

Activités

Module 1 – Géométrie

Des illustrations pleines de formes
(maternelle/jardin)

[X] en groupe-classe [ ] en équipe [X] individuelle

Au cours de cette activité, l'élève assemble des figures planes pour représenter un objet ou un dessin et découvre quelques attributs et propriétés des figures planes.

Pistes d'observation

L'élève :

– utilise des figures planes dans le but de créer une nouvelle forme ou un dessin;

– nomme les figures planes suivantes : le triangle et le carré à la maternelle; le cercle, le rectangle, le triangle et le carré au jardin;

– décrit les figures planes mentionnées ci-dessus en se servant d'attributs (p. ex., couleur, taille, forme) ou des propriétés simples (p. ex., côté, coin, pointu).

Matériel requis

✓ contenants de mosaïques géométriques (un par équipe de deux)

✓ jetons

✓ cartons rigides pouvant servir de napperons (un par élève)

Avant la présentation de l'activité

– ajouter une douzaine de jetons dans chaque contenant de mosaïques géométriques.

Déroulement

▸ Inviter les élèves à venir s'asseoir dans l'aire de rassemblement.

▸ Montrer aux élèves un contenant de mosaïques géométriques et leur demander s'il y a des formes qu'elles et ils peuvent nommer.

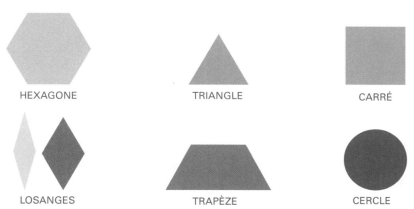

HEXAGONE TRIANGLE CARRÉ

LOSANGES TRAPÈZE CERCLE

Note : Il ne faut pas s'attendre à ce que les élèves nomment toutes ces formes. Cependant, elles et ils peuvent déterminer des attributs en nommant la couleur, en distinguant la taille ou en désignant la fonction (p. ex., la forme verte au lieu du triangle, un toit de maison au lieu du trapèze). Quelques élèves peuvent aussi nommer des propriétés simples de figures planes en comptant le nombre de coins ou le nombre de côtés.

▶ Expliquer aux élèves qu'elles et ils vont jouer avec ces formes pour représenter un objet ou une illustration.

▶ Demander aux élèves de nommer des objets ou des illustrations qu'elles et ils aimeraient faire.

▶ Grouper les élèves en équipes de deux.

▶ Remettre à chaque équipe un contenant de mosaïques géométriques et remettre à chaque élève un napperon sur lequel elle ou il peut assembler les mosaïques.

▶ Allouer à chaque élève le temps requis pour représenter un objet ou une illustration à l'aide de mosaïques géométriques.

▶ Circuler dans la salle de classe et observer les élèves dans le but de vérifier leurs connaissances et leur utilisation du vocabulaire concernant la description des attributs et des propriétés des figures planes.

> Note : Il est possible de noter ses observations en utilisant une des grilles d'observation de la section **Évaluation** de ce module.

▶ Dire aux élèves qui terminent leur assemblage avant les autres de créer d'autres formes représentant des objets ou des dessins.

▶ Demander aux élèves de laisser leur création sur le napperon et les inviter à venir s'asseoir dans l'aire de rassemblement pour faire l'échange mathématique.

▶ Choisir quelques élèves et leur demander de présenter leur création.
Voici des exemples de formes qu'ont créées les élèves et leur description :

 J'ai fait une étoile. J'ai d'abord placé une forme jaune, puis j'ai mis des triangles sur chaque côté de la forme jaune. Ça fait une étoile!

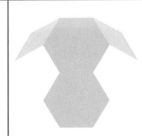 J'ai fait un chien en utilisant une forme jaune pour le corps et une autre forme jaune pour la tête. J'ai ajouté deux formes beiges pour faire les deux longues oreilles comme celles de mon chien.

▶ Permettre aux élèves de circuler dans la salle de classe pour voir les différents dessins qu'ont créés les élèves.

▶ Demander aux élèves d'assembler de nouveau les mosaïques géométriques pour représenter d'autres objets ou d'autres illustrations.

> Note : En géométrie, il ne s'agit pas uniquement d'amener les élèves à nommer les figures. Il importe de leur permettre d'explorer, de comparer et de découvrir les ressemblances et les différences entre les diverses figures planes. C'est en manipulant, en observant et en classant les figures géométriques que les élèves découvrent les différentes propriétés des
>
> figures (p. ex., l'enfant qui dit que cette figure ▢ est un carré, mais que cette figure ◇ n'est pas un carré, ne connaît pas les propriétés d'un carré et n'a pas compris qu'un carré a quatre côtés qui sont de la même longueur, peu importe la façon dont le carré est placé :
>
>).

Variantes

1. Mettre un bac de mosaïques géométriques dans le centre de mathématiques et, pendant la période de temps allouée aux centres d'apprentissage, permettre aux élèves de créer d'autres formes représentant des objets ou des dessins.

2. Au centre de mathématiques, distribuer des formes en carton de la même taille que les mosaïques géométriques ou des mosaïques autocollantes, de la colle et une feuille grand format. Demander aux élèves de garder des traces de leurs créations en assemblant les formes en carton ou les autocollants des mosaïques et en les collant sur la feuille de papier (jardin).

Ex. :

Mathieu

Alexandre

un soleil

des bateaux

3. Reprendre la même activité en utilisant des ensembles de solides un peu plus tard dans l'année.

Ex. :

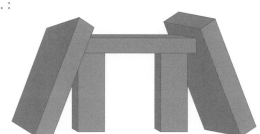

J'ai construit un pont avec des blocs. J'ai pris 5 blocs. Il y en a 2 debout, un par-dessus et les 2 autres sont penchés.

4. Prendre des photos des créations des élèves pour en faire un album à mettre dans le salon de lecture ou dans le centre de mathématiques.

5. Identifier un nombre-vedette pour la semaine (p. ex., le nombre 7). Demander aux élèves de créer des formes à l'aide des mosaïques géométriques en utilisant le nombre-vedette de mosaïques.

Ex. :

6. Au lieu d'utiliser les mosaïques géométriques, utiliser les formes du jeu *Tangram*.

Ex. :

Des formes géantes (maternelle/jardin)

[X] en groupe-classe   [ ] en équipe   [ ] individuelle

> Au cours de cette activité, l'élève marche sur la frontière de différentes formes géantes au gymnase, dans la salle de classe ou dans la cour d'école.

Pistes d'observation

L'élève :

- reconnaît (dans son environnement, dans un dessin, etc.) les figures planes suivantes : le cercle, le triangle, le carré et le rectangle;
- explore le sens de l'espace et la notion d'intérieur et d'extérieur;
- nomme les figures planes suivantes : le cercle, le triangle, le carré et le rectangle.

Matériel requis

✓ ruban-cache ou grosses craies sèches
✓ cédérom de musique instrumentale et lecteur de disques compacts

Avant la présentation de l'activité

- coller du ruban-cache sur le plancher de la salle de classe ou du gymnase pour former des figures planes géantes (p. ex., deux triangles, deux cercles, deux carrés, deux rectangles) ou, au moyen de grosses craies sèches, dessiner des figures planes géantes sur le pavé de la cour d'école.

Déroulement

▸ Se rendre à l'endroit où sont représentées les figures géantes et demander aux élèves de dire ce qu'elles et ils voient.

▸ Expliquer l'activité aux élèves de la façon suivante :
  - Au son de la musique, tu dois te déplacer sur le contour d'une des formes géantes.
  - Lorsque la musique arrête, tu dois te mettre à l'intérieur d'une des formes géantes et rester immobile (faire la statue) en vue d'écouter les prochaines consignes.

▸ Commencer à jouer en donnant aux élèves la consigne suivante : « Au son de la musique, déplace-toi sur le contour d'une forme de ton choix en faisant de petits pas. »

▸ Faire jouer la musique, observer les élèves et les aider, au besoin.

▸ Arrêter la musique et s'assurer que tous les élèves se mettent rapidement à l'intérieur d'une des formes.

▸ Lorsque tous les élèves sont à l'intérieur d'une forme, reprendre la même démarche en donnant d'autres consignes.
  Voici des exemples de consignes :
  - Déplace-toi sur le contour du cercle en sautillant.
  - Déplace-toi sur le contour du rectangle en faisant des pas de géants.
  - Déplace-toi sur le contour du triangle en courant.
  - Déplace-toi en courant à l'extérieur des formes.
  - Déplace-toi sur le contour du triangle ou du rectangle.
  - Déplace-toi en sautant à l'intérieur d'une des formes.

▸ Tout le long de l'activité, poser des questions aux élèves pour leur permettre d'utiliser le vocabulaire mathématique.
Voici des exemples de questions :

- Paul, où es-tu?

- Dans quelle forme es-tu assis?

- Où Sylvie se trouve-t-elle?

▸ Au moment opportun, inviter les élèves à venir s'asseoir près de vous pour faire l'échange mathématique. Leur poser des questions dans le but de les amener à utiliser le vocabulaire mathématique et à découvrir les propriétés géométriques des figures planes ou à les approfondir.
Voici des exemples de questions :

- Sur quelle forme as-tu aimé marcher? Pourquoi?

- Quelle a été la forme la plus facile à parcourir? Pourquoi?

- Quelle a été la forme la plus difficile à parcourir? Pourquoi?

- Que remarques-tu lorsque tu marches autour du carré? du cercle?

Variantes

1. Au lieu de dessiner les formes géantes sur le sol, les dessiner au mur. Les élèves devront faire « marcher » leurs mains sur le mur.

2. Jouer au *Jeu de l'araignée*. Au signal d'arrêt, donner des consignes plus complexes qui demandent à l'élève de placer différentes parties de son corps à différents endroits (p. ex., mets une main à l'intérieur du cercle, mets l'autre main sur le contour du cercle, mets tes deux pieds à l'extérieur du cercle).

Fais un dessin comme le mien (jardin)

| X | en groupe-classe | | en équipe | | individuelle |

> Au cours de ce jeu, l'élève assemble des mosaïques géométriques et des jetons pour représenter le même dessin que celui de l'enseignant ou de l'enseignante.

Pistes d'observation

L'élève :

- utilise des figures planes dans le but de créer une nouvelle forme ou un dessin;
- reconnaît (dans son environnement, dans un dessin, etc.) les figures planes suivantes : le cercle, le triangle, le carré et le rectangle;
- nomme les figures planes suivantes : le cercle, le triangle, le carré et le rectangle.

Matériel requis

- ✓ contenants de mosaïques géométriques (un par équipe de deux)
- ✓ jetons
- ✓ napperons (un par élève)
- ✓ transparents **Fais un dessin comme le mien**
- ✓ rétroprojecteur

Avant la présentation de l'activité

- découper en deux chaque transparent;
- déposer une douzaine de jetons dans chaque contenant de mosaïques géométriques.

Déroulement

▸ Dire aux élèves qu'elles et ils vont prendre part au jeu *Fais un dessin comme le mien* dont le but est de reproduire, au moyen de mosaïques géométriques et de jetons, un dessin qui sera projeté au mur.

▸ Projeter la première maison des transparents **Fais un dessin comme le mien**.

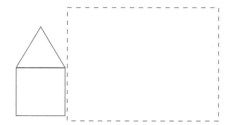

▸ Demander aux élèves de nommer les formes utilisées pour créer ce dessin.

▸ Inviter un ou une élève à venir reproduire le dessin sur le transparent en utilisant les mosaïques géométriques.

▸ Grouper les élèves en équipes de deux.

▸ Remettre à chaque équipe un contenant de mosaïques géométriques et des jetons.

▸ Projeter les trois maisons de la première partie des transparents et donner aux élèves la consigne suivante : « Fais un dessin comme le mien. »

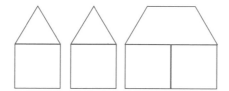

▸ Allouer aux élèves le temps requis pour qu'elles et ils puissent reproduire le dessin.

▸ Circuler parmi les élèves, les observer et les aider, au besoin, en leur posant des questions dans le but de leur permettre d'utiliser le vocabulaire mathématique et de les amener à choisir les bonnes figures planes pour reproduire le dessin.
Voici des exemples de questions :

- Quelles formes vois-tu? Peux-tu les nommer?
- Combien de carrés te faut-il pour compléter le dessin?
- Quelle forme vas-tu placer en premier?
- Qu'arrive-t-il si tu tournes la forme rouge?
- Pourquoi dis-tu que cette forme n'est pas la bonne?

▸ Lorsque les élèves ont terminé leur dessin, demander à quelques-uns de faire part de leur démarche pour reproduire de façon exacte le dessin.
Voici des réponses possibles :

  ✦ J'ai compté le nombre de carrés, de triangles et de formes rouges. J'ai construit la première maison, la deuxième maison et la plus grande maison.
  ✦ J'ai bien regardé le dessin et j'ai placé une forme à la fois.

▸ Poursuivre l'activité en montrant d'autres dessins.

▸ Au cours de l'échange mathématique, demander aux élèves ce qu'elles et ils ont appris en prenant part au jeu *Fais un dessin comme le mien*.
Voici des réponses possibles :

  ✦ J'ai appris que des formes peuvent être placées de plusieurs façons.
  ✦ J'ai appris que, si je mets deux carrés ensemble, ça fait un rectangle.
  ✦ J'ai trouvé que c'était plus facile de prendre d'abord toutes les formes, puis de faire le casse-tête.

Variantes

1. Mettre le matériel de cette activité dans le centre de mathématiques. Au cours de la période des centres d'apprentissage, inviter les élèves à reproduire les illustrations des transparents.

2. Mettre le matériel de cette activité dans le centre de mathématiques. Au cours de la période des centres d'apprentissage, inviter les élèves à se rendre au centre, en équipes de deux. Chaque élève crée un dessin à l'aide des formes géométriques et reproduit le dessin de sa ou de son partenaire.

3. Utiliser les blocs logiques de formes différentes et de tailles variées ou les pièces de Tangram pour créer des dessins. Dire aux élèves de laisser des traces de leurs dessins sur des feuilles blanches.

Note : Ces dessins pourront servir de fiches et former une banque d'illustrations à reproduire.

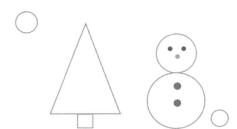

4. Au jardin d'enfants, au lieu de montrer un dessin sur transparent et de demander aux élèves de le reproduire à l'aide de mosaïques géométriques, faire, devant les élèves, un dessin au tableau comprenant quelques formes et leur demander de reproduire ce dessin sur leur petit tableau.

5. Lorsque les élèves réussissent bien ce type d'activité, au lieu de leur montrer un dessin à reproduire, leur demander de dessiner ce que vous allez leur dire; par exemple, dessine un cercle au centre de la page, fais un triangle au-dessus du cercle et dessine un carré sous le cercle.

6. Utiliser les mêmes dessins qui se trouvent sur les transparents **Fais un dessin comme le mien** pour jouer au jeu *Combien de formes dans mon dessin?*. Projeter un dessin à l'aide du rétroprojecteur et demander aux élèves de compter le nombre de triangles dans le dessin. Leur demander également de vous indiquer le nombre de triangles en montrant le même nombre de doigts ou en montrant une carte numérique.

Fais un dessin comme le mien

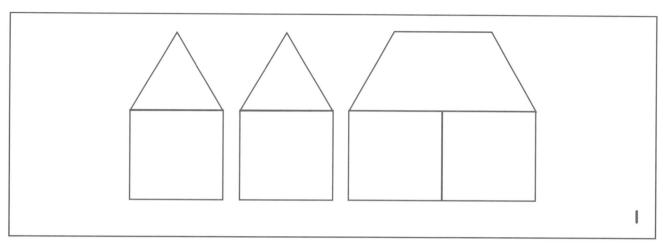

1

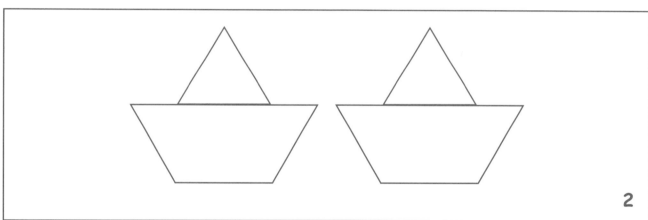

2

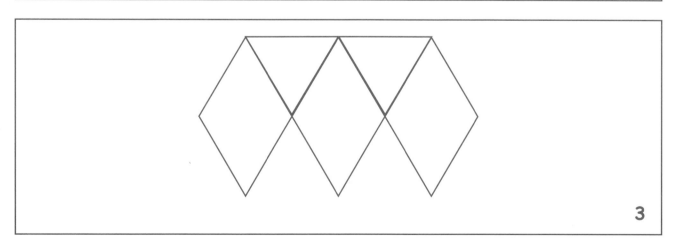

3

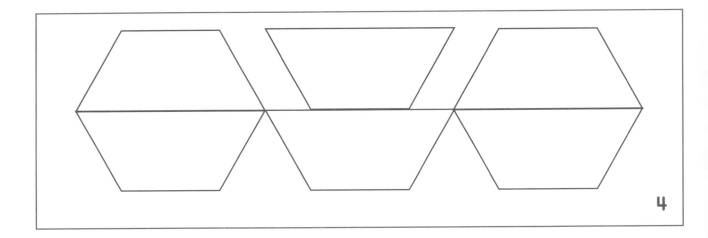

4

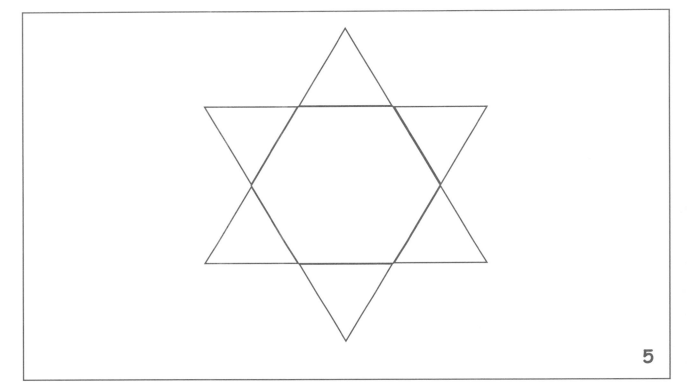

5

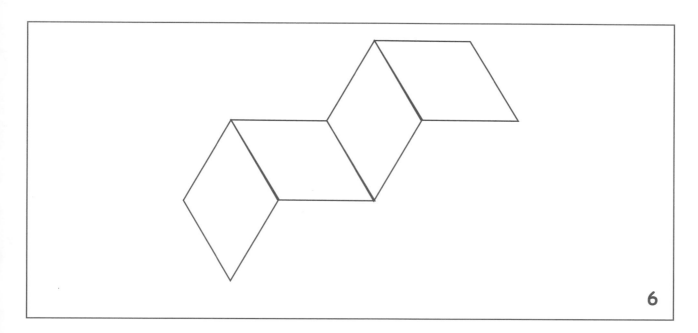

6

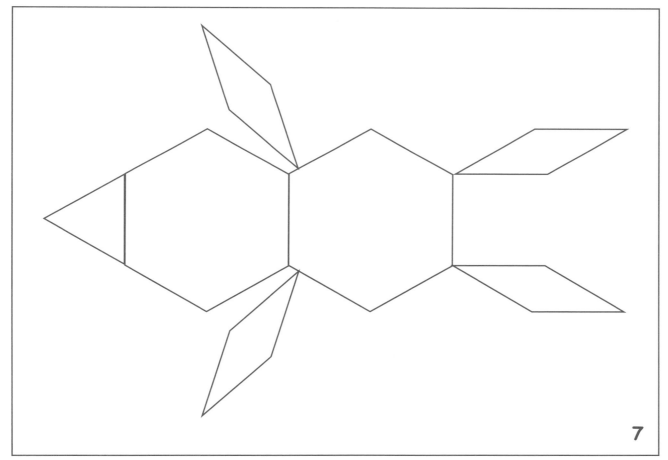

7

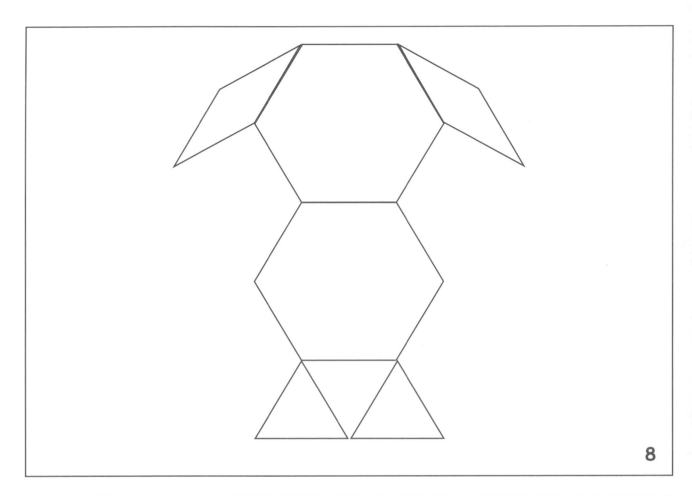

8

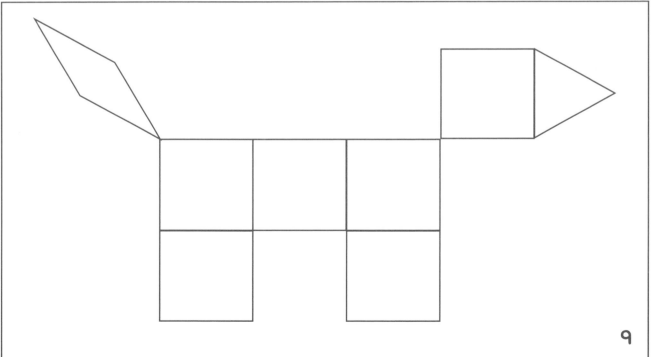

9

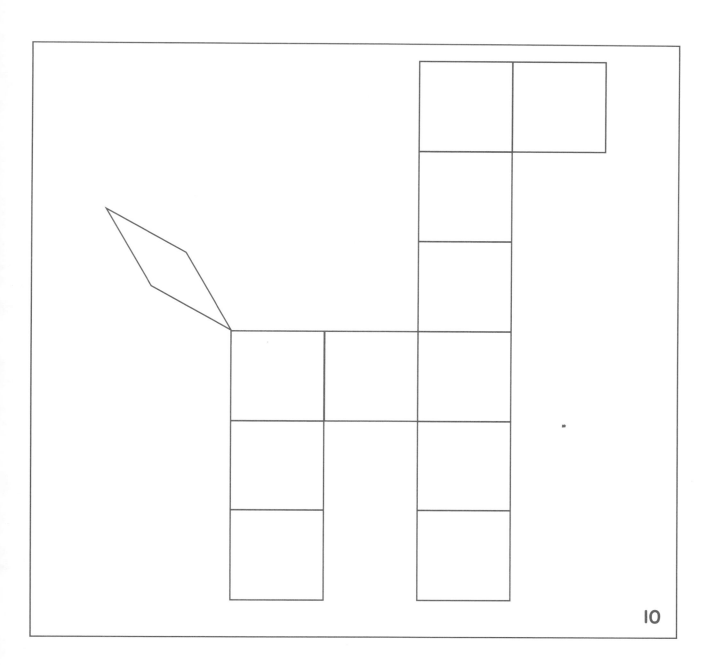

10

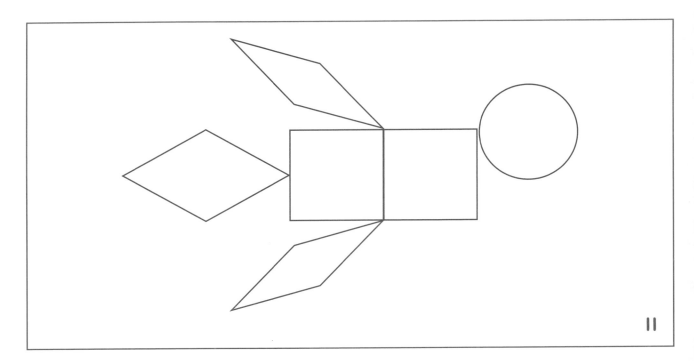

11

12

13

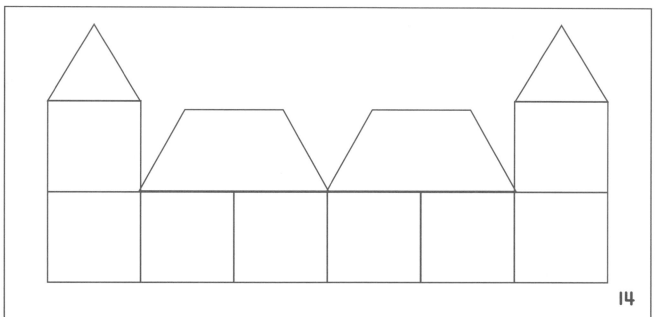

14

Un sac-cadeau pour classer (maternelle/jardin)

| X | en groupe-classe | X | en équipe | X | individuelle |

Au cours de cette activité, l'élève classe des figures planes parmi les blocs logiques en fonction d'un attribut qu'elle ou il a choisi (p. ex., la couleur, la grandeur [grosseur ou épaisseur] et la forme).

Pistes d'observation

L'élève :

– classe les figures planes en fonction d'attributs (p. ex., couleur, grandeur, texture, forme, position) ou de propriétés simples (p. ex., côté, coin, rond, droit, pointu);
– nomme les figures planes suivantes : le cercle, le triangle, le carré et le rectangle;
– décrit les figures planes suivantes : le cercle, le triangle, le carré et le rectangle.

Note : Il existe une différence entre l'action de classer et l'action de classifier. **Classer** est une action qui consiste à prendre des objets, des éléments, des figures ou des données, à **créer des classes** et à les **disposer dans la bonne classe**. **Classifier** est une action qui consiste à prendre des objets, des éléments, des figures ou des données et à les **disposer dans des classes prédéterminées**, selon les caractéristiques de chacune des classes. Ces caractéristiques doivent être connues de celle ou de celui qui devra classifier.

Matériel requis

✓ ensembles de blocs logiques (un par équipe de deux)
✓ petits sacs-cadeaux (quatre par équipe de deux)

Déroulement

▸ Inviter les élèves à venir s'asseoir dans l'aire de rassemblement.

▸ Déposer un ensemble de blocs logiques par terre, devant les élèves.

▸ Poser aux élèves la question suivante : « Voici des blocs logiques. Peux-tu les décrire? »
Voici des réponses possibles :
  ◆ Les blocs logiques sont des triangles, des carrés, des rectangles et des cercles.
  ◆ Les formes sont de différentes couleurs.
  ◆ Les formes sont de différentes grandeurs.

▸ Poser la question suivante : « Comment puis-je organiser les blocs logiques pour retrouver facilement chaque type de pièce? »

▸ Écouter les suggestions des élèves.
Voici des suggestions possibles :
  ◆ On peut mettre tous les cercles ensemble.
  ◆ On peut mettre les gros rectangles ensemble.
  ◆ On peut ranger toutes les petites formes ensemble.
  ◆ On peut mettre toutes les formes de couleur jaune ensemble.
  ◆ On peut mettre les formes qui sont de la même épaisseur ensemble.
  ◆ On peut mettre ensemble les triangles qui ont la même texture.

▸ Grouper les élèves en équipes de deux.

▸ Remettre à chaque équipe un contenant de blocs logiques ainsi que quatre sacs-cadeaux dans lesquels les élèves vont ranger leurs blocs logiques.

▸ Expliquer aux élèves que chaque équipe doit organiser à sa façon les blocs logiques dans les sacs-cadeaux.

▸ Allouer à chaque équipe le temps requis pour classer les formes dans les sacs-cadeaux.

▸ Circuler parmi les élèves et leur poser des questions dans le but de les amener à préciser leur façon de classer les blocs logiques.
Voici des exemples de questions :
  • Quelle est la couleur de tes formes?
  • Pourquoi as-tu rangé le cercle rouge avec les cercles jaunes?
  • Qu'est-ce que ces deux formes ont de pareil?
  • Qu'est-ce que ces deux formes ont de différent?
  • Peux-tu expliquer ta façon de ranger les blocs logiques?
  • Peux-tu placer cette forme ailleurs?
  • Comment ton équipe a-t-elle organisé ses blocs logiques?

▸ Inviter les élèves à venir s'asseoir dans l'aire de rassemblement pour faire l'échange mathématique et leur demander d'apporter leurs sacs-cadeaux.

▸ Demander à une équipe de vider un de ses sacs.

▸ Dire aux élèves qu'elles et ils vont jouer au *Jeu du détective* en essayant de trouver la règle de classement qu'a choisie l'équipe.

▸ Dire aux élèves de mettre leurs lunettes de détective et de bien regarder les formes disposées sur le tapis.

▸ Dire aux élèves de lever la main lorsqu'elles et ils pensent avoir trouvé la règle de classement de l'équipe.
Voici des réponses possibles :
    ◆ Je pense qu'ils ont mis tous les blocs minces dans ce sac.
    ◆ Je pense qu'ils ont rangé tous les blocs jaunes dans ce sac.

▸ Demander à un ou à une élève de l'équipe d'expliquer son classement. Dans l'exemple ci-dessus, les membres de l'équipe avaient choisi de ranger, dans ce sac, tous les blocs jaunes.

▸ Demander aux élèves de lever la main si elles et ils ont choisi de ranger, dans leur sac, des formes d'une même couleur. Leur demander également de vider leur sac.

▸ Demander aux autres de vérifier si ces élèves ont classé les formes selon la couleur jaune.

▸ Permettre à d'autres équipes de présenter leur façon d'organiser les blocs logiques dans leur sac afin que les autres devinent les règles de classement.

Variantes

1. Reprendre l'activité en utilisant du matériel différent tel que des carreaux de couleur, des petits oursons de différentes couleurs, des voitures et des camions, des fruits en plastique, des mosaïques géométriques, des formes variées en carton, des solides, des blocs de construction ou des boîtes de toutes sortes.

2. Mettre un bac de matériel de manipulation dans le centre de mathématiques et, pendant la période de temps allouée aux centres d'apprentissage, permettre aux élèves de classer des objets en fonction d'un attribut ou d'une propriété géométrique.

Les formes sont dans les verres, Marilon Dondé! (maternelle, étape 1; jardin, étapes 1 et 2)

☒ en groupe-classe   ☒ en équipe   ☐ individuelle

> Au cours de cette activité, l'élève prend part au jeu *Les formes sont dans les verres, Marilon Dondé!* en classifiant des figures planes en fonction d'attributs ou de propriétés simples.

Pistes d'observation

L'élève :

- classifie les figures planes en fonction d'attributs (p. ex., couleur, grandeur, texture, forme, position) ou de propriétés simples (p. ex., côté, coin, rond, droit, pointu);
- nomme les figures planes suivantes : le cercle, le triangle, le carré et le rectangle;
- décrit les figures planes suivantes : le cercle, le triangle, le carré et le rectangle;
- récite les nombres de 1 à 10;
- compare des ensembles en fonction de la quantité;
- utilise les termes *plus que*, *moins que* et *autant que* pour comparer des quantités, ainsi que les termes *plus grand que*, *plus petit que* et *entre* pour comparer des nombres;
- utilise la correspondance un à un :
  - en étiquetant chaque objet une seule fois;
  - en synchronisant un nombre par objet;
  - en étiquetant de façon organisée.

Matériel requis

Étape 1 :

✓ sac

✓ bac de mosaïques géométriques

✓ bac de blocs logiques

✓ six grands verres en plastique transparent

✓ feuilles **Cartes du jeu *Les formes sont dans les verres, Marilon Dondé!***

> Note : En ce qui concerne les élèves de la maternelle, utiliser uniquement la première des deux feuilles **Cartes du jeu *Les formes sont dans les verres, Marilon Dondé!***. Ajouter l'autre feuille un peu plus tard dans l'année ou au jardin seulement.

Étape 2 :

✓ sac

✓ bacs de mosaïques géométriques (un par équipe de quatre)

✓ bacs de blocs logiques (un par équipe de quatre)

✓ grands verres en plastique transparent (six par équipe de quatre)

✓ feuilles **Cartes du jeu *Les formes sont dans les verres, Marilon Dondé!***

Avant la présentation de l'étape 1

– préparer un ensemble de cartes en faisant quatre copies de chacune des feuilles **Cartes du jeu *Les formes sont dans les verres, Marilon Dondé!***, en découpant les cartes et en les mettant dans un sac;
– créer un ensemble de six verres en traçant le contour d'une forme différente sur chaque verre.

Avant la présentation de l'étape 2

– créer un ensemble de six verres par équipe de quatre en traçant le contour d'une forme différente sur chaque verre.

Déroulement

Étape 1 – Maternelle et jardin

▸ Inviter les élèves à venir s'asseoir dans l'aire de rassemblement.

▸ Dire aux élèves que vous allez leur présenter un nouveau jeu qui s'intitule *Les formes sont dans les verres, Marilon Dondé!*.

▸ Vider les deux bacs de formes (blocs logiques et mosaïques géométriques) par terre, devant les élèves, et placer le sac de cartes à côté des formes. Mettre les six verres en plastique de l'autre côté des formes.

▸ Expliquer aux élèves que le but du jeu est de déposer des formes dans les verres en partant d'indices donnés sur les cartes de jeu. Ajouter que le verre gagnant sera le verre qui contiendra le plus de formes.

▸ Montrer les verres aux élèves et leur demander de nommer les formes indiquées sur chacun d'eux ou de les écrire.

▸ Présenter le déroulement du jeu de la façon suivante :
  • Demander à un ou à une élève de tirer une carte du sac et de nommer la forme (p. ex., un triangle).
  • Demander à quatre élèves de venir choisir une forme différente qui correspond à l'indice donné, de la montrer et de la déposer dans le verre approprié.
  • Demander à un ou à une autre élève de tirer une autre carte du sac et de la décrire (p. ex., « La forme a quatre côtés droits. »).
  • Demander à quatre élèves de venir choisir une forme différente qui correspond à l'indice donné, de la montrer et de la déposer dans le verre approprié.

▸ Faire ressortir qu'il est souvent possible d'avoir plus d'une réponse.

▸ Tout le long du jeu, poser des questions aux élèves dans le but de les amener à préciser leurs choix de formes à mettre dans les verres.
  Voici des exemples de questions :
  • Pourquoi as-tu choisi cette forme?
  • En quoi ces deux formes sont-elles différentes?
  • En quoi ces quatre formes sont-elles pareilles?
  • Y a-t-il une autre forme que tu peux choisir relativement à cette carte? Si oui, laquelle?

• Qu'est-ce que ces deux formes ont de différent?

• Qu'est-ce que ces quatre formes ont de pareil?

• Quelle autre forme peux-tu choisir?

• Peux-tu expliquer la raison pour laquelle tu as choisi cette forme au lieu de celle-ci?

▶ Poursuivre la partie en tirant d'autres cartes de jeu et en demandant à d'autres élèves de choisir des formes.

▶ À la fin du jeu, demander aux élèves :

• de désigner le verre ayant le plus grand nombre de formes;

• d'estimer le nombre total de formes dans le verre;

• de justifier leur choix.

▶ Compter avec les élèves les formes que contient chaque verre. Pour chaque verre, écrire la réponse au tableau comme aide-mémoire.

▶ Comparer le nombre de formes dans chaque verre et nommer la forme gagnante.

Étape 2 – Jardin

Note : Présenter l'étape 2 à un moment opportun, selon votre horaire.

▶ Grouper les élèves en équipes de quatre. Remettre à chaque équipe six verres, un bac de mosaïques géométriques et un bac de blocs logiques.

▶ Mettre le jeu de cartes devant vous, face vers le bas.

▶ Tourner une carte et la montrer aux élèves.

▶ Demander à chaque élève de choisir, pour chaque carte tournée, une figure et de la déposer dans le verre approprié de son équipe.

▶ Circuler parmi les élèves et leur poser des questions semblables à celles présentées ci-dessus dans le but de les amener à préciser leurs choix de formes à mettre dans les verres.

▶ Après un certain temps, demander à chaque équipe :

• de compter les formes dans chaque verre pour déterminer le verre qui contient la plus grande quantité de formes;

• de déterminer la forme gagnante de leur équipe;

• de prendre le verre gagnant et de venir s'asseoir dans l'aire de rassemblement.

▶ Demander à chaque équipe de nommer la forme gagnante, de la noter au tableau et de déterminer ensemble la forme qui est la grande gagnante du jeu.

Variantes

1. Mettre le jeu dans le centre de mathématiques et, pendant la période de temps allouée aux centres d'apprentissage, permettre aux élèves de jouer.

2. Mettre des triangles, des carrés, des rectangles, des cercles, des losanges et des hexagones dans un sac opaque. Demander à un ou à une élève de choisir la forme représentée ou décrite sur la carte uniquement au toucher et sans regarder dans le sac.

3. Grouper les élèves en équipes de six. Chaque élève prend un verre représentant une forme. À tour de rôle, chaque élève tire une carte, ramasse la forme indiquée et la dépose dans le verre approprié; par exemple, si l'élève tire la carte « *Il y a 4 côtés droits.* » et qu'elle ou il a le verre du losange, elle ou il prend un losange et le dépose dans son verre. Cependant, si le même élève tire la carte du carré, elle ou il devra prendre un carré et le déposer dans le verre d'un ou d'une de ses partenaires qui a le verre indiquant le carré. L'élève qui accumule le plus grand nombre de formes gagne la partie.

4. Mettre les cartes face vers le haut en les dispersant au centre du cercle. Déposer le sac de formes à côté des cartes et les six verres, de l'autre côté des cartes. Dire aux élèves de commencer à jouer en tirant une forme du sac, puis de choisir une carte qui représente la forme tirée ou la décrit. L'élève met sa carte dans le verre approprié. Le verre qui contient le plus grand nombre de cartes est celui de la gagnante ou du gagnant.

Cartes du jeu
Les formes sont dans les verres, Marilon Dondé!

un cercle	un triangle	un carré
un rectangle	un losange	un hexagone

C'est rond.	Il y a 3 côtés (droits).	Il y a 4 côtés (droits).
Il y a 6 côtés (droits).	Il y a 4 coins.	Il y a 3 coins.

La mémoire des formes (maternelle/jardin)

X en groupe-classe ☐ en équipe ☐ individuelle

> Au cours de cette activité, l'élève désigne rapidement des figures planes.

Pistes d'observation

L'élève :

- reconnaît (dans son environnement, dans un dessin, dans un jeu, etc.) les figures planes suivantes : le cercle, le triangle, le carré et le rectangle;
- nomme les figures planes suivantes : le cercle, le triangle, le carré et le rectangle;
- décrit les figures planes suivantes : le cercle, le triangle, le carré et le rectangle;
- fait appel à sa mémoire visuelle.

Matériel requis

✓ blocs logiques (grand format)

Déroulement

▸ Inviter les élèves à venir s'asseoir dans l'aire de rassemblement.

▸ Montrer brièvement un bloc logique.

▸ Demander aux élèves de trouver le nom de la forme et de justifier leur réponse.
Voici des exemples de réponses possibles :

⬜	◆ C'est un carré. J'ai vu 4 côtés droits. ◆ C'est un carré. J'ai vu 4 coins. ◆ C'est un carré. J'ai vu 4 côtés de la même longueur.
⬤	◆ C'est un cercle. J'ai vu que la forme est ronde. ◆ C'est un cercle. J'ai vu que la forme ressemble à un ballon. ◆ C'est un cercle. Je pense que la forme pourrait rouler.
▲	◆ C'est un triangle. J'ai vu 3 côtés. ◆ C'est un triangle. J'ai vu 3 coins. ◆ C'est un triangle. Cette forme pourrait glisser.
▬	◆ C'est un rectangle. Ça ressemble à une porte. ◆ C'est un rectangle. Il y a 4 côtés. ◆ C'est un rectangle. Il y a 2 côtés longs et 2 côtés courts.

▸ Suivre la même démarche pour d'autres formes en modifiant leur position (p. ex., présenter un triangle qui pointe vers le bas ou un carré assis sur un sommet).

▸ Tout le long de l'activité, poser aux élèves des questions leur permettant d'utiliser le vocabulaire lié à la géométrie et de préciser les attributs et les propriétés géométriques des figures planes. Voici des exemples de questions :

- Pourquoi dis-tu que c'est un carré?

- À quoi te fait penser le cercle? le triangle? le rectangle? le carré?

- Pourquoi dis-tu que le rectangle ressemble à une porte?

- Le cercle peut-il vraiment rouler? Montre-le.

- Le rectangle peut-il vraiment glisser? Montre-le.

▸ Terminer l'activité en faisant l'échange mathématique. Demander aux élèves ce qu'elles et ils ont appris en réalisant l'activité. Voici des exemples de réponses possibles :

- ◆ J'ai appris que le rectangle a deux côtés longs et deux côtés courts.

- ◆ Le rectangle est toujours un rectangle, même si on le tourne dans d'autres sens.

- ◆ J'ai appris qu'il y a beaucoup de carrés qui composent un cube.

Variantes

1. Reprendre la démarche de l'activité, mais, au lieu de nommer la forme montrée, les élèves la dessinent sur un petit tableau (jardin).

2. Reprendre l'activité en utilisant des solides au lieu des figures planes.

3. Photocopier les feuilles **Figures planes** sur des feuilles jaunes et bleues. Les découper pour obtenir des cartes de jeu et remettre à chaque élève un ensemble de cartes. Demander aux élèves d'étaler leurs cartes sur la table, face vers le haut. Choisir une figure plane et la montrer brièvement aux élèves. Leur demander de trouver la carte qui correspond à la forme qu'elles et ils ont vue. Leur demander de vous la montrer, puis confirmer de nouveau la forme en la leur montrant. Choisir un ou une élève et lui permettre de justifier sa réponse. Suivre la même démarche pour d'autres formes (jardin).

4. Nommer une figure plane telle que le carré, le rectangle ou le triangle et demander aux élèves de construire cette forme à l'aide d'élastiques et d'un géoplan.

Poser des questions aux élèves pour leur faire prendre conscience qu'une même forme peut être représentée de différentes façons. Voici des exemples de questions :

- Que remarques-tu au sujet des rectangles?

- En quoi sont-ils pareils? différents?

- Combien de côtés le rectangle a-t-il?

- Combien de coins le rectangle a-t-il?

- Qu'est-ce qui se passe si je sépare un carré en deux?

- En quoi le triangle est-il différent du carré? du rectangle? du cercle?

Voici des exemples de formes construites sur le géoplan :

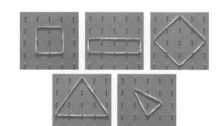

Figures planes

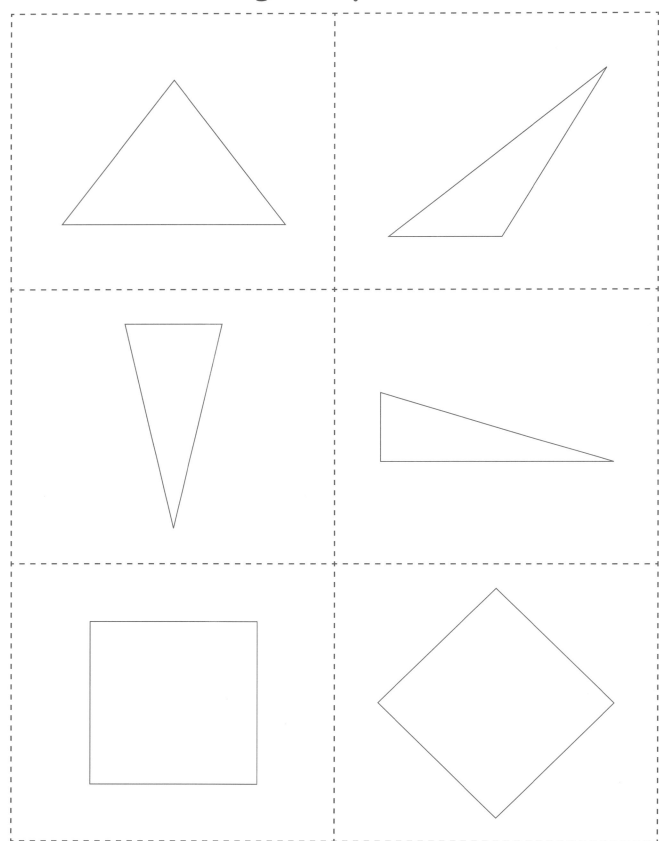

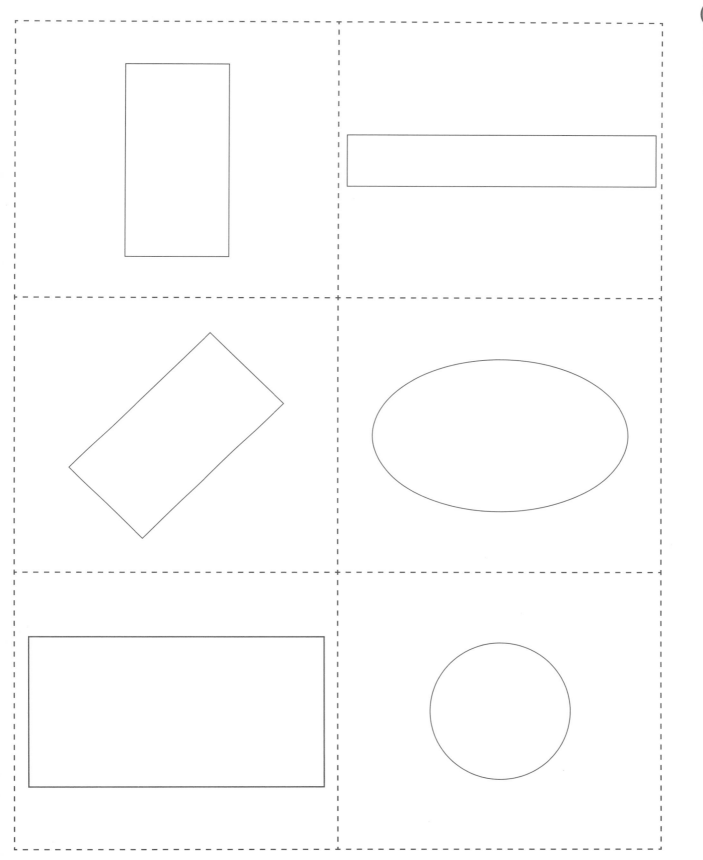

La course aux solides (maternelle/jardin)

| X | en groupe-classe | X | en équipe | | individuelle |

Au cours de cette activité, l'élève prend part à une course aux solides durant laquelle elle ou il doit trouver, dans la salle de classe, un ou deux solides ou des objets ayant la forme de solides qui correspondent à l'indice affiché sur un dé.

Pistes d'observation

L'élève :

- reconnaît (dans son environnement, dans un dessin, etc.) les solides suivants : la sphère, le cône, le cylindre, le cube et le prisme;
- nomme les solides suivants : la sphère, le cône, le cylindre, le cube et le prisme;
- décrit les solides suivants : la sphère, le cône, le cylindre, le cube et le prisme.

Note : En ce qui concerne les élèves de la maternelle, choisir deux ou trois solides seulement, selon le groupe-classe.

Matériel requis

Maternelle :

✓ solides (p. ex., cylindres, cubes, cônes)
✓ dé géant (voir Module 4, Activité 2, feuille **Cube à fabriquer**)
✓ feuille **Illustrations de solides**
✓ sacs de papier brun (un par équipe de deux)
✓ sablier d'une ou de deux minutes
✓ feuille **Illustrations de propriétés**

Avant la présentation de l'activité

- cacher des solides un peu partout dans la salle de classe;
- faire deux copies de la feuille **Illustrations de solides**, choisir les illustrations de trois solides (p. ex., le cylindre, le cube et le cône), les découper pour obtenir ces illustrations en double et les coller sur le dé géant;
- découper les cartes « Je roule. » et « Je glisse. » de la feuille **Illustrations de propriétés**.

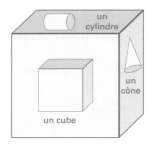

Jardin :

✓ solides (p. ex., sphères, cubes, cônes, cylindres, prismes)
✓ deux dés géants (voir Module 4, Activité 2, feuille **Cube à fabriquer**)
✓ feuille **Illustrations de solides**
✓ feuille **Illustrations de propriétés**
✓ sacs de papier brun (un par équipe de deux)
✓ sablier d'une ou de deux minutes

Avant la présentation de l'activité

– cacher des solides un peu partout dans la salle de classe;

– coller, sur le premier dé géant, les illustrations de la feuille **Illustrations de solides**;

– coller, sur le second dé géant, les illustrations de la feuille **Illustrations de propriétés**.

Déroulement

Étape 1 – Maternelle et jardin

> Note : Comme préalable à la course aux solides, il est recommandé de faire la course aux figures planes d'abord ou de faire la course à un solide à la fois, en adaptant la démarche suivante.

▸ Inviter les élèves à venir s'asseoir en cercle dans l'aire de rassemblement.

▸ Demander aux élèves s'il y en a qui ont déjà pris part à une course au trésor.

▸ Écouter les élèves qui veulent faire part de leur expérience.
Voici des réponses possibles :
  ◆ À Pâques, mon frère et moi avons fait une course aux œufs en chocolat que Jeannot Lapin avait cachés pour nous dans la maison. Nous avons trouvé 20 petits œufs en chocolat.
  ◆ À l'Halloween, nous avons fait une course aux bonbons à la garderie. J'ai trouvé sept bonbons.

▸ Dire aux élèves qu'elles et ils vont prendre part à la course aux solides.

▸ Déposer, au centre du cercle, les solides suivants :
Maternelle : le cylindre, le cône et le cube.
Jardin : la sphère, le cône, le cylindre, le cube et le prisme.

▸ Demander aux élèves de nommer les solides, de les observer de plus près et de les décrire. Au besoin, aider les élèves à les nommer, à les décrire et à les comparer.

▸ Présenter aux élèves le dé géant des solides et leur demander de nommer les solides qui y apparaissent.

▸ Dire aux élèves que vous avez caché quelques solides dans la salle de classe. Leur expliquer qu'il y a aussi plein d'objets qui ont la forme des solides et qui pourront être choisis au cours de la course aux solides.

▸ Expliquer que le but de la course est de trouver différents solides ou divers objets qui ont la forme des solides représentés par les illustrations affichées sur le dé.

▸ Grouper les élèves en équipes de deux.

▸ Remettre à chaque équipe un sac de papier brun et dire aux élèves qu'elles et ils devront y mettre les objets trouvés.

▸ Demander à un ou à une élève de lancer le dé et de nommer le solide qui y est indiqué.

▸ Montrer le sablier aux élèves et leur dire qu'une fois le sablier tourné elles et ils ont deux minutes pour se promener dans la salle de classe et mettre un objet ou deux dans leur sac.

▸ Circuler parmi les élèves et les observer. Au besoin, leur poser des questions leur permettant de préciser leur pensée.
Voici des questions possibles :

- Pourquoi as-tu choisi cet objet?

- En quoi cet objet est-il semblable à l'illustration?

- Quelles formes vois-tu sur cet objet?

- À quoi cet objet te fait-il penser?

- Quels autres objets peux-tu choisir?

▸ Lorsque le temps est écoulé, inviter les élèves à venir s'asseoir en cercle pour leur permettre de présenter leurs objets.

▸ Poser aux élèves des questions en s'inspirant de celles présentées ci-dessus qui leur permettent de préciser les raisons de leur choix.

▸ Demander aux élèves de comparer les objets choisis afin qu'elles et ils utilisent le vocabulaire mathématique.

▸ Au moment opportun, demander aux élèves de ranger le matériel et les inviter à venir s'asseoir en cercle dans l'aire de rassemblement pour faire l'échange mathématique.

▸ Poser aux élèves les questions suivantes :

- Qu'as-tu appris en jouant à ce jeu?

- As-tu trouvé cela difficile de trouver des objets?

- À quoi te fait penser un cube? un cône? un cylindre? une sphère? un prisme?

Étape 2 – Maternelle

> Note : Cette étape de l'activité est destinée aux élèves de la maternelle. Toutefois, elle pourrait aussi être réalisée avec les élèves du jardin avant d'entreprendre l'étape 3.

▸ Dire aux élèves qu'elles et ils vont jouer au jeu *Ça glisse ou ça roule?*.

▸ Présenter aux élèves les deux cartes ci-contre :

Je roule. Je glisse.

▸ Demander aux élèves d'expliquer les illustrations. Écouter leurs réponses, puis leur dire que le jeu consiste à trouver, dans la salle de classe, des objets qui glissent et d'autres qui roulent.

▸ Mettre ces deux cartes l'une à côté de l'autre. Demander aux élèves de chercher, dans la salle de classe, deux objets, soit un objet qui roule et un autre qui glisse.

▸ Montrer le sablier aux élèves et leur dire qu'une fois le sablier tourné elles et ils ont deux minutes pour se promener dans la salle de classe et trouver les deux objets.

▸ Circuler parmi les élèves, les observer et les aider, au besoin, en leur posant des questions leur permettant de préciser leur pensée.
Voici des questions possibles :

- Pourquoi as-tu choisi cet objet?

- En quoi cet objet est-il semblable à la première carte?

- Comment peux-tu vérifier si cet objet roule? glisse?

- Pourquoi cet objet roule-t-il? glisse-t-il?

▸ Lorsque le temps est écoulé, inviter les élèves à venir s'asseoir en cercle pour leur permettre de présenter leurs objets.

▸ Demander aux élèves de placer, à tour de rôle, leurs objets sous la bonne carte et d'expliquer la raison pour laquelle l'objet roule ou glisse.

▸ Poser aux élèves des questions semblables aux suivantes.

- Qu'as-tu appris en jouant à ce jeu?

- Est-ce facile de trouver des objets qui glissent? des objets qui roulent?

- Comment peux-tu vérifier si cet objet roule? s'il glisse?

Étape 3 – Jardin

▸ Présenter aux élèves le dé des propriétés des solides.

▸ Demander aux élèves d'expliquer les illustrations. Écouter leurs réponses et leur dire que le jeu consiste à trouver, dans la salle de classe, des objets qui correspondent aux descriptions du dé.

▸ Lancer le dé.

▸ Si le dé montre la description « J'ai des côtés plats. », demander aux élèves d'énumérer des objets de la salle de classe qui correspondent à cette description.
Voici des réponses possibles :

⬧ Le bloc rouge a plusieurs côtés plats.

⬧ Le cône a un côté plat.

⬧ Cette boîte a des côtés plats.

▸ Lancer le dé et lire la description aux élèves. Tourner le sablier et permettre à chaque élève de trouver deux objets.

▸ Circuler parmi les élèves, les observer et les aider, au besoin, en leur posant des questions leur permettant de préciser leur pensée.
Voici des questions possibles :

- Pourquoi as-tu choisi cet objet?

- Comment peux-tu vérifier si cet objet roule? s'il glisse?

- Combien de coins ce cône a-t-il?

- Pourquoi dis-tu que ce solide a des côtés ronds?

- Quel autre objet a des coins qui piquent?

▸ Faire un échange mathématique et permettre aux élèves de faire la synthèse des apprentissages. Faire ressortir que, pour une même description, il est possible d'avoir différents objets ou divers solides.

▸ Poser les questions suivantes.

- Qu'as-tu appris en jouant à ce jeu?
- Est-ce facile de trouver des objets qui glissent? des objets qui roulent?
- Comment peux-tu vérifier si cet objet roule? s'il glisse?
- Est-ce facile de trouver des objets qui ont des côtés plats?
- Quels autres objets ont des côtés ronds?
- Quels autres objets ressemblent à un bloc de construction?

Variantes

1. Mettre le matériel dans le centre de mathématiques et, pendant la période de temps allouée aux centres d'apprentissage, permettre aux élèves de jouer et de poursuivre la découverte des diverses propriétés géométriques des solides.

2. Placer, au centre du cercle, un sac de papier brun contenant divers objets répondant aux descriptions des deux dés. Reprendre l'activité, mais, au lieu de chercher un solide ou un objet dans la salle de classe, l'élève doit choisir la forme représentée ou décrite sur le dé uniquement au toucher et sans regarder dans le sac.

3. Les élèves reprennent le jeu dans le centre de mathématiques. Toutefois, les élèves ne jouent pas en équipes. À tour de rôle, chaque élève lance le dé et tourne le sablier. Tous les élèves de ce centre d'apprentissage cherchent des objets dans la salle de classe. Lorsque le temps est écoulé, l'élève qui a accumulé le plus grand nombre d'objets appropriés gagne la partie.

4. Présenter aux élèves du jardin la comptine *J'ai trouvé* (voir la section **Banque de chansons et de comptines**) en la récitant ou en la faisant écouter à l'aide du cédérom *Au jardin de Math et Mathique... un peu, beaucoup, à la folie!*. Composer un cinquième couplet à la chanson qui commencerait par cette phrase : « J'ai trouvé un très long prisme. Mon ami l'avait caché... »

5. Fabriquer avec les élèves un livre représentant la comptine.

Illustrations de solides

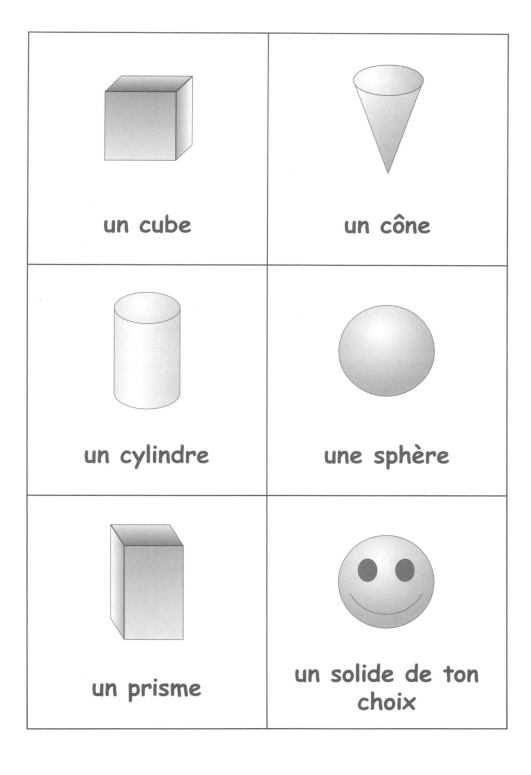

un cube

un cône

un cylindre

une sphère

un prisme

un solide de ton choix

Illustrations de propriétés

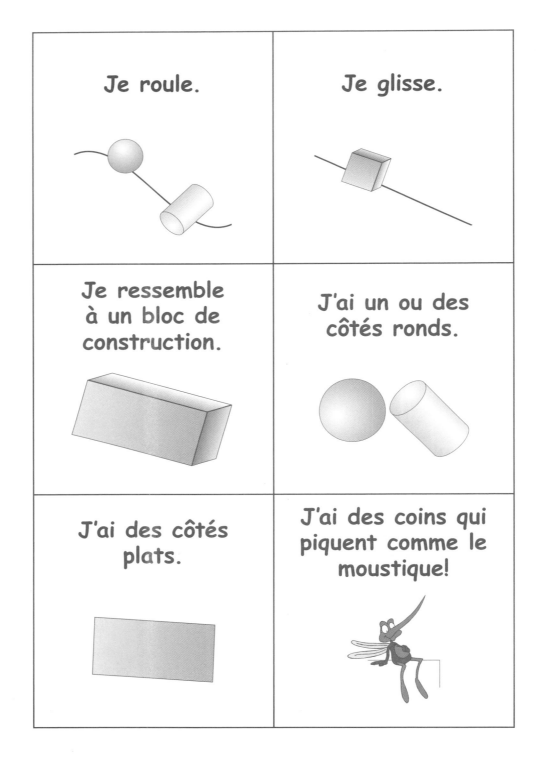

Je roule.

Je glisse.

Je ressemble à un bloc de construction.

J'ai un ou des côtés ronds.

J'ai des côtés plats.

J'ai des coins qui piquent comme le moustique!

Une tour bien solide! (maternelle/jardin)

☒ en groupe-classe   ☒ en équipe   ☐ individuelle

> Au cours de cette activité, l'élève construit une tour en choisissant les solides appropriés pour que la tour ne s'effondre pas.

Pistes d'observation

L'élève :

– utilise des solides ou des objets pour construire des structures;
– nomme les solides suivants : la sphère, le cône, le cylindre, le cube et le prisme;
– décrit les solides suivants : la sphère, le cône, le cylindre, le cube et le prisme;
– explique clairement sa démarche.

Matériel requis

✓ petites boîtes (une par équipe de deux)
✓ solides et blocs de construction

Avant la présentation de l'activité

– préparer une petite boîte de solides et de blocs de construction par équipe de deux.

Déroulement

▸ Inviter les élèves à venir s'asseoir dans l'aire de rassemblement.

▸ Dire aux élèves qu'elles et ils vont construire de très grandes tours au moyen de blocs et de solides. Ajouter qu'elles et ils doivent choisir le plus de blocs variés possible et s'assurer de prendre les blocs appropriés pour que la tour ne tombe pas.

▸ Grouper les élèves en équipes de deux.

▸ Remettre à chaque équipe une boîte de blocs et de solides.

▸ Allouer aux élèves le temps requis pour construire leur tour.

▸ Circuler parmi les élèves, les observer et les aider, au besoin, en leur posant des questions leur permettant d'utiliser le vocabulaire mathématique et de choisir les solides ayant des surfaces planes plutôt que des surfaces rondes et courbées.
Voici des exemples de questions :
  • Quelles formes vois-tu sur ce bloc? Peux-tu les décrire?
  • Peux-tu mettre ce solide par-dessus celui-ci? Pourquoi?
  • Ce solide a-t-il des côtés pareils ou différents de celui-ci?
  • Pourquoi dis-tu que tu peux mettre ce bloc sur celui-ci?
  • Pourquoi dis-tu que ta tour sera plus solide si tu utilises ce bloc?
  • Pourquoi dis-tu que ce bloc va faire tomber ta tour?
  • Quel bloc pourrais-tu mettre sur celui-ci?
  • Explique la façon dont tu t'y es pris pour construire une grande tour solide.

- Y a-t-il des solides que tu ne peux vraiment pas utiliser? Pourquoi?
- Comment peux-tu t'y prendre pour que le cône ou la sphère ne tombe pas?

▸ Lorsque les élèves ont terminé la construction de leur tour, leur dire de circuler dans la salle de classe et de regarder les tours des autres.

▸ Demander aux élèves de déterminer la tour la plus haute, puis les inviter à venir s'asseoir dans l'aire de rassemblement pour faire l'échange mathématique.

▸ Demander aux élèves ce qu'elles et ils ont appris au sujet des solides.
Voici des exemples de réponses :

   ◆ J'ai appris que l'on ne peut pas utiliser la sphère, car elle est ronde et n'a pas de côté plat. J'ai bien essayé, mais la sphère tombait tout le temps.
   ◆ On peut utiliser le cône juste au haut de la tour. Le cône n'a qu'un côté plat et on ne peut pas mettre d'autres formes par-dessus, car la tour tomberait.
   ◆ Pour construire la tour, on peut utiliser des cubes, des prismes et des cylindres, car toutes ces formes ont des côtés plats.

▸ Inviter les élèves à ranger les blocs.

Note : Il est important d'amener les élèves à réfléchir sur les propriétés des solides, à vérifier si chaque solide roule ou glisse et à vérifier si l'on peut empiler tous les solides.

Les descriptions des propriétés des divers solides ci-dessous ne sont fournies qu'à titre d'information pour l'enseignant ou l'enseignante. Il ne s'agit pas d'enseigner le vocabulaire, mais d'amener l'élève à réfléchir sur les propriétés des solides (p. ex., les côtés plats ou ronds, les bords plats ou ronds, les coins).

Exemples :

cylindre	côtés plats (2 surfaces planes), côté rond ou courbé (1 surface courbe), qui peut glisser, rouler comme un rouleau de papier hygiénique et être empilé
cube	côtés plats (6 faces congruentes), coins pointus (8 sommets), bords droits (12 arêtes), qui peut glisser et être empilé
cône	côté plat (1 surface plane), coin pointu (1 sommet), côté rond ou courbé (1 surface courbe), qui peut glisser et rouler, mais qui ne peut pas être empilé
sphère	ronde (surface courbe), qui peut rouler, mais qui ne peut pas être empilée
prisme (à base rectangulaire ou carré)	côtés plats (6 faces), coins pointus (8 sommets), bords droits (12 arêtes), qui peut glisser et être empilé

Variantes

1. Mettre le matériel nécessaire à la construction des tours dans un centre d'apprentissage. Au cours de la période des centres d'apprentissage, inviter les élèves à construire des tours ou des ponts variés.

2. Mettre le matériel nécessaire à la construction des tours dans un centre d'apprentissage. Au cours de la période des centres d'apprentissage, inviter les élèves à s'y rendre en équipes de deux. Chaque élève doit d'abord construire une tour ou une structure. Ensuite, elle ou il doit construire une tour ou une structure identique à celle construite par sa ou son partenaire.
Voici des exemples de tours et de structures de bois :

3. Mettre le matériel nécessaire à la construction des tours dans un centre d'apprentissage. Dire aux élèves de construire une tour en tenant compte de critères précis.
Voici des exemples de critères pour construire une tour :

- Utiliser cinq cylindres, quatre cubes et un cône.
- Construire une tour assez solide pouvant soutenir une orange.

4. Mettre le jeu *Architek* dans le centre de mathématiques et dire aux élèves de jouer au jeu en équipes de deux.

Une promenade (maternelle/jardin)

| X | en groupe-classe | | en équipe | X | individuelle |

> Au cours de cette activité, l'élève se promène dans la salle de classe, dans l'école ou dans le quartier et nomme des objets ayant la forme de différentes figures planes ou de divers solides.

Pistes d'observation

L'élève :

– reconnaît (dans son environnement, dans un dessin, etc.) les figures planes suivantes : le cercle, le triangle, le carré et le rectangle;

– nomme les figures planes suivantes : le cercle, le triangle, le carré et le rectangle;

– décrit les figures planes suivantes : le cercle, le triangle, le carré et le rectangle;

– reconnaît (dans son environnement, dans un dessin, etc.) les solides suivants : la sphère, le cône, le cylindre, le cube et le prisme;

– nomme les solides suivants : la sphère, le cône, le cylindre, le cube et le prisme;

– décrit les solides suivants : la sphère, le cône, le cylindre, le cube et le prisme.

Matériel requis

✓ feuilles blanches

✓ crayons de cire (un par élève)

✓ planchettes à pince (une par élève)

✓ feuille de la comptine *Partout!* (voir la section **Banque de chansons et de comptines**)

✓ cédérom *Au jardin de Math et Mathique… un peu, beaucoup, à la folie!*

✓ feuille **La chasse aux figures planes**

✓ feuille **La chasse aux solides**

✓ feuille **Lettre aux parents**

✓ feuille **Les figures planes/Les solides**

✓ feuille **Devinettes relatives aux figures planes**

✓ feuille **Devinettes relatives aux solides**

Avant la présentation de l'activité

– faire des photocopies de la feuille de la comptine *Partout!* en vue de les mettre dans les cahiers de chansons et de comptines (une feuille par élève, maternelle et jardin);

– faire une photocopie par élève de chacune des feuilles suivantes : **La chasse aux figures planes**, **La chasse aux solides**, **Lettre aux parents**, **Les figures planes/Les solides**.

Déroulement

Étape 1

> Note : Il est possible de modifier l'activité en faisant une promenade pour repérer une forme spécifique sur les objets; par exemple, le carré. Par la suite, on fait une autre promenade pour trouver d'autres formes sur d'autres objets.

‣ Inviter les élèves à venir s'asseoir dans l'aire de rassemblement.

‣ Poser aux élèves la question suivante : « As-tu remarqué que nous pouvons trouver plein de formes dans la salle de classe, dans toute l'école et même à l'extérieur de l'école? »

‣ Expliquer aux élèves qu'au cours d'une promenade elles et ils doivent :
  • observer partout;
  • essayer de trouver des objets ayant la forme d'un cercle, d'un triangle, d'un carré ou d'un rectangle;
  • dessiner les objets trouvés dans les bonnes cases de la feuille **La chasse aux figures planes**.

‣ Montrer la feuille aux élèves.

‣ Remettre à chaque élève une planchette à pince, la feuille **La chasse aux figures planes** et un crayon de cire pour lui permettre de dessiner ses observations.

‣ Au cours de la promenade, poser des questions aux élèves.
  Voici des exemples de questions :
  • Quelles formes vois-tu sur l'école? sur l'édifice? dans le parc? sur le camion?
  • Pourquoi dis-tu que c'est un carré? un triangle? un cercle? un rectangle?
  • Combien de triangles as-tu vus sur…?
  • Peux-tu expliquer ton dessin?
  • À quelle forme cet objet te fait-il penser?
  • Est-ce que c'est la seule forme que tu vois sur cet objet?

‣ Lorsque les élèves ont terminé leurs dessins, les inviter à venir s'asseoir dans l'aire de rassemblement en apportant leur feuille pour faire l'échange mathématique.

‣ Choisir un ou une élève et lui demander de présenter ses formes.

‣ Poser des questions semblables à celles présentées ci-dessus pour permettre à l'élève de préciser sa pensée et d'utiliser le vocabulaire mathématique.

‣ Permettre à d'autres élèves de faire part de leurs observations.

‣ Au fur et à mesure, faire ressortir qu'il y a une variété de formes partout, autant à l'intérieur qu'à l'extérieur de l'école.

‣ S'il y a lieu, recueillir les dessins et les relier pour en faire un livre collectif qui sera placé au salon de lecture.

Étape 2

▸ Reprendre la même démarche pour trouver des objets ayant la forme d'une sphère, d'un cylindre, d'un cube, d'un cône et d'un prisme en utilisant la feuille **La chasse aux solides**.

▸ Terminer l'activité en présentant aux élèves de la maternelle ou en révisant avec les élèves du jardin la comptine *Partout!* (voir la section **Banque de chansons et de comptines**). Utiliser le cédérom pour présenter la comptine rythmée.

Refrain : Partout, partout, partout, Je vois des solides partout!	3. Quand je vois un cône, je pense à un chapeau de fête.
1. Quand je vois une sphère, je pense à un gros ballon.	**Refrain**
Refrain	4. Quand je vois un cylindre, je pense au rouleau de papier.
2. Quand je vois un cube, je pense à un petit dé.	**Refrain** : Partout, partout, partout, Je vois des solides partout!
Refrain	

▸ Envoyer une lettre à la maison invitant les parents à poursuivre l'activité avec leur enfant (voir les feuilles **Lettre aux parents** et **Les figures planes/Les solides**).

Lien maison

Demander aux élèves de poursuivre l'activité avec des membres de leur famille et de revoir la comptine.

Variantes

1. Au cours de la période des centres d'apprentissage, permettre aux élèves de se rendre dans différents centres pour poursuivre l'activité :
   - au centre de construction, utiliser divers blocs pour construire ce qui a été vu tout le long de la promenade;
   - au centre du bricolage, utiliser du matériel de recyclage pour construire ce qui a été vu;
   - au centre du dessin, tracer des formes ou en dessiner, les découper, les assembler et les coller pour représenter un objet ou un dessin;
   - au centre d'écriture, fabriquer un livre portant sur les figures planes ou les solides.

2. Écrire avec les élèves d'autres couplets de la comptine *Partout!* en s'inspirant des découvertes faites au cours de la promenade.

3. Écrire une comptine *Je vois des formes partout!* (figures planes) en s'inspirant de la comptine *Partout!*.

4. Au lieu de reconnaître des formes dans leur environnement, amener les élèves à identifier des formes dans un dessin ou dans une structure; par exemple, avant de présenter la chanson *Mon village de formes* (voir la section **Banque de chansons et de comptines**), montrer l'illustration sur la feuille de la chanson et demander aux élèves de nommer les formes et les objets qu'elles représentent. Leur demander également de trouver le nombre de triangles qu'il y a dans le dessin, le nombre de cercles, etc. Poser la question suivante : « Quelle forme trouve-t-on le plus souvent dans le dessin du village? Présenter ensuite la chanson en faisant écouter le cédérom *Au jardin de Math et Mathique... un peu, beaucoup, à la folie!*.

> Plein de cercles font un bel arbre.
> Un grand rectangle fait un beau tronc.
> Un p'tit triangle fait un sapin
> Et le carré, une petite maison.
>
> Un petit cercle fait un soleil.
> Un long rectangle, une porte toute rouge.
> Un p'tit triangle fait un toit noir
> Et le carré, une petite fenêtre.

5. Demander aux élèves d'inventer un autre village de formes au cours de la période des centres d'apprentissage, puis d'illustrer leur village à l'aide d'un dessin, de la pâte à modeler, d'un bricolage ou d'une structure. Leur demander également de présenter leur village aux autres qui, à leur tour, doivent reconnaître les différentes formes géométriques utilisées (figures planes ou solides, selon les cas) pour construire les différents éléments du village.

6. Au lieu de reconnaître des formes dans leur environnement, amener les élèves à identifier des formes en partant de devinettes (voir les feuilles **Devinettes relatives aux solides** et **Devinettes relatives aux solides – Corrigé**); par exemple, un élève tire une carte d'un sac et la remet à l'enseignant ou à l'enseignante qui lit la devinette. Les élèves nomment la forme décrite.

   Concernant les devinettes relatives aux figures planes, chaque élève répond à la devinette en formant la figure plane décrite sur la carte à l'aide d'un élastique sur son géoplan (voir les feuilles **Devinettes relatives aux figures planes** et **Devinettes relatives aux figures planes – Corrigé**).

7. Faire un autre jeu de devinettes en mettant, dans un sac, les cartes de la feuille **Les figures planes/ Les solides**. Remettre à chaque élève un bloc logique ou un solide. Tirer une carte du sac sans la montrer aux élèves; par exemple, si vous tirez la carte du **carré**, vous posez une des questions ci-dessous, et les élèves qui ont un carré le montrent.
   • Qui a un carré?
   • Qui a une forme ayant quatre coins?
   • Qui a une forme ayant quatre côtés?
   • Qui a une forme qui peut glisser?

8. Faire des collages ou des dessins en utilisant une seule forme de différentes grosseurs (p. ex., n'utiliser que des cercles pour créer un dessin ou un collage).

9. Montrer aux élèves la comptine *Les formes* (voir la section **Banque de chansons et de comptines** et le cédérom *Au jardin de Math et Mathique... un peu, beaucoup, à la folie!* présentant les propriétés des figures planes (jardin).

La chasse aux figures planes

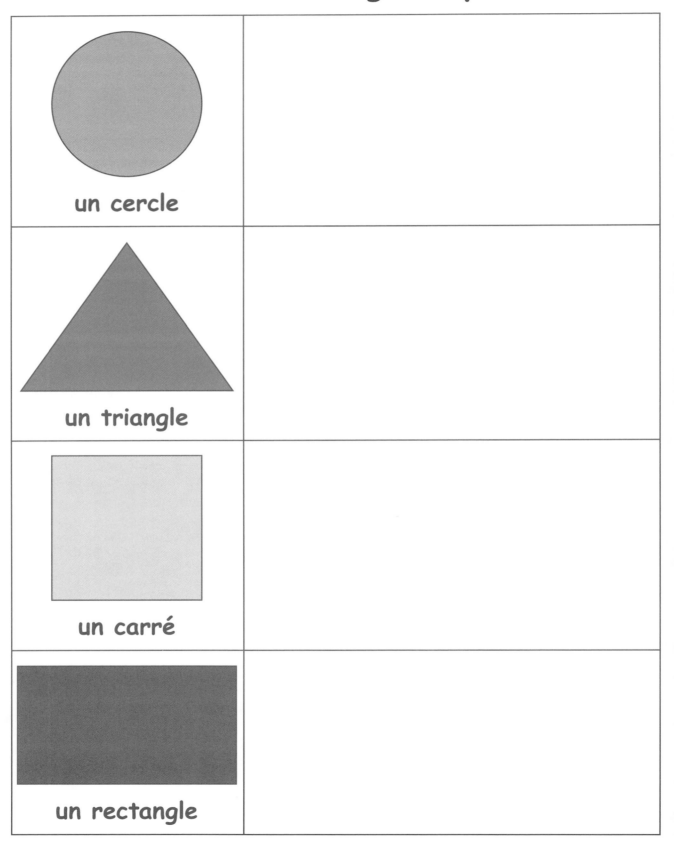

un cercle

un triangle

un carré

un rectangle

La chasse aux solides

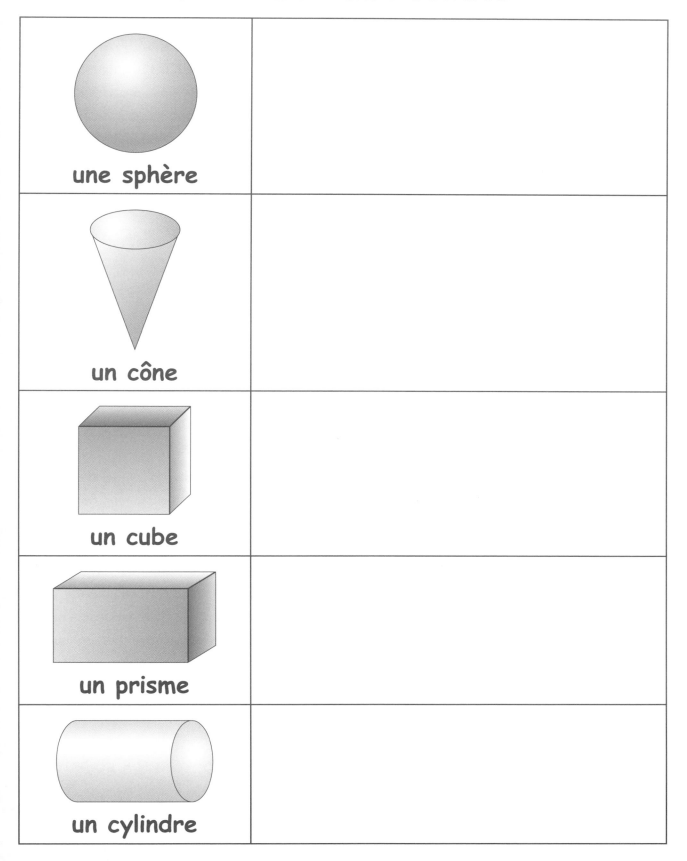

une sphère	
un cône	
un cube	
un prisme	
un cylindre	

Lettre aux parents

Chers parents,

Lors d'une activité de mathématiques, nous avons fait une promenade dans le quartier de l'école pour trouver des objets comportant des formes géométriques. Nous avons fait des dessins pour représenter les formes reconnues. On vous demande donc de poursuivre cette activité à la maison en encourageant votre enfant à trouver des objets qui présentent les figures planes suivantes : cercle, triangle, carré et rectangle, ou un des solides suivants : sphère, cube, cylindre, prisme et cône. Ces objets peuvent se trouver à l'intérieur ou à l'extérieur de votre maison. Vous pouvez demander à votre enfant de faire un dessin ou de prendre des photos des objets trouvés dans le but de présenter ses découvertes aux autres.

Merci de votre collaboration habituelle!

_____

✂ -

Lettre aux parents

Chers parents,

Lors d'une activité de mathématiques, nous avons fait une promenade dans le quartier de l'école pour trouver des objets comportant des formes géométriques. Nous avons fait des dessins pour représenter les formes reconnues. On vous demande donc de poursuivre cette activité à la maison en encourageant votre enfant à trouver des objets qui présentent les figures planes suivantes : cercle, triangle, carré et rectangle, ou un des solides suivants : sphère, cube, cylindre, prisme et cône. Ces objets peuvent se trouver à l'intérieur ou à l'extérieur de votre maison. Vous pouvez demander à votre enfant de faire un dessin ou de prendre des photos des objets trouvés dans le but de présenter ses découvertes aux autres.

Merci de votre collaboration habituelle!

_____

Les figures planes

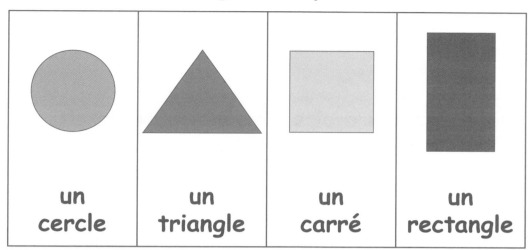

| un cercle | un triangle | un carré | un rectangle |

Les solides

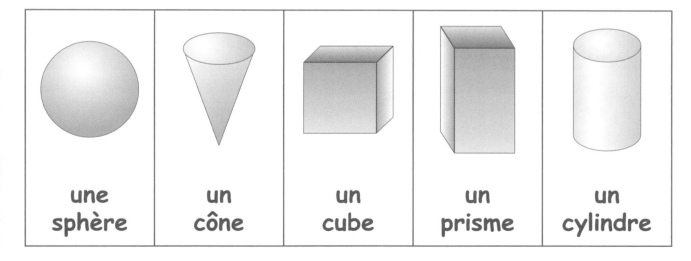

| une sphère | un cône | un cube | un prisme | un cylindre |

Devinettes relatives aux figures planes

L'élève tire une carte du sac. L'enseignant ou l'enseignante lit la devinette. L'élève va chercher la forme en question au centre du cercle et la montre aux autres.

J'ai trois côtés droits et trois coins pointus. Qui suis-je?	J'ai 4 côtés droits et 4 coins pointus. Qui suis-je?
Je n'ai ni coin ni côté plat. Qui suis-je?	Regarde le toit de la maison. Il est en forme de _____. Qui suis-je?
J'ai la forme d'une assiette. Qui suis-je?	J'ai la forme d'une porte. Qui suis-je?
Regarde cette boîte. Quelles formes vois-tu?	

Devinettes relatives aux figures planes – Corrigé

L'élève tire une carte du sac. L'enseignant ou l'enseignante lit la devinette. L'élève va chercher la forme en question au centre du cercle et la montre aux autres.

J'ai trois côtés droits et trois coins pointus. Qui suis-je?	J'ai 4 côtés droits et 4 coins pointus. Qui suis-je?	Je n'ai ni coin ni côté plat. Qui suis-je?
Je suis un triangle.	Je suis un carré ou un rectangle.	Je suis un cercle et je suis tout rond.

Regarde le toit de la maison. Il est en forme de ___. Qui suis-je?	J'ai la forme d'une assiette. Qui suis-je?	J'ai la forme d'une porte. Qui suis-je?
Il est en forme de triangle, de rectangle, etc. Je suis un triangle, un rectangle, etc.	Je suis un cercle, un triangle, etc.	Je suis un rectangle.

Regarde cette boîte.
Quelles formes vois-tu?

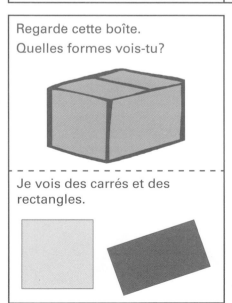

Je vois des carrés et des rectangles.

Devinettes relatives aux solides

L'élève tire une carte du sac. L'enseignant ou l'enseignante lit la devinette. L'élève va chercher le solide en question au centre du cercle et le montre aux autres.

✁

Sur la longue patinoire, je glisse et je glisse. Sur ma traîne sauvage, je glisse et je glisse. Qui suis-je?	Sur la longue glissoire, je roule et je roule. Sur la haute côte, je roule et je roule. Qui suis-je?
Je ressemble à un chapeau de fête. Qui suis-je?	Je ressemble à un dé. Qui suis-je?
Je ressemble à un rouleau de papier. Qui suis-je?	Je ressemble à un ballon. Qui suis-je?

Devinettes relatives aux solides – Corrigé

L'élève tire une carte du sac. L'enseignant ou l'enseignante lit la devinette. L'élève va chercher le solide en question au centre du cercle et le montre aux autres.

Sur la longue patinoire, je glisse et je glisse. Sur ma traîne sauvage, je glisse et je glisse. Qui suis-je?	Sur la longue glissoire, je roule et je roule. Sur la haute côte, je roule et je roule. Qui suis-je?	Je ressemble à un chapeau de fête. Qui suis-je?
Je suis un cube, un cylindre, un cône ou un prisme. Je glisse à cause de mes côtés (faces) plats et lisses.	Je suis un cône, un cylindre ou une sphère. Je roule à cause de mes côtés ronds.	Je suis un cône.

Je ressemble à un dé. Qui suis-je?	Je ressemble à un rouleau de papier. Qui suis-je?	Je ressemble à un ballon. Qui suis-je?
Je suis un cube.	Je suis un cylindre.	Je suis une sphère.

Des lignes, des lignes, des lignes!
Des formes, des formes, des formes!
(jardin)

X en groupe-classe ☐ en équipe ☐ individuelle

> Au cours de cette activité, l'élève écoute l'histoire *Des lignes, des lignes, des lignes! Des formes, des formes, des formes!* et découvre les propriétés des figures planes en formant différentes figures planes au moyen de la pâte à modeler.

Pistes d'observation

L'élève :

- reconnaît (dans son environnement, dans un dessin, etc.) les figures planes suivantes : le cercle, le triangle, le carré et le rectangle;
- décrit les figures planes suivantes : le cercle, le triangle, le carré et le rectangle;
- utilise des figures planes dans le but de créer une nouvelle forme ou un dessin.

Matériel requis

✓ pâte à modeler (une grosse boule par élève)
✓ napperons (un par élève)
✓ feuilles **Des lignes, des lignes, des lignes! Des formes, des formes, des formes!** (option 1)
✓ costume de magicien ou de magicienne (option 2)

Avant la présentation de l'activité

Option 1 :

- retirer du guide les feuilles **Des lignes, des lignes, des lignes! Des formes, des formes, des formes!**, les plastifier et les relier pour en faire un livre.

Option 2 :

- se procurer un costume de magicien ou de magicienne ou s'en confectionner un.

Déroulement

▸ Inviter les élèves à venir s'asseoir dans l'aire de rassemblement.

▸ Dire aux élèves que vous avez une belle histoire à leur lire (option 1) ou à leur raconter (option 2).

Option 1

▸ Montrer aux élèves la page couverture du livre et leur demander de regarder l'illustration en vue d'anticiper le sujet de l'histoire.

▸ Écouter les commentaires des élèves, puis lire le livre.

Option 2

▸ Se transformer en magicien ou en magicienne pour raconter aux élèves l'histoire du livre.

▸ À la fin de l'histoire, dire aux élèves qu'elles et ils vont maintenant devenir des magiciennes et des magiciens et transformer, à leur tour, les boules de pâte à modeler en rondins comme dans l'histoire.

▸ Remettre à chaque élève une grosse boule de pâte à modeler et un napperon.

▸ Dire aux élèves de faire semblant de mettre leur chapeau de magicien ou de magicienne.

▸ Relire l'histoire et allouer aux élèves le temps requis pour former les figures à l'aide des rondins de pâte à modeler.

▸ Observer les élèves et les aider, au besoin.

▸ Poser des questions aux élèves leur permettant de préciser leur démarche et d'utiliser le vocabulaire mathématique.
   Voici des exemples de questions :
   • Quel est le nom de cette forme?
   • Comment le sais-tu?
   • Cette forme ☐ est-elle un rectangle? et celle-ci ☐?
   • Cette forme ▷ est-elle un triangle? Pourquoi?
   • Quel objet a la forme d'un carré?
   • Combien de côtés le carré a-t-il?
   • Que remarques-tu à propos de chacun des côtés?

Variantes

1. Au cours de la période des centres d'apprentissage, permettre aux élèves de devenir des magiciennes et des magiciens et de transformer des rondins de pâte à modeler en différentes formes.

2. Reprendre l'histoire et dire la phrase « Abracadabra! Je te change en... sphère. », puis faire une boule avec la pâte à modeler. Suivre la structure du livre de la même façon qu'avec la boule, mais continuer à changer la pâte à modeler en solides (cube, cône, cylindre et prisme).

Des lignes, des lignes, des lignes!
Des formes, des formes, des formes!

Bonjour, me voilà! Je suis Martin, le magicien. Depuis que je suis tout petit, j'aime jouer des tours aux autres et faire apparaître des lapins dans un chapeau. Mais j'aime surtout faire apparaître différentes formes.

I

Regarde bien ce que je peux faire avec cette boule de pâte à modeler. Je vais faire un rondin bien droit comme une ligne droite. Regarde bien! Je roule, je roule, je roule et je roule jusqu'à ce que la boule devienne une longue ligne épaisse.

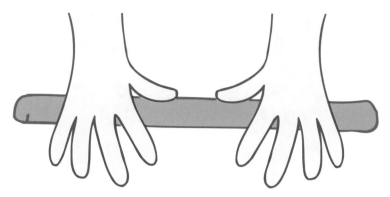

À l'aide de cette ligne, je peux faire une corde bien droite pour mon cerf-volant, une corde bien longue pour ma canne à pêche et plusieurs petites bûches pour le feu de camp. Je peux même faire une ligne courbe comme un ver de terre.

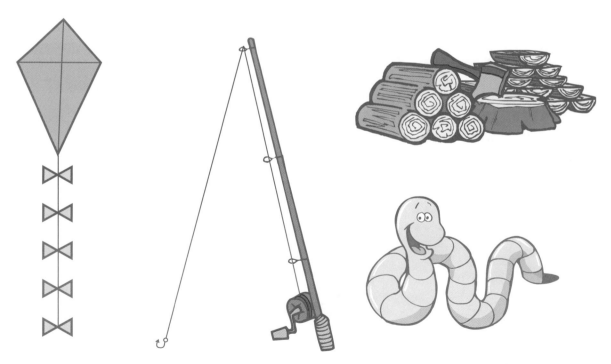

Et toi, peux-tu nommer d'autres objets qui te font penser à cette ligne?

2

Maintenant, je prends cette ligne et je vais la transformer pour qu'elle ressemble à une forme. Regarde bien!

Abracadabra!

Je la change en... cercle.

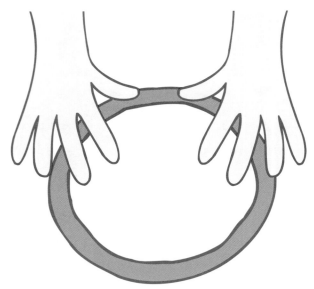

Le cercle est rond et il peut rouler si je le tiens un peu.

À quoi le cercle te fait-il penser?

Moi, ça me fait penser au couvercle d'un chaudron, à un bouton et à des disques compacts.

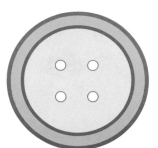

3

Regarde encore!
Abracadabra!
En tirant sur les côtés, je le change en... carré.

Le carré a quatre côtés bien droits, tous de la même longueur. Compte avec moi : 1, 2, 3, 4. Le carré a aussi quatre coins : 1, 2, 3, 4.

À quoi le carré te fait-il penser?

Moi, ça me fait penser à un cadre, à un jeu d'échecs et aux carrés composant mes cubes.

4

Regarde encore!
Abracadabra!
En étirant le carré, je le change en... rectangle.

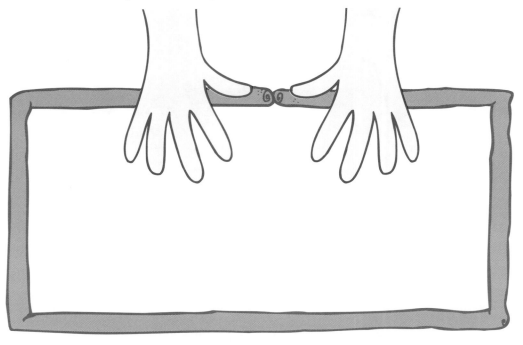

Le rectangle a aussi quatre côtés et quatre coins comme le carré, mais il a deux côtés courts et deux côtés longs.

À quoi le rectangle te fait-il penser?

Moi, ça me fait penser à une porte, à une fenêtre et à un tableau.

5

Regarde encore!
Abracadabra!
Je le change en... triangle.

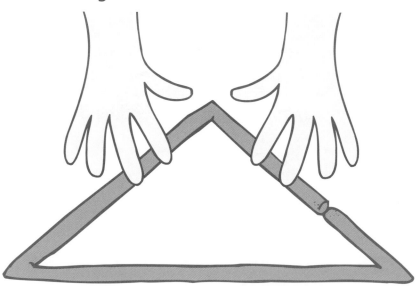

Le triangle a trois côtés droits et trois coins. Compte avec moi : 1, 2, 3.

À quoi le triangle te fait-il penser?

Moi, ça me fait penser à un sapin, à un voilier et au toit d'une maison.

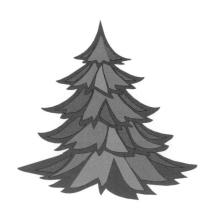 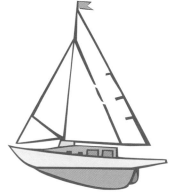 

6

Regarde encore!
Abracadabra!
Je change toutes ces formes en... robot.

Oups! Que c'est difficile à faire! Et puis, je n'ai pas assez de pâte à modeler! À bien y penser, je pourrais aussi fabriquer le robot dans le centre de construction ou dans le centre de bricolage.

Tu pourrais t'amuser à transformer des rondins de pâte à modeler en différentes formes.

Tu pourrais aussi construire un robot ou divers personnages et objets.

À bientôt!

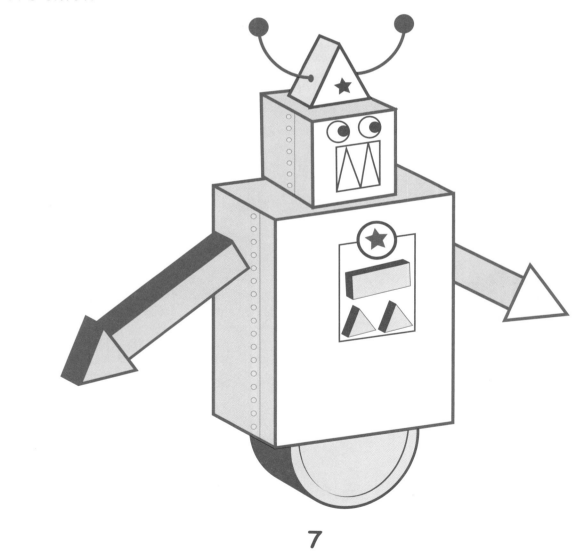

7

La fabrique à formes (jardin)

| X | en groupe-classe | | en équipe | X | individuelle |

> Au cours de cette activité, l'élève fabrique des formes en n'utilisant qu'une seule figure plane (p. ex., le carré).

Pistes d'observation

L'élève :

– utilise des figures planes dans le but de créer une nouvelle forme ou un dessin;

– nomme les figures planes suivantes : le cercle, le triangle, le carré et le rectangle.

Matériel requis

✓ carrés en carton de différentes couleurs (10 cm × 10 cm) (trois par élève)

✓ paires de ciseaux (une par élève)

✓ bâtons de colle (un par élève)

✓ feuilles blanches

Déroulement

▸ Inviter les élèves à venir s'asseoir en cercle dans l'aire de rassemblement.

▸ Montrer aux élèves un carré en carton et leur poser la question suivante : « Si je plie ce carré pour former un triangle et que je découpe ce carré en deux parties, qu'est-ce que j'obtiens? »

▸ Écouter les réponses des élèves, puis les amener à dire que l'on obtient deux triangles.

▸ Donner un exemple en pliant le carré en deux en vue d'obtenir deux triangles, puis en découpant les deux triangles obtenus.

▸ Remettre à chaque élève un carré en carton et une paire de ciseaux et lui demander de plier son carré et de le découper en vue d'obtenir différentes formes : des carrés, des rectangles, des triangles.

▸ Allouer aux élèves le temps requis pour leur permettre de créer des formes en partant du carré.

▸ Observer les élèves et les aider, au besoin.

▸ Au cours de l'échange mathématique, choisir des élèves et leur demander de montrer les formes qu'elles et ils ont créées en partant de leur carré et d'expliquer leur démarche.

Ex. :

Laura dit :

J'ai d'abord plié le carré en deux, puis j'ai découpé le carré en suivant le pli.
Ça m'a donné deux rectangles.

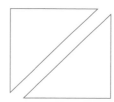

▸ Demander aux élèves de lever la main si elles et ils ont créé les mêmes formes que Laura.

▸ Demander s'il y a des élèves qui ont créé d'autres formes.

▸ Choisir quelques élèves et leur demander de montrer aux autres les formes qu'elles et ils ont créées.

Ex. :

Sylvain dit :

J'ai plié mon carré une fois pour faire un rectangle et une autre fois pour faire de petits carrés. J'ai découpé le carton en suivant les plis. Ça m'a donné quatre petits carrés.

Ex. :

Laurence dit :

J'ai plié le carré une fois pour faire deux triangles et une autre fois pour faire deux autres triangles. J'ai découpé le carton en suivant les plis. Ça m'a donné quatre petits triangles.

▸ Poser aux élèves la question suivante : « Quelles sont les nouvelles formes que l'on peut créer en collant les parties découpées? »

Ex. :

Jocelyn dit :

Si je mets deux triangles ensemble, ça fait un carré.

Si j'ajoute deux autres triangles à côté, ça fait un rectangle.

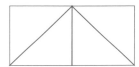

▸ Expliquer aux élèves qu'elles et ils vont :
  • créer une forme ou une illustration à l'aide des parties découpées;
  • découper d'autres carrés, au besoin, pour obtenir d'autres parties découpées;
  • mettre les formes sur une feuille blanche et les coller.

▸ Remettre à chaque élève deux autres carrés de différentes couleurs, un bâton de colle et une feuille blanche.

▸ Laisser aux élèves le temps requis pour réaliser leur collage.

▸ Exposer les collages et, au cours de l'échange mathématique, poser des questions aux élèves pour leur permettre de réfléchir sur les différentes façons de créer de nouvelles formes.
Voici des exemples de questions :
  • Comment as-tu plié ton carton?
  • Quelles sont tes nouvelles formes?
  • Que peux-tu faire avec ces formes?
  • Peux-tu les placer d'une autre façon pour obtenir une forme différente?
  • À quoi ressemble ta nouvelle forme?

Variantes

1. Suivre la même démarche, mais changer de formes.

2. Transformer le centre de mathématiques ou le centre de bricolage en « fabrique à formes » pour permettre aux élèves d'explorer les formes.

3. Distribuer aux élèves des formes variées de grandeurs et de couleurs différentes. Leur demander de réaliser un collage en les superposant.
   En voici des exemples :

4. Remettre un carré à chaque élève et lui dire de le découper en six parties qu'elle ou il mettra dans une enveloppe, puis de les ranger au centre des casse-tête.

Des mains pour voir (maternelle/jardin)

| X | en groupe-classe | | X | en équipe | | | individuelle |

> Au cours de cette activité, l'élève prend part à un jeu. Elle ou il met ses deux mains dans un sac pour toucher une figure plane et la décrit pour faire deviner aux autres ce qu'ont touché ses mains.

Pistes d'observation

L'élève :
- nomme les figures planes suivantes : le cercle, le triangle, le carré et le rectangle;
- décrit les figures planes suivantes : le cercle, le triangle, le carré et le rectangle.

Matériel requis

✓ ensembles de blocs logiques
✓ sacs de papier brun moyens (quatre par équipe de quatre)

Avant la présentation de l'activité

- préparer quatre sacs de papier brun par équipe de quatre en mettant une seule forme dans chaque sac : un triangle, un carré, un cercle et un rectangle.

Déroulement

> Note : Ce jeu sera un succès uniquement si les élèves ont déjà beaucoup manipulé les formes géométriques et exploré les attributs et les propriétés de ces formes.

▸ Inviter les élèves à venir s'asseoir dans l'aire de rassemblement.

▸ Dire aux élèves qu'elles et ils vont jouer au jeu *Des mains pour voir*.

▸ Poser aux élèves la question suivante : « Nos mains peuvent-elles vraiment voir? »

▸ Écouter les réponses et ajouter le commentaire suivant :
Nos mains n'ont pas d'yeux pour voir, mais, lorsqu'elles touchent des objets, elles peuvent les reconnaître par le toucher, tout comme nos yeux peuvent les reconnaître par la vue.

▸ Montrer aux élèves les quatre blocs logiques qui pourraient se retrouver dans les sacs.

▸ Demander aux élèves de nommer les figures planes qu'elles et ils voient et de justifier leurs réponses.
Voici des réponses possibles :
  ♦ Je sais que c'est un triangle parce que je vois 3 côtés.
  ♦ Je vois 3 côtés droits.
  ♦ Je vois 3 coins.
  ♦ Je vois une forme qui ressemble au toit d'une maison.

▸ Dire aux élèves que, pour jouer à ce jeu, chaque équipe de quatre aura besoin de quatre sacs.

▸ Expliquer le jeu de la façon suivante :
  À tour de rôle, chaque joueur ou joueuse :
  • prend un sac dans sa main;
  • touche une forme dans le sac en utilisant ses deux mains;
  • décrit l'objet touché sans le regarder;
  • demande aux autres élèves de nommer la forme touchée.

Note : L'élève peut aussi mettre ses mains derrière son dos, tirer la forme du sac et toucher la forme pour être en mesure de la décrire aux autres.

▸ Simuler le jeu devant les élèves en suivant la démarche décrite précédemment.

Note : Concernant un groupe qui suit un **programme ALF**, l'enseignant ou l'enseignante peut :

  – poser des questions auxquelles l'élève qui touche l'objet peut répondre par oui ou non (les autres élèves doivent trouver le nom de la figure plane décrite selon les réponses données);

  – dessiner, au tableau, devant les élèves, des pictogrammes représentant des propriétés simples de figures planes (p. ex., les trois coins ⊓⊓⊓ ou les trois lignes droites ≡);

  – dessiner, au tout début, les quatre formes suivantes : ○ □ ▭ △, décrire la forme touchée et demander aux élèves de montrer la forme qu'elles et ils voient dans leur tête.

▸ Préciser que l'élève qui nomme la forme décrite peut, à son tour, venir prendre au hasard une forme et la décrire aux autres pour les aider à deviner la forme touchée.

▸ Après quelques exemples, demander aux élèves de se grouper en équipes de quatre pour jouer.

▸ Allouer aux élèves le temps requis pour leur permettre de jouer.

▸ Circuler parmi les élèves, les observer et intervenir, au besoin, en leur posant les questions suivantes.
  • Y a-t-il des coins pointus? Si oui, combien?
  • À quoi la forme ressemble-t-elle?
  • Est-ce que c'est rond ou droit?
  • Combien de côtés y a-t-il?
  • Ta forme ressemble-t-elle à un jeton? à un ballon?
  • En quoi ces deux objets sont-ils semblables? En quoi sont-ils différents?

▸ Inviter les élèves à venir s'asseoir dans l'aire de rassemblement pour faire l'échange mathématique et leur permettre d'utiliser le vocabulaire à l'étude.

Variantes

1. Mettre le matériel de jeu dans le centre de mathématiques et, pendant la période de temps allouée aux centres d'apprentissage, permettre aux élèves de jouer.

2. Demander aux élèves de poser des questions à l'élève qui tire une forme du sac pour leur permettre de deviner et de nommer la forme tirée.

3. Au lieu de mettre des blocs logiques dans les sacs, y mettre des solides.

Le sac à toucher (maternelle/jardin)

X en groupe-classe ☐ en équipe ☐ individuelle

Au cours de cette activité, l'élève prend part à un jeu dont le but est de trouver, par le toucher, une figure précise.

Pistes d'observation

L'élève :

– nomme les figures planes suivantes : le cercle, le triangle, le carré et le rectangle;

– décrit les figures planes suivantes : le cercle, le triangle, le carré et le rectangle.

Matériel requis

✓ petits sacs de papier brun (un par élève)

✓ blocs logiques

Avant la présentation de l'activité

– préparer, pour chaque élève, un sac de papier brun qui contiendra les blocs logiques suivants : un triangle, un cercle, un carré et un rectangle (peu importe la grosseur ou l'épaisseur).

Déroulement

▸ Inviter les élèves à venir s'asseoir en cercle dans l'aire de rassemblement.

▸ Dire aux élèves qu'elles et ils vont prendre part au jeu *Le sac à toucher*.

▸ Montrer aux élèves un des sacs de papier brun et le secouer. Leur demander de deviner le contenu du sac.

▸ Écouter les réponses des élèves, puis vider le sac devant elles et eux. Leur demander de nommer les quatre formes.

▸ Expliquer que chaque élève va recevoir un sac dans lequel on trouve les quatre mêmes blocs logiques. Ajouter que le jeu consiste à ce que chaque élève tire, à tour de rôle, une forme de son sac, la nomme et la montre aux autres qui, à leur tour, doivent trouver cette même forme dans leur sac, avec une seule main, sans regarder à l'intérieur.

▸ Remettre un sac de papier brun à chaque élève.

▸ Demander à un ou à une élève de tirer une forme de son sac, de la montrer aux autres et de la nommer.

▸ Demander aux autres élèves de trouver, dans leur sac, sans regarder à l'intérieur, la forme montrée.

▸ Dire aux élèves d'attendre le signal pour tirer la forme du sac.

▸ Allouer aux élèves le temps requis pour qu'elles et ils trouvent la forme dont il est question.

▸ Poser des questions aux élèves en vue de les aider à trouver la forme dont il est question. Voici des exemples de questions :

- Quelle forme cherches-tu?

- Cette forme a-t-elle des coins pointus?

- Est-ce que c'est rond?

- Combien de côtés y a-t-il?

- Les côtés sont-ils tous de la même longueur?

▸ Dire la phrase « Voici le carré! » comme signal pour tirer la forme du sac.

▸ Vérifier si chaque élève a tiré la bonne forme.

▸ Reprendre l'activité telle qu'elle a été décrite précédemment.

> Note : En ce qui concerne des groupes de maternelle ou des élèves qui ont de la difficulté à visualiser ce qu'elles et ils touchent, il est suggéré de remettre à chaque élève un napperon présentant des silhouettes de formes ou une chemise sur laquelle sont collées les formes à identifier.

Variantes

1. Mettre le matériel de jeu dans le centre de mathématiques pour permettre aux élèves de jouer au jeu au cours de la période des centres d'apprentissage.

2. Déposer, dans chaque sac, deux blocs logiques de chaque forme, de taille différente, ou des mosaïques géométriques.

3. Faire la même activité en utilisant des solides.

4. À l'aide du même matériel, jouer au jeu *Des formes à relais*. Choisir un meneur ou une meneuse de jeu et diviser les élèves en deux équipes. Chaque équipe forme une ligne droite. La dernière personne de chaque équipe reçoit un sac de papier brun dans lequel on a mis trois blocs logiques de chaque forme et de taille différente. Le meneur ou la meneuse du jeu nomme une forme (p. ex., un triangle). La dernière personne de chaque équipe doit trouver un triangle dans le sac et le passer à la personne en avant d'elle qui le passe à l'autre devant elle, et ainsi de suite, jusqu'à ce que la première personne en ligne reçoive le triangle. Cette dernière doit placer le triangle sur le napperon devant elle, puis se rendre à la fin de la ligne pour être la dernière personne de son équipe. La première équipe qui met le triangle sur le napperon gagne un point. Le jeu se termine lorsque le sac est vide. L'équipe gagnante est celle qui a accumulé le plus de points.

Le château de Cami et de Papi (maternelle)

☒ en groupe-classe ☒ en équipe ☐ individuelle

Au cours de cette activité, l'élève construit un château à la suite de la lecture du livre *Le château de Cami et de Papi*.

Pistes d'observation

L'élève :
- utilise des solides ou des objets pour construire des structures;
- reconnaît (dans son environnement, dans un dessin, dans une structure, etc.) les solides suivants : la sphère, le cône, le cylindre, le cube et le prisme;
- nomme les solides suivants : la sphère, le cône, le cylindre, le cube et le prisme.

Matériel requis

✓ divers contenants et objets (p. ex., boîtes, rouleaux de carton, bouteilles de plastique, berlingots de lait, verres en carton sous forme de cône, boules de styromousse, verres en styromousse)
✓ carton de différentes grandeurs
✓ colle
✓ ruban-cache
✓ crayons-feutres
✓ peinture et pinceaux
✓ blocs de construction ou blocs Légo
✓ feuilles **Le château de Cami et de Papi** (conte illustré)
✓ feuille de la chanson *J'ai un gros château* (voir la section **Banque de chansons et de comptines**)
✓ cédérom *Au jardin de Math et Mathique... un peu, beaucoup, à la folie!*

Avant la présentation de l'activité

- envoyer une note aux parents leur demandant de fournir à leur enfant des contenants, des boîtes et des objets de différentes grandeurs pour permettre aux élèves de construire des châteaux;
- retirer du guide les feuilles **Le château de Cami et de Papi**, les plastifier et les relier pour en faire un livre;
- préparer le matériel de bricolage qui sera utilisé pour construire des châteaux.

Déroulement

▸ Inviter les élèves à venir s'asseoir dans l'aire de rassemblement.

▸ Dire aux élèves que vous avez une belle histoire à leur raconter.

▸ Montrer la page de titre et demander aux élèves de regarder l'illustration en vue d'anticiper le sujet du livre.

▸ Écouter les commentaires des élèves, puis lire le livre.

▸ À la fin de l'histoire, grouper les élèves en équipes de deux pour construire un château.

Note : Il est aussi possible de réaliser cette partie de l'activité en centres d'apprentissage.

▸ Définir quelques critères quant à la construction des châteaux; par exemple, construire un château solide, qui comprend au moins un cube, un prisme et un cône, et qui est assez grand pour qu'une souris puisse y entrer.

▸ Allouer aux élèves le temps requis pour construire leur château.

▸ Circuler parmi les élèves, les observer et leur poser des questions leur permettant de décrire leur structure, d'utiliser le vocabulaire mathématique à l'étude et de préciser leur démarche.
  Voici des exemples de questions :
  • De quels blocs auras-tu besoin pour construire les murs de ton château?
  • Quelles formes vas-tu utiliser pour construire la porte et les fenêtres?
  • Les côtés sont-ils plats ou ronds?
  • Peux-tu coller le côté de cette boîte sur le côté de ce contenant?
  • Que vas-tu utiliser pour construire la tour?
  • Que vas-tu utiliser pour faire le pignon de ta tour?
  • De quelle forme ou de quel solide as-tu besoin pour construire le bord du toit?
  • À quoi cette forme te fait-elle penser?
  • Penses-tu que le rouleau de carton est solide? Pourquoi?
  • Penses-tu que la forme pourrait rouler ou glisser?

▸ Lorsque tous les élèves ont terminé la construction de leur château, les inviter à venir s'asseoir dans l'aire de rassemblement pour faire l'échange mathématique. Leur poser des questions semblables à celles suggérées ci-dessus.

▸ Présenter aux élèves la chanson *J'ai un gros château*.

▸ Insérer la feuille de la chanson *J'ai un gros château* dans le cahier de chansons des élèves.

▸ Proposer aux élèves de préparer une exposition des châteaux et d'inviter un autre groupe-classe à venir les voir. En profiter pour présenter aux invités le livre *Le château de Cami et de Papi* et la chanson *J'ai un gros château*.

Le château de Cami et de Papi

Adaptation du conte de Réjean Aubut

Cami et Papi sont deux petites souris qui habitent dans l'armoire d'une maison. Elles peuvent regarder le beau film *La Belle au bois dormant* grâce au petit trou qu'elles ont fait sous la porte de l'armoire.

Ah! Qu'il est beau le prince sur son cheval blanc! soupire Cami.
Ah! Qu'elle est belle dans sa robe! continue Papi.

1

Mais ce que Cami et Papi aiment le plus, dans ce film, c'est le majestueux château. Le château est bâti avec de grosses pierres. En l'examinant attentivement, on peut y découvrir toutes sortes de formes. Les tours sont d'énormes cylindres et les pignons sont des cônes. On peut y voir aussi des cubes et des sphères.

2

Cami et Papi ont une idée. « Nous allons construire un château comme celui que l'on voit dans le film. » Dans l'armoire de la maison, il y a un bac rempli d'objets de toutes les formes, tout juste bons pour le recyclage. Il y a des boîtes de conserve, des rouleaux de carton, des bobines de fil, des couvercles de contenants, des verres en carton, des billes et bien d'autres objets qui serviront à construire le château de Cami et de Papi.

3

Cami et Papi travaillent très fort. Mais à la fin, ils sont fiers de leur beau château.

4

Cette nuit, ils pourront dormir dans leur château comme la Belle au bois dormant et le prince charmant.

5

Cami et Papi sont tellement heureux qu'ils chantent la belle chanson *J'ai un gros château.*

J'ai un gros château
Ma tantirelirelire
J'ai un gros château
Ma tantirelireleau.

Il est plein de formes
Ma tantirelirelire
Il est plein de formes
Ma tantirelireleau.

Peux-tu les retrouver
Ma tantirelirelire
Peux-tu les retrouver
Ma tantirelireleau.

Il y a plein d'carrés
Ma tantirelirelire
Qui servent de fenêtres
Ma tantirelireleau.

Des rectangles aussi
Ma tantirelirelire
Sur les blocs de pierre
Ma tantirelireleau.

Un peu de triangles
Ma tantirelirelire
Sur le haut des tours
Ma tantirelireleau.

Je ne vois qu'un cercle
Ma tantirelirelire
Qui sert de poignée
Ma tantirelireleau.

Et puis, j'ai fini!
Ma tantirelirelire
Et puis tombe dans l'eau!
Ma tantirelireleau

Glou... glou... glou...

6

Et toi, peux-tu construire un gros château? Quels solides vas-tu utiliser pour le construire : des cylindres, des cubes, des sphères, des cônes ou des prismes?

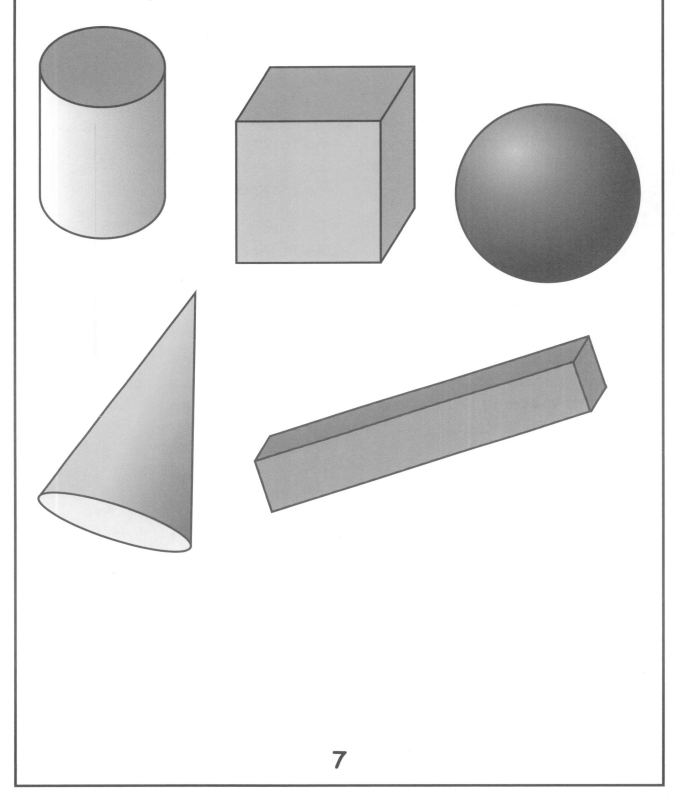

7

Quelles formes vas-tu observer sur ton gros château : des cercles, des carrés, des rectangles ou des triangles?

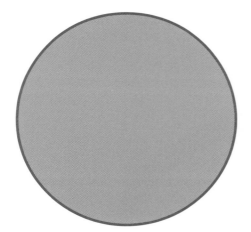

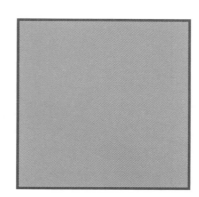

8

Fin

9

La suite royale (maternelle)

| X | en groupe-classe | ☐ en équipe | X | individuelle |

Au cours de cette activité, l'élève fabrique, au moyen de figures planes en carton, la reine Cercle, le roi Rectangle, la princesse Triangle, le prince Carré, le fou du roi ou d'autres personnages qui vont habiter le château de Cami et de Papi.

Pistes d'observation

L'élève :
- utilise des figures planes dans le but de créer une nouvelle forme ou un dessin;
- nomme les figures planes suivantes : le cercle, le triangle, le carré et le rectangle.

Matériel requis
✓ carton ou feuilles de couleurs variées
✓ crayons à mine
✓ crayons-feutres
✓ paires de ciseaux
✓ colle
✓ grand sac-cadeau
✓ rouleau de papier brun
✓ feuilles **Pochoirs de formes variées**
✓ feuille **Carte du fou du roi**

Avant la présentation de l'activité
- photocopier les feuilles **Pochoirs de formes variées** sur du carton épais et découper l'intérieur de chaque pochoir (il est aussi possible de découper les formes au lieu de faire des pochoirs);
- mettre les formes dans le sac-cadeau;
- découper la carte de la feuille **Carte du fou du roi**;
- mettre, dans le centre de mathématiques, dans le centre de bricolage ou dans le centre de dessins, le matériel requis pour réaliser l'activité (p. ex., cartons, pochoirs, crayons à mine, crayons-feutres, ciseaux, colle).

Déroulement
▸ Inviter les élèves à venir s'asseoir dans l'aire de rassemblement.

▸ Dire aux élèves que vous avez reçu un cadeau et une carte du fou du roi.

▸ Lire aux élèves le message de la carte.

▸ Montrer aux élèves le sac-cadeau et leur demander de deviner ce qu'il y a à l'intérieur.

▸ Sortir les pochoirs et leur dire que ce sont des pochoirs de formes variées.

▸ Demander aux élèves de nommer les formes qu'elles et ils voient.

▸ Poser aux élèves la question suivante : « Que peut-on faire à l'aide de ces pochoirs? »

▸ Présenter la mise en situation suivante :
À l'aide de ces pochoirs, on pourrait fabriquer toute la suite royale; par exemple, la reine Cercle, le roi Rectangle, la princesse Triangle, le prince Carré, le fou du roi, le grand chevalier ou d'autres personnages fabriqués au moyen de diverses formes. On pourrait ensuite mettre ces drôles de personnages dans le château de Cami et de Papi.

▸ Donner un exemple en traçant des formes sur une feuille de papier pour créer un personnage.

Ex. :

▸ Dire aux élèves que vous pourriez ensuite colorier les formes pour ajouter de la couleur à votre personnage ou découper chaque forme pour les assembler sur un carton rigide.

▸ Ajouter qu'au cours de la période des centres d'apprentissage elles et ils fabriqueront de drôles de personnages au moyen de diverses formes.

▸ Au cours de la période des centres d'apprentissage, allouer aux élèves le temps requis pour réaliser leur dessin ou leur collage.

▸ Observer les élèves et les aider, au besoin, en leur posant des questions.
Voici des exemples de questions :
  • Vas-tu utiliser une ou plusieurs formes pour créer ton personnage?
  • Quelles formes vas-tu tracer pour faire le visage? le corps? les bras? les jambes?
  • Y a-t-il une autre forme que tu pourrais tracer pour faire les jambes?
  • Combien de rectangles as-tu utilisés pour créer ton personnage? Combien de cercles? de triangles? de carrés?
  • Quel est le nom de ton personnage? Pourquoi le nommes-tu ainsi?
  • En quoi ce personnage est-il semblable au tien? différent du tien?

▸ Lorsque les élèves ont terminé la création de leur personnage, les inviter à venir s'asseoir dans l'aire de rassemblement et à présenter leur personnage en disant son nom et en nommant les formes utilisées dans sa création.

▸ Exposer les personnages sur un grand mural ou les mettre dans le centre de marionnettes pour inciter les élèves à faire des spectacles.

Variante
Créer les personnages de la suite royale en trois dimensions à l'aide de contenants et de boîtes.

Pochoirs de formes variées

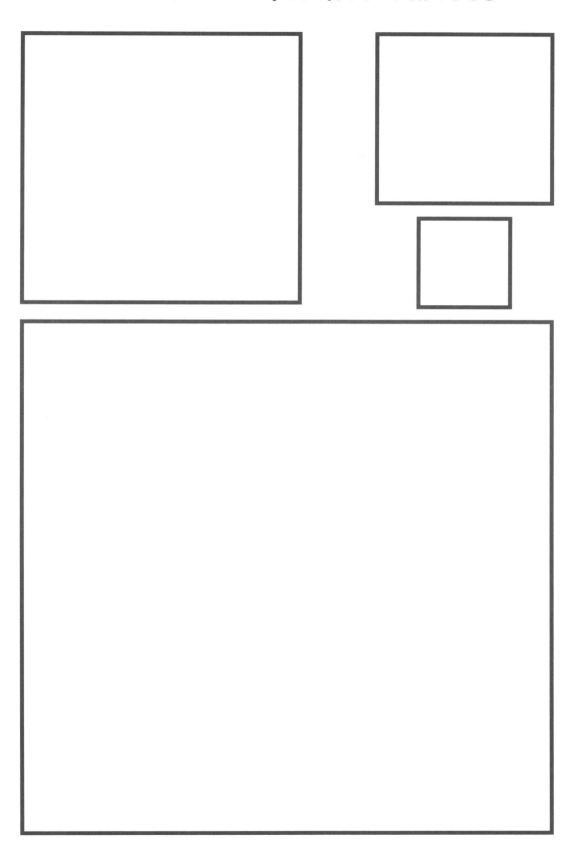

Carte du fou du roi

Salut, mes bons amis!

Voici un petit cadeau pour vous.

Amusez-vous bien!

Le fou du roi

Pinceton, le caneton (jardin)

☒ en groupe-classe ☒ en équipe ☒ individuelle

> Au cours de cette activité, l'élève construit une maison pour Pinceton, le caneton à la suite de la lecture du livre *Le rêve de Pinceton, le caneton*.

Pistes d'observation

L'élève :

– utilise des solides ou des objets pour construire des structures;

– reconnaît (dans son environnement, dans un dessin, dans une structure, etc.) les solides suivants : la sphère, le cône, le cylindre, le cube et le prisme;

– nomme les solides suivants : la sphère, le cône, le cylindre, le cube et le prisme.

Matériel requis

✓ divers contenants et objets (p. ex., boîtes, rouleaux de carton, bouteilles de plastique, berlingots de lait, verres en carton sous forme de cône, boules de styromousse, verres en styromousse)

✓ carton de différentes grandeurs

✓ colle

✓ ruban-cache

✓ crayons-feutres

✓ peinture et pinceaux

✓ blocs de construction ou blocs Légo

✓ feuilles **Le rêve de Pinceton, le caneton** (conte illustré)

✓ feuille de la chanson *Pinceton, le caneton* (voir la section **Banque de chansons et de comptines**)

✓ cédérom *Au jardin de Math et Mathique… un peu, beaucoup, à la folie!*

Avant la présentation de l'activité

– envoyer, au besoin, une note aux parents leur demandant de fournir à leur enfant des contenants, des boîtes et des objets de différentes grandeurs pour permettre aux élèves de construire des maisons;

– retirer du guide les feuilles **Le rêve de Pinceton, le caneton**, les plastifier et les relier pour en faire un livre;

– préparer le matériel de bricolage nécessaire à la construction des maisons.

Déroulement

▸ Inviter les élèves à venir s'asseoir dans l'aire de rassemblement.

▸ Dire aux élèves que vous avez une belle histoire à leur raconter.

▸ Montrer aux élèves la page de titre et leur demander de regarder l'illustration en vue d'anticiper le sujet du livre.

▸ Écouter les commentaires des élèves, puis lire le livre.

▸ À la fin de l'histoire, présenter la chanson *Pinceton, le caneton* (voir la section **Banque de chansons et de comptines** et le cédérom *Au jardin de Math et Mathique… un peu, beaucoup, à la folie!*).

▸ Dire aux élèves de sauter chaque fois qu'elles et ils entendent le mot *pince*.

▸ Demander aux élèves de se grouper en équipes de deux pour construire une maison.

Note : Il est aussi possible de réaliser cette partie de l'activité en centres d'apprentissage.

▸ Définir quelques critères quant à la construction des maisons (p. ex., construire une maison solide, qui comprend au moins un cube, un prisme et un cône, et qui est assez grande pour Pinceton et ses amis).

▸ Allouer aux élèves le temps requis pour leur permettre de construire leur maison.

▸ Circuler dans la salle de classe, observer les élèves et leur poser des questions leur permettant de décrire leurs structures, d'utiliser le vocabulaire mathématique à l'étude et de préciser leur démarche.
Voici des exemples de questions :
• Quelle forme ou quel solide te faut-il pour construire ta maison?
• De quels blocs auras-tu besoin pour construire ta maison?
• Quelles formes vas-tu utiliser pour construire la porte et les fenêtres?
• Combien d'étages ta maison comptera-t-elle?
• Cette forme a-t-elle des côtés ronds ou plats?
• Peux-tu coller le côté de cette boîte sur le côté de ce contenant?
• Que vas-tu utiliser pour fabriquer le toit de la maison?
• Penses-tu que la forme pourrait rouler ou glisser?

▸ Lorsque tous les élèves ont terminé la construction de leur maison, les inviter à venir s'asseoir dans l'aire de rassemblement pour faire l'échange mathématique. Poser des questions semblables à celles suggérées ci-dessus.

▸ Proposer aux élèves de préparer une exposition des maisons et d'inviter un autre groupe-classe à venir voir les différentes maisons construites pour Pinceton. En profiter pour présenter aux invités le livre *Le rêve de Pinceton, le caneton* et la chanson *Pinceton, le caneton*.

▸ Insérer la feuille de la chanson *Pinceton, le caneton* dans le cahier de chansons des élèves.

Variantes

1. Construire des maisons pour les amis de Pinceton.

2. Utiliser la maison de Pinceton et les maisons des amis de Pinceton pour construire une maquette du village de Pinceton.

3. Présenter d'autres livres qui traitent de formes (voir la liste dans la section **Ressources**).

Le rêve de Pinceton, le caneton

Pinceton, le caneton
Aime partager tous ses bonbons.
Il est vraiment très gentil
Avec ses nombreux amis.

I

Lorsqu'il a une mauvaise grippe,
Il tousse, il pince, et ça pique.
Une chance pour ceux qui l'entourent,
Ça n'arrive pas tous les jours!

2

À la campagne, près d'un boisé,
Il vit dans une maison carrée.

3

Pinceton veut inviter
Tous ses amis préférés
À une grande fête costumée.
Ce sera une belle soirée!

4

Trop petite est sa maison.
Que fera pauvre Pinceton?
Peut-il construire une maison
Pour recevoir ses compagnons?

5

Il se couche très tôt le soir
Et s'endort vite dans le noir.
Il rêve à sa maison carrée
Et aux amis costumés.

6

Son ami le papillon
Est déguisé en cornichon.

Le gros chat Ronron
Ressemble à un beau ballon.

7

Les deux poules costumées en triangle
Jasent avec le coq déguisé en rectangle.

La vache, l'abeille et l'oiseau Picolo
Portent des costumes très rigolos.

8

Pinceton, le caneton
Est tout seul dans sa maison.
Ses amis ne peuvent entrer,
Car la porte est trop carrée.

Coin! Coin! Coin! Coin!

9

Il se réveille tout énervé
Et peut à peine déjeuner.
Quel problème, il doit régler!
De toute urgence, il faut l'aider!

Pinceton, le caneton
A besoin de suggestions
Pour construire une belle maison,
Où tous ses amis viendront.

10

ET TOI! cher compagnon,
Comment vois-tu sa maison?
Fais un dessin, une construction
Ou un collage pour Pinceton.

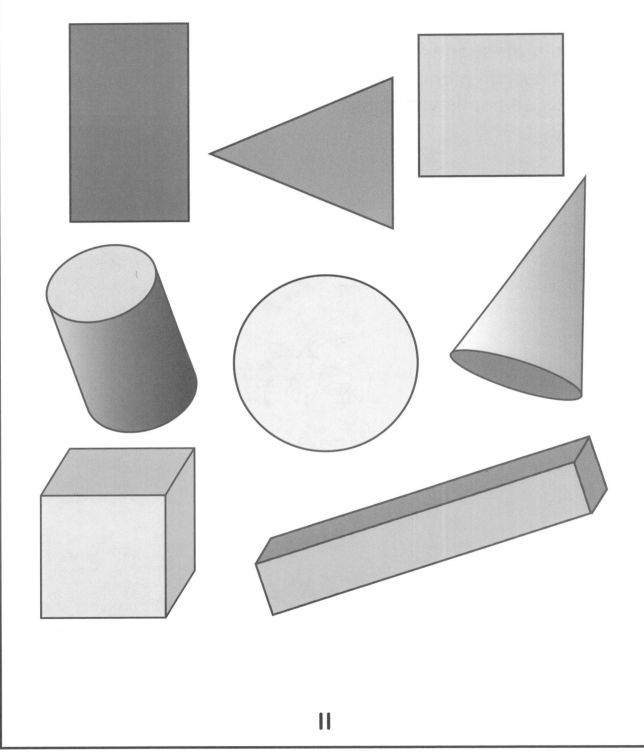

II

De drôles d'amis! (jardin)

[X] en groupe-classe   [ ] en équipe   [X] individuelle

> Au cours de cette activité, l'élève fabrique de drôles d'amis au moyen de figures planes en carton pour Pinceton, le caneton.

Pistes d'observation

L'élève :
- utilise des figures planes dans le but de créer une nouvelle forme ou un dessin;
- nomme les figures planes suivantes : le cercle, le triangle, le carré et le rectangle.

Matériel requis

- ✓ carton ou feuilles de différentes couleurs
- ✓ crayons à mine
- ✓ crayons-feutres
- ✓ ciseaux
- ✓ colle
- ✓ règles
- ✓ matériel de bricolage : boutons, ouate, plumes, yeux en plastique, petits contenants de brillants ou colle brillante, petites formes en mousse de caoutchouc, tissus, carton, etc.
- ✓ sac-cadeau d'environ 22 cm × 28 cm (8,5 po × 11 po)
- ✓ feuille **Carte de Pinceton**

Avant la présentation de l'activité

- mettre, dans le sac-cadeau, le matériel de bricolage;
- découper la carte de la feuille **Carte de Pinceton** et la mettre dans le sac-cadeau;
- mettre dans le centre de mathématiques ou dans le centre de bricolage, le matériel requis pour effectuer l'activité : crayons à mine, crayons-feutres, ciseaux, colle, etc.

Déroulement

▸ Inviter les élèves à venir s'asseoir dans l'aire de rassemblement.

▸ Dire aux élèves que vous avez reçu un cadeau de Pinceton ainsi qu'une petite carte sur laquelle est écrit un court message.

▸ Lire le message aux élèves.

▸ Montrer aux élèves le sac-cadeau et leur demander de deviner le contenu du sac.

▸ Sortir le matériel du sac et nommer le matériel de bricolage.

▸ Poser aux élèves la question suivante : « Selon toi, à quoi ressemble les drôles d'amis de Pinceton, le caneton? »

▸ Dire aux élèves :

Je vois un robot dessiné uniquement avec des carrés de différentes grandeurs, un ourson fait avec des cercles seulement ou un animal fabriqué à l'aide de différentes formes. Tous ces drôles d'amis vivent dans le même village que Pinceton.

▸ Donner un exemple de drôle d'ami en dessinant des formes sur une feuille de papier.

Ex. :

▸ Dire aux élèves qu'elles et ils peuvent :

- colorier les formes pour ajouter de la couleur à leur personnage;
- ajouter des yeux en plastique;
- ajouter une plume ou d'autres objets;
- découper chaque forme pour les assembler sur un carton rigide.

Note : Concernant les élèves qui montrent de la difficulté à dessiner des formes, leur proposer de tracer des formes au moyen des pochoirs utilisés à l'activité 15 de ce module.

▸ Expliquer aux élèves qu'au cours de la période des centres d'apprentissage elles et ils fabriqueront un drôle d'ami pour Pinceton.

▸ Laisser aux élèves le temps requis pour réaliser leur drôle d'ami.

▸ Observer les élèves et les aider, au besoin, en leur posant des questions.
Voici des exemples de questions :

- Vas-tu utiliser une ou plusieurs formes pour créer ton personnage?
- Quelles formes vas-tu tracer pour faire le visage? le corps? les bras? les jambes?
- Y a-t-il une autre forme que tu pourrais tracer pour faire les jambes?
- Combien de rectangles as-tu utilisés pour créer ton personnage? de cercles? de triangles? de carrés?
- Pourquoi le nommes-tu ainsi?
- En quoi ce personnage est-il semblable au tien? En quoi est-il différent du tien?

▸ Lorsque les élèves ont terminé la fabrication de leur personnage, les inviter à venir s'asseoir dans l'aire de rassemblement pour présenter leur personnage en précisant son nom et en nommant les formes utilisées. Poser des questions semblables à celles suggérées ci-dessus, permettant ainsi aux élèves d'utiliser le vocabulaire mathématique et de l'intégrer.

▸ Exposer les drôles d'amis sur un grand mural près de la maison de Pinceton ou les ranger au centre de marionnettes pour inciter les élèves à faire des spectacles de marionnettes.

Variante

Reprendre l'activité en permettant aux élèves d'utiliser des contenants et des objets de toutes sortes pour construire de drôles d'amis en trois dimensions.

Carte de Pinceton

Salut, mes bons amis!

Voici un petit cadeau pour vous.

Je vous envoie ce petit cadeau pour que vous puissiez me créer de drôles d'amis en utilisant différentes formes.
Regardez les beaux trésors que vous pouvez utiliser pour fabriquer de drôles de personnages.

J'ai bien hâte de les voir!

Amusez-vous bien!

Pinceton XXX

Des formes mur à mur (jardin)

| X | en groupe-classe | X | en équipe | X | individuelle |

Au cours de cette activité, l'élève fabrique un mural pour donner des idées de décoration à Pinceton, le caneton.

Pistes d'observation

L'élève :
- utilise des figures planes dans le but de créer une nouvelle forme ou un dessin;
- nomme les figures planes suivantes : le cercle, le triangle, le carré et le rectangle;
- décrit les figures planes suivantes : le cercle, le triangle, le carré et le rectangle.

Matériel requis

✓ carton ou feuilles de différentes couleurs
✓ ciseaux
✓ sacs de plastique grand format (un par équipe de deux)
✓ rouleau de papier brun
✓ feuille **Lettre de Pinceton**
✓ feuille **Grande forme à couvrir**
✓ feuilles **Des formes pour couvrir**

Avant la présentation de l'activité

- reproduire les feuilles **Des formes pour couvrir** et **Grande forme à couvrir** (trois séries par équipe de deux) sur du carton ou des feuilles de différentes couleurs et les découper;
- mettre les formes dans un sac de plastique grand format (un par équipe de deux);
- découper un grand morceau de papier brun en vue de fabriquer un grand mural avec le groupe-classe.

Déroulement

Note : Avant de réaliser cette activité avec les élèves, il est important qu'elles et ils aient manipulé et exploré **à plusieurs reprises** les mosaïques géométriques et qu'elles et ils aient pris conscience qu'il est possible de combiner de petites formes pour faire de plus grandes formes (p. ex., on peut utiliser trois losanges bleus ou deux trapèzes rouges pour couvrir une forme comme l'hexagone jaune).

▸ Inviter les élèves à venir s'asseoir dans l'aire de rassemblement.

▸ Présenter la mise en situation suivante.
Pinceton a laissé une lettre de remerciements au sujet des bonnes idées de maisons à construire que tu lui as données. Il aimerait recevoir une grande affiche recouverte de formes colorées et variées qui couvrirait tout le mur d'un côté de son salon pour mieux le décorer.

▸ Lire aux élèves la lettre de Pinceton.

‣ Montrer aux élèves un sac rempli de formes variées et en vider le contenu.

‣ Demander aux élèves de nommer les formes qu'elles et ils voient. Leur poser des questions semblables aux questions suivantes :

- Que remarques-tu au sujet des carrés? des triangles?
- Combien de triangles moyens peux-tu mettre sur le grand triangle? Peux-tu le montrer?
- Combien de petits triangles peux-tu mettre sur ce triangle moyen? Peux-tu le montrer?
- Combien de petits carrés peux-tu mettre sur ce rectangle? Peux-tu le montrer?

‣ Montrer aux élèves le carré de la feuille **Grande forme à couvrir** et leur dire que chaque ami aura la chance de remplir ce carré avec des petites et des moyennes formes de différentes couleurs.

‣ Ajouter qu'il est important de remplir tout le carré.

‣ Montrer un exemple de ce que vous voulez dire en couvrant le carré avec des formes sans laisser d'espaces et sans les superposer.

Ex. :

‣ Grouper les élèves en équipes de deux.

‣ Remettre un grand carré à chaque élève et un sac rempli de formes en carton à chaque équipe.

‣ Demander aux élèves de couvrir le gros carré au moyen des petites formes de différentes couleurs.

‣ Circuler dans la salle de classe, observer les élèves et les aider, au besoin, en leur posant des questions.
Voici des exemples de questions :

- Comment vas-tu faire pour que cette forme ne dépasse pas le contour du grand carré?
- Ces deux formes vont-elles couvrir l'espace qui reste?
- Quelles autres formes peux-tu utiliser?
- Combien de rectangles te faut-il pour couvrir le carré?
- Y a-t-il une autre façon de remplir cette forme? Montre-le.
- Peux-tu remplir le grand carré en utilisant le moins de formes possible? le plus de formes possible?

‣ Lorsque la majorité des élèves ont terminé, leur dire d'arrêter leur travail et de regarder les différentes façons de remplir le grand carré.

‣ Poser aux élèves des questions semblables à celles mentionnées précédemment pour les amener à découvrir différentes combinaisons possibles de petites formes pouvant remplir les plus grandes formes.
Voici des exemples de réponses :
J'ai rempli le grand carré en utilisant 4 carrés de différentes couleurs.

J'ai rempli le grand carré en utilisant 2 petits carrés et 4 triangles.

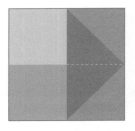

J'ai utilisé un gros triangle et deux moyens triangles.

J'ai utilisé 2 petits carrés et 4 petits triangles.

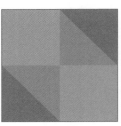

▸ Dire aux élèves qu'elles et ils pourront trouver d'autres façons de couvrir le carré au cours de la période des centres d'apprentissage et qu'elles et ils pourront coller les formes sur le grand carré. Il est possible de mettre tous les carrés ensemble pour en faire un grand mural qui se nommera *Des formes mur à mur*.

▸ Laisser aux élèves le temps requis pour réaliser le collage dans le centre de mathématiques ou dans le centre de bricolage.

▸ Circuler dans la salle de classe, observer les élèves et intervenir, au besoin, en leur posant des questions semblables à celles suggérées précédemment, leur permettant d'utiliser le vocabulaire mathématique.

▸ Au fur et à mesure qu'un ou une élève a terminé son carré ou ses carrés, lui demander de les mettre, les uns à la suite des autres, sur le grand mural.

▸ Lorsque le travail est terminé, inviter les élèves à venir s'asseoir près du mural pour faire l'échange mathématique.

▸ Intervenir, au besoin, en précisant le vocabulaire mathématique et les stratégies utilisées pour couvrir les carrés.

Variantes

1. Reproduire, sur du carton de couleur, les feuilles **Grandes mosaïques à couvrir**. Dire aux élèves de remplir ces grandes formes à l'aide des pièces de mosaïques géométriques. Les inviter à laisser des traces de leur travail en substituant les mosaïques géométriques par des autocollants ou des mosaïques en carton.

2. Utiliser les faces d'un solide en plastique lavable pour créer un petit mural intitulé *Sur les traces d'un solide*.

Ex. :

Poser aux élèves des questions leur permettant d'utiliser le vocabulaire lié aux formes. Voici des exemples de questions :

• Quelles formes vois-tu sur ce solide?

• Y a-t-il des formes qui se répètent?

• Combien de rectangles vois-tu? Sont-ils de la même longueur?

Lettre de Pinceton

Bonjour mes amies et amis,

J'aimerais vous remercier pour les bonnes idées de maisons à construire que vous m'avez envoyées. Vous avez vraiment beaucoup d'imagination! Je ne pensais pas recevoir autant de suggestions. Encore une fois, merci!

Maintenant, j'aimerais avoir des idées pour décorer un des murs de mon salon. En somme, ce que j'aimerais, c'est de recevoir une grande affiche recouverte de formes colorées et variées, qui couvrirait tout le mur d'un côté de mon salon. Ce serait un très beau cadeau! Est-ce possible? J'ai bien hâte de voir ce que vous pouvez faire ensemble!

À bientôt!

Pinceton xxx

Grande forme à couvrir

Des formes pour couvrir

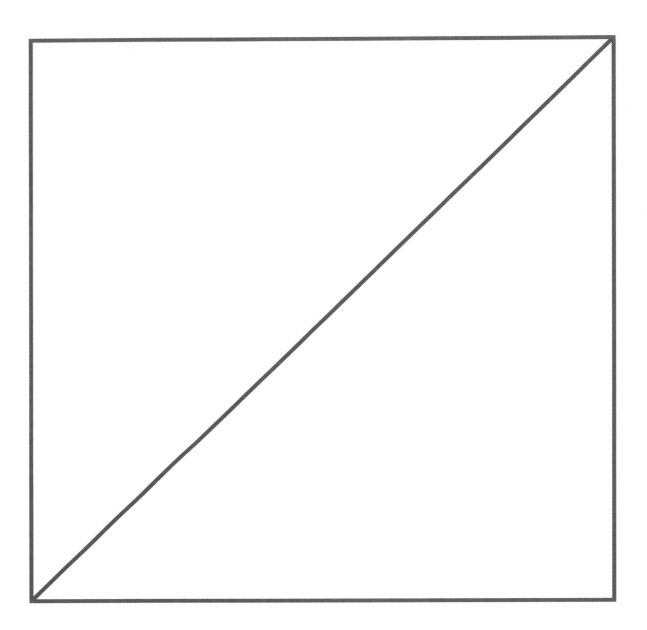

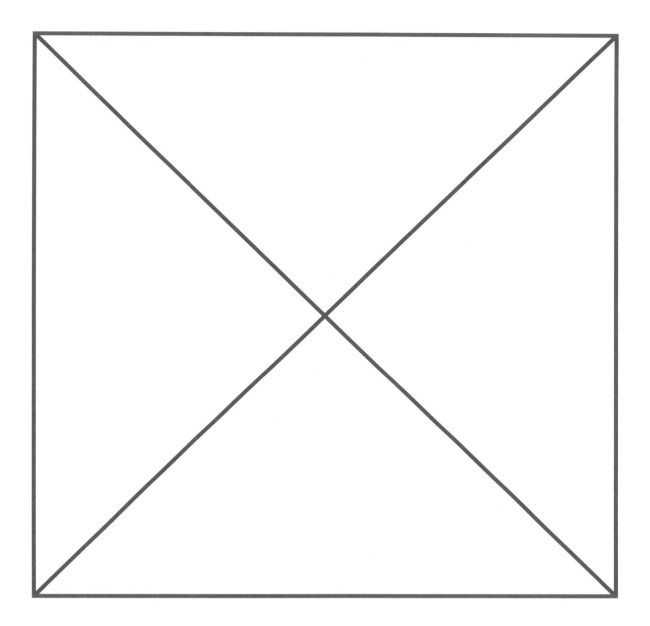

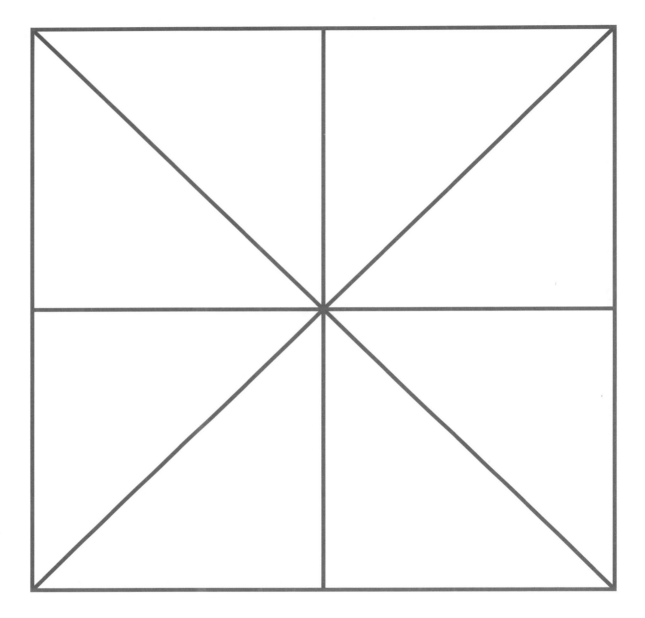

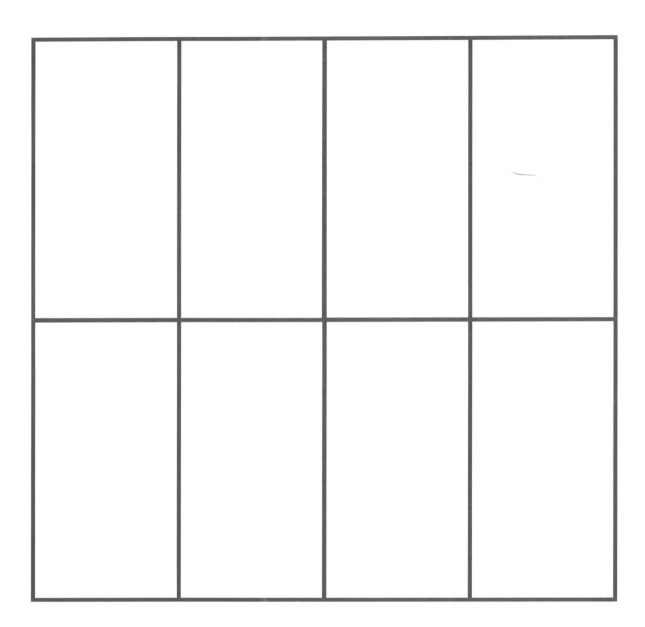

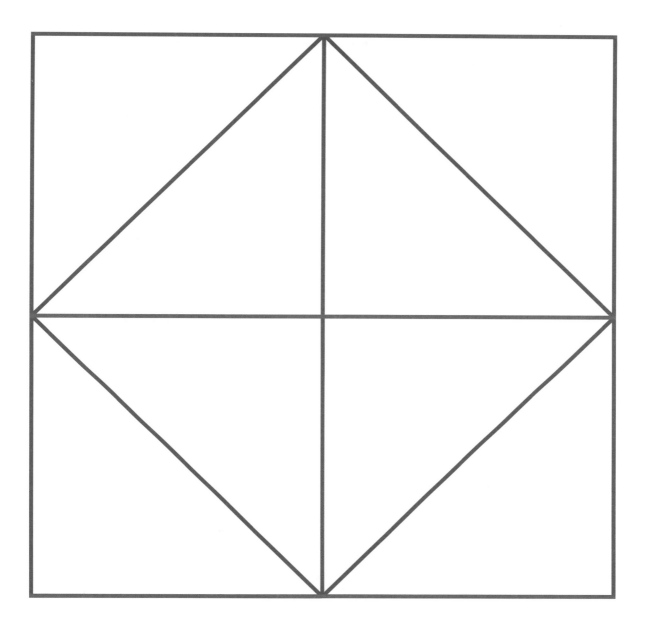

Grandes mosaïques à couvrir

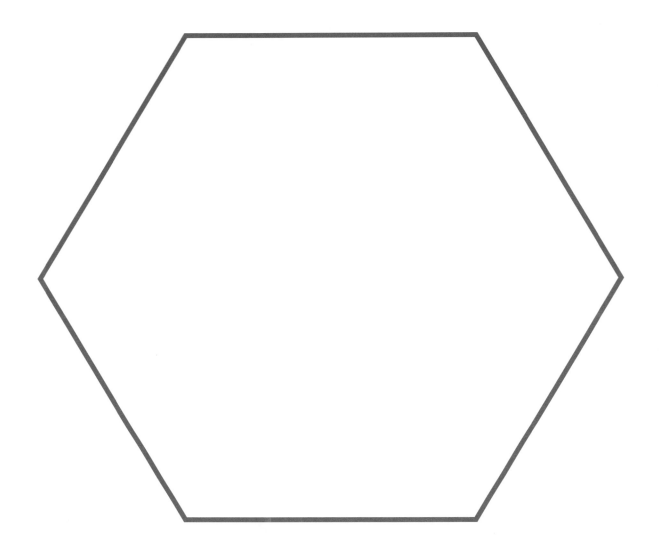

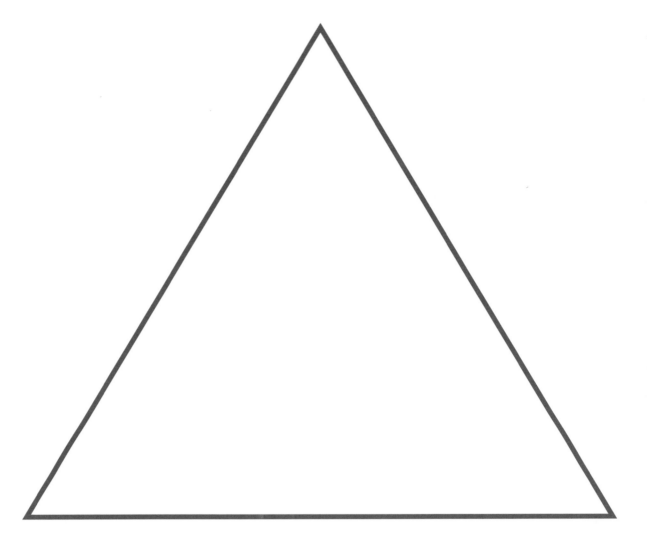

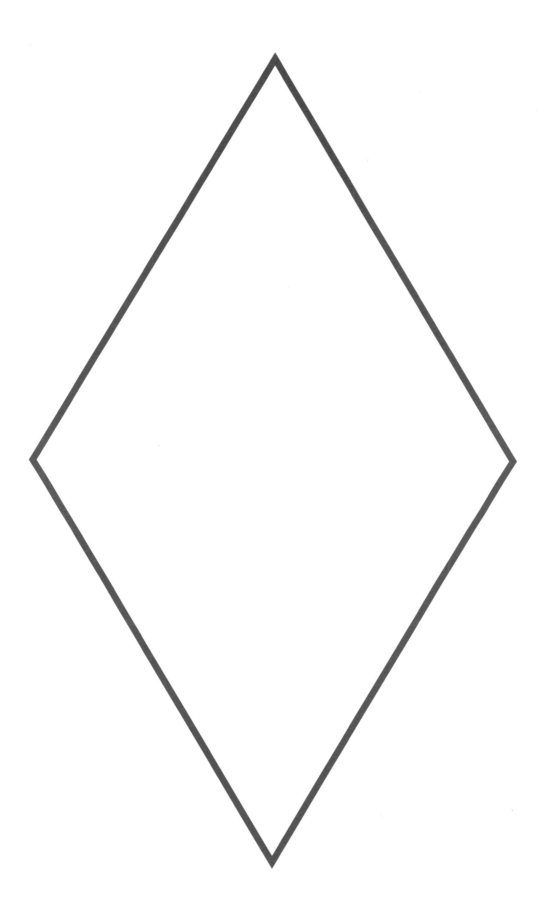

Introduction

Module 2
Changeons de côté, on s'est trompés!
Maternelle et jardin d'enfants

Sens de l'espace (position et déplacement) – Maternelle/Jardin

Module 2 – Changeons de côté, on s'est trompés!

But du module

L'apprentissage des concepts de l'espace et du vocabulaire liés à la position et au déplacement se fait de façon progressive, au fur et à mesure que les élèves réalisent des activités d'orientation spatiale et de manipulation.

Les élèves doivent avoir la chance de positionner des objets ou d'en déplacer et de se déplacer de façons différentes un peu partout dans l'espace, et ce, à l'aide de jeux, de chansons ou de comptines, de parcours d'obstacles, de mimes et de littérature pour enfants portant sur le sens de l'espace. Les élèves peuvent être invités à se mettre *à l'intérieur* ou *à l'extérieur* d'une boîte, à se mettre *sous* ou *sur* une chaise, à se déplacer *en dessous* ou *au-dessus* d'un banc, à marcher *autour* d'un cerceau ou *à travers* un cerceau, à faire semblant de voler bien *haut* ou bien *bas*, à se déplacer par *en avant* ou par *en arrière*, à ranger un objet *dans* une boîte ou *à côté d'*une boîte, à trouver un trésor à l'aide de consignes orales ou d'indices écrits sur une carte, etc.

Toutes ces activités permettent à l'élève de développer le vocabulaire lié au sens de l'espace :

– le vocabulaire indiquant une position :
  sur/sous
  au-dessus/en dessous
  en haut/en bas
  dedans (dans)/en dehors
  devant/derrière
  à côté de/entre
  à l'intérieur/à l'extérieur

– le vocabulaire indiquant une distance :
  près de/loin de

Attente et contenus d'apprentissage – Sens de l'espace

Attente

À la fin du jardin, l'enfant peut reconnaître la position d'un objet dans l'espace.

Contenus d'apprentissage

Pour satisfaire aux attentes et dans le contexte d'activités ludiques, de manipulation, d'exploration, d'expérimentation, d'observation et de communication, l'enfant :

– utilise les termes *devant*, *derrière*, *au-dessus*, *en dessous*, *à côté de*, *près de*, *loin de*, *sur*, *sous*, *dans*, *en haut*, *en bas* et *entre* pour identifier sa position ou la position d'un objet dans l'espace (p. ex., « Je m'assois près de mon ami. »; « Mon morceau de casse-tête va au-dessus de celui de Pierre. »).

– se déplace et déplace un objet selon les consignes données (p. ex., « Mets-toi en rang derrière Chantal. »; « Mets ton manteau sur le crochet. »).

– explore la notion d'intérieur et d'extérieur (p. ex., en jouant avec des cerceaux, en faisant des labyrinthes, des trajets ou des parcours).

Description des activités

Activités	Description	Pistes d'observation
Activité 1 : Une chanson pour se déplacer **(maternelle/jardin)**	L'élève chante la chanson *Gaston, le papillon* (maternelle) ou la chanson *C'était un bel oiseau* (jardin) et imite le papillon ou l'oiseau en se déplaçant dans la salle de classe ou le gymnase.	L'élève : – se déplace dans son environnement en suivant des consignes; – utilise les termes précis pour décrire sa position dans l'espace.
Activité 2 : Passe, Passe, Passe-Pois! **(maternelle/jardin)**	L'élève écoute l'histoire *Passe-Pois, la coccinelle*, puis prend part au jeu *Passe, passe, Passe-Pois!* dont le but est de passer Passe-Pois de différentes façons, selon les consignes données.	L'élève : – déplace un objet en suivant les consignes données; – se déplace dans son environnement en suivant des consignes.
Activité 3 : La danse des fichus **(maternelle/jardin)**	L'élève danse en se déplaçant au son de la musique tout en faisant bouger son fichu selon la position demandée.	L'élève : – utilise les termes précis pour décrire la position d'un objet; – déplace un objet en suivant les consignes données; – interprète les indices verbaux pour se déplacer et déplacer un objet dans son environnement.
Activité 4 : Le parcours d'obstacles **(maternelle/jardin)**	L'élève suit un parcours d'obstacles.	L'élève : – explore les notions d'intérieur et d'extérieur, et le concept de direction; – se déplace dans son environnement en suivant des consignes; – utilise les termes précis pour décrire sa position dans l'espace.
Activité 5 : Changeons de côté, on s'est trompés! **(maternelle/jardin)**	L'élève prend part au jeu *Changeons de côté, on s'est trompés!* dont le but est de se déplacer dans différentes directions au son de la musique.	L'élève : – se déplace dans son environnement en suivant des consignes; – interprète les indices verbaux pour se déplacer.

Activités	Description	Pistes d'observation
Activité 6 : L'objet mystère **(maternelle/jardin)**	L'élève prend part au jeu *L'objet mystère* dont le but est de donner des indices qui décrivent la position d'un objet, permettant ainsi à ses camarades de le trouver.	L'élève : – utilise les termes précis pour décrire la position et la distance d'un objet, ou pour décrire sa position dans l'espace; – interprète les indices verbaux pour localiser un objet dans son environnement.
Activité 7 : La cachette de la marionnette **(maternelle/jardin)**	L'élève prend part au jeu *La cachette de la marionnette* dont le but est de trouver la marionnette qu'a cachée l'enseignant ou l'enseignante en posant des questions.	L'élève : – utilise les termes précis pour décrire la position et la distance d'un objet, ou pour décrire sa position dans l'espace; – interprète les indices verbaux pour localiser un objet dans son environnement.
Activité 8 : Où peut-il bien se cacher? **(maternelle/jardin)**	L'élève écoute l'histoire d'un livre portant sur le jeu de cache-cache et fabrique un livre collectif amovible intitulé *Où peut-il bien se cacher?* lui permettant d'utiliser le vocabulaire lié au sens de l'espace.	L'élève : – utilise les termes précis pour décrire la position d'un objet; – déplace un objet en suivant les consignes du livre; – interprète les indices oraux ou écrits pour déplacer un objet.
Activité 9 : Le jeu de poursuite **(maternelle/jardin)**	L'élève prend part au *Jeu de poursuite* pour approfondir le concept d'intérieur/extérieur. Selon les consignes données, l'élève se place à l'intérieur ou à l'extérieur des cerceaux.	L'élève : – interprète les indices verbaux pour se déplacer dans son environnement; – explore le concept d'intérieur/extérieur.

Évaluation

Note : Il est possible de trouver, en version électronique, les grilles d'observation du groupe-classe et les grilles d'observation individuelles proposées dans ce module sur le DVD *Les mathématiques... en action!* fourni avec le guide de 1ʳᵉ année du domaine Numération et sens du nombre.

Évaluation

L'évaluation des élèves est **continue**, **intégrée à l'enseignement** et souvent **fondée sur des observations** relevées **pendant que** les élèves travaillent et réalisent diverses activités en groupe-classe et au cours d'activités et de jeux dans les centres d'apprentissage.

Au cours des activités, l'enseignant ou l'enseignante doit **observer**, **écouter**, **questionner** et **examiner de près** les démarches et les stratégies qu'utilisent les élèves en fonction des pistes d'observation qui permettent de cerner leur compréhension.

Tel qu'il est écrit dans le *Rapport de la table ronde des experts en mathématiques* (2003), l'évaluation consiste à recueillir des informations ou des preuves observables de ce que peut faire l'élève. Il n'est donc pas de mise d'attendre seulement à la fin d'une étape pour porter un jugement sur l'apprentissage d'un ou d'une élève. Pour cette raison, nous préconisons davantage une **évaluation formative**.

De plus, des **grilles d'observation** sont fournies aux pages suivantes. Il est donc possible de s'en servir pour noter des observations au cours des activités de mathématiques quotidiennes.

Une **évaluation diagnostique** se trouve au début de cette section pour permettre aux enseignantes et aux enseignants de cerner, dès le début de l'année, les forces de chaque élève et les défis à relever dans le domaine Sens de l'espace. Par la suite, il est possible de choisir les activités et les jeux de ce module et de les adapter aux divers besoins des élèves.

Évaluation diagnostique (maternelle/jardin)

En maternelle et au jardin d'enfants, l'enseignant ou l'enseignante doit observer l'élève au cours d'activités concrètes et réelles, accomplies au quotidien. Cependant, s'il est impossible d'évaluer certains concepts portant sur les relations spatiales dans un contexte naturel, l'enseignant ou l'enseignante peut avoir recours à cette évaluation diagnostique et faire une courte entrevue avec chaque élève ou avec les élèves qui éprouvent des difficultés pour recueillir de l'information au sujet de ce que connaît l'élève. La première étape de l'évaluation permet de situer les connaissances de l'élève quant aux concepts spatiaux, tandis que la seconde étape vérifie si l'élève peut utiliser le vocabulaire de base indiquant la position, la distance et le déplacement. Les renseignements recueillis vont permettre à l'enseignant ou à l'enseignante de préparer des activités qui tiennent compte des acquis et des besoins des élèves du groupe-classe et de les présenter.

Concepts à évaluer

– vocabulaire indiquant une position :
  sur/sous
  au-dessus/en dessous
  en haut/en bas
  dedans (dans)/en dehors
  devant/derrière
  à côté de/entre
  à l'intérieur/à l'extérieur

– vocabulaire indiquant une distance :
  près de/loin de

Matériel requis

✓ feuilles **Évaluation diagnostique – Sens de l'espace (position et déplacement)** (une copie par élève)

✓ maison de poupée ou boîte sur laquelle vous avez découpé une porte et une fenêtre

✓ meubles miniatures : table, chaises

✓ jouets miniatures : chien, chat, voiture, camion

✓ petite balle

✓ bol miniature ou jeton

✓ livres

Au cours de l'entrevue

✓ ne pas aider l'élève, donc ne pas intervenir;

✓ accepter toutes les réponses;

✓ permettre à l'élève de communiquer sa compréhension dans ses propres mots;

✓ ne pas dire si une réponse est correcte ou non;

✓ s'abstenir de tout commentaire.

Évaluation diagnostique – Sens de l'espace (position et déplacement)

☐ **Maternelle**   ☐ **Jardin**

Nom de l'élève : _____   **Date :** _____

Étape 1 – Connaissance des concepts spatiaux

Déroulement de l'évaluation diagnostique	Observations	Oui	Non
Déposer la maison de poupée, les figurines et les divers objets devant l'élève. Dire à l'élève de bien écouter, car vous allez lui demander de l'aide pour mettre ces objets à différents endroits. Donner à l'élève les consignes suivantes.	**dedans (dans)/en dehors**		
▸ Dépose la table dans la cuisine (ou dans la maison dans le cas d'une boîte).	▸ L'élève dépose la table dans la cuisine.	|	|
▸ Dépose la voiture en dehors de la maison.	▸ L'élève dépose la voiture en dehors de la maison.	|	|
haut/bas			
▸ Montre du doigt le haut de la maison	▸ L'élève montre du doigt le haut de la maison.	|	|
▸ Montre du doigt le bas de la maison.	▸ L'élève montre du doigt le bas de la maison.	|	|
sur/sous			
▸ Dépose le chien sur le plancher de la maison.	▸ L'élève dépose le chien sur le plancher de la maison.	|	|
▸ J'ai changé d'idée! Dépose le chien sous la table de la cuisine.	▸ L'élève dépose le chien sous la table de la cuisine.	|	|
à côté de/entre			
▸ Dépose le chat à côté du chien.	▸ L'élève dépose le chat à côté du chien.	|	|
▸ Mets un bol (ou un jeton) entre le chien et le chat.	▸ L'élève met un bol entre le chien et le chat.	|	|
devant/derrière			
▸ Dépose le petit camion devant toi.	▸ L'élève dépose le petit camion devant elle ou lui.	|	|
▸ J'ai changé d'idée! Dépose le petit camion derrière toi.	▸ L'élève dépose le petit camion derrière elle ou lui	|	|

Consigne	Comportement observé					
à l'intérieur/à l'extérieur						
Dépose la chaise à l'intérieur de la maison.	L'élève dépose la chaise à l'intérieur de la maison.					
Dépose le chat à l'extérieur de la maison.	L'élève dépose le chat à l'extérieur de la maison.					
au-dessus/en dessous ou par-dessus/par-dessous						
Mets le livre au-dessus de ta tête.	L'élève met le livre au-dessus de sa tête.					
Mets le livre en dessous de la pile de livres.	L'élève met le livre en dessous de la pile de livres.					
près de/loin de						
Prends la balle et dépose-la loin de moi.	L'élève prend la balle et la dépose loin de vous.					
Prends la balle et dépose-la près de moi.	L'élève prend la balle et la dépose près de vous.					

Note : Réaliser l'étape 2 avec les élèves qui ont bien réussi l'étape 1 seulement. Par ailleurs, cette étape peut être réalisée à un autre moment dans la semaine ou dans le mois.

Étape 2 – Utilisation du vocabulaire lié aux relations spatiales

Déroulement de l'évaluation diagnostique	Observations
Poser les questions ci-dessous pour faire ressortir les mots liés aux relations spatiales. Déposer la maison de poupée, les figurines et les divers objets devant l'élève. Lui dire de vous regarder, car vous allez déposer des objets à divers endroits. Lui dire aussi de bien écouter, car vous allez lui poser des questions dans le but de connaître les endroits où ont été déposés les objets. ▶ Déposer la table dans la cuisine et poser la question suivante : « Où ai-je déposé la table? » ▶ Déposer la voiture en dehors de la maison et poser la question suivante : « Où ai-je déposé la voiture? » ▶ Mettre un doigt au haut de la maison et poser la question suivante : « Où ai-je mis mon doigt? » ▶ Mettre un doigt au bas de la maison et poser la question suivante : « Où ai-je mis mon doigt? » ▶ Déposer le chien sur le plancher de la maison et poser la question suivante : « Où est le chien? » ▶ Dire « J'ai changé d'idée! » et déposer le chien sous la table de la cuisine. Poser la question suivante : « Où est le chien maintenant? » ▶ Déposer le chat à côté du chien et poser la question suivante : « Où ai-je déposé le chat? » ▶ Mettre le bol (ou un jeton) entre le chien et le chat et poser la question suivante : « Où ai-je mis le bol? » ▶ Déposer le petit camion devant vous et poser la question suivante : « Où ai-je déposé le petit camion? » ▶ Dire « J'ai changé d'idée! » et déposer le petit camion derrière vous. Poser la question suivante : « Où ai-je déposé le petit camion? » ▶ Déposer la chaise à l'intérieur de la maison et poser la question suivante : « Où ai-je déposé la chaise? » ▶ Déposer le chat à l'extérieur de la maison et poser la question suivante : « Où ai-je déposé le chat? »	Note : Puisqu'il est possible d'avoir plusieurs réponses aux questions posées, cocher les cases au fur et à mesure que l'élève utilise les termes liés aux relations spatiales. Ce qui importe, c'est de savoir si l'élève peut utiliser de façon appropriée les mots liés aux relations spatiales. ☐ *dedans (dans)* ☐ *en dehors* ☐ *en haut* ☐ *en bas* ☐ *sur* ☐ *sous* ☐ *à côté de* ☐ *entre* ☐ *devant* ☐ *derrière* ☐ *près de* ☐ *loin de* ☐ *au-dessus ou par-dessus* ☐ *en dessous ou par-dessous* ☐ *intérieur* ☐ *extérieur* ☐ *autres*

▶ Mettre le livre au-dessus de votre tête et poser la question suivante : « Où ai-je mis le livre? »

▶ Mettre le livre en dessous d'une pile de livres et poser la question suivante : « Où ai-je mis le livre? »

▶ Prendre la balle, la déposer loin de vous et poser la question suivante : « Où ai-je déposé la balle? »

▶ Prendre la balle, la déposer près de vous et poser la question suivante : « Où ai-je déposé la balle? »

Évaluation diagnostique –
Module 2 – Sens de l'espace (position et déplacement) –
Étape 1
Portrait du groupe-classe

☐ **Maternelle**   ☐ **Jardin**

Titulaire : _____   **Date :** _____

Connaissance des concepts spatiaux

Vocabulaire indiquant :	la position					la distance		
Nom de l'élève :	*sur/sous*	*au-dessus/ en dessous*	*en haut/en bas*	*dedans (dans)/ en dehors*	*devant/derrière*	*à côté de/entre*	*à l'intérieur/ à l'extérieur*	*près de/loin de*

Évaluation diagnostique –
Module 2 – Sens de l'espace (position et déplacement) –
Étape 2
Portrait du groupe-classe

☐ **Maternelle**   ☐ **Jardin**

Titulaire : _____   **Date :** _____

Utilisation du vocabulaire lié aux relations spatiales

Vocabulaire indiquant :	la position					la distance		
Nom de l'élève :	*sur/sous*	*au-dessus/ en dessous*	*en haut/en bas*	*dedans (dans)/ en dehors*	*devant/derrière*	*à côté de/entre*	*à l'intérieur/ à l'extérieur*	*près de/loin de*

Grille d'observation du groupe-classe –
Module 2 – Sens de l'espace
(position et déplacement)

☐ **Maternelle**   ☐ **Jardin**   **Titulaire :** _____

Nom de l'élève :	utilise les termes précis pour décrire la position et la distance d'un objet, ou pour décrire sa position dans l'espace • vocabulaire indiquant la position :	– sur/sous	– au-dessus/ en dessous	– en haut/en bas	– dedans (dans)/en dehors	– devant/derrière	– à côté de/entre	– à l'intérieur/ à l'extérieur	• vocabulaire indiquant la distance : près de/loin de	déplace un objet en suivant les consignes données	se déplace dans son environnement en suivant des consignes	interprète les indices oraux ou écrits pour se déplacer et déplacer ou localiser un objet dans son environnement
1.												
2.												
3.												
4.												
5.												
6.												
7.												
8.												
9.												
10.												
11.												
12.												
13.												
14.												
15.												
16.												
17.												
18.												
19.												
20.												
21.												
22.												
23.												

Grille d'observation d'une équipe –
Module 2 – Sens de l'espace
(position et déplacement)

☐ **Maternelle**   ☐ **Jardin**   **Titulaire :** _____

Nom de l'élève :	utilise les termes précis pour décrire la position et la distance d'un objet, ou pour décrire sa position dans l'espace • vocabulaire indiquant la position :	– sur/sous	– au-dessus/ en dessous	– en haut/en bas	– dedans (dans)/en dehors	– devant/derrière	– à côté de/entre	– à l'intérieur/ à l'extérieur	• vocabulaire indiquant la distance : près de/loin de	déplace un objet en suivant les consignes données	se déplace dans son environnement en suivant des consignes	interprète les indices oraux ou écrits pour se déplacer et déplacer ou localiser un objet dans son environnement

Grille d'observation individuelle – Module 2 – Sens de l'espace (position et déplacement)

Nom de l'élève : _____   Date : _____

☐ **Maternelle**   ☐ **Jardin**   Titulaire : _____

Pistes d'observation	Commentaires
utilise les termes précis pour décrire la position et la distance d'un objet, ou pour décrire sa position dans l'espace • vocabulaire indiquant la position : – *sur/sous*	
– *au-dessus/en dessous*	
– *en haut/en bas*	
– *dedans (dans)/en dehors*	
– *devant/derrière*	
– *à côté de/entre*	
– *à l'intérieur/à l'extérieur*	
• vocabulaire indiquant la distance : – *près de/loin de*	
déplace un objet en suivant les consignes données (p. ex., « Mets ta boîte à lunch *dans* l'armoire, *sur* la tablette d'*en bas*, *à côté de* la boîte à lunch de Sylvain. »)	
se déplace dans son environnement en suivant des consignes (p. ex., « Place-toi *derrière* Manon. »)	
interprète les indices oraux ou écrits (p. ex., dessins ou formes) pour se déplacer et déplacer ou localiser un objet dans son environnement	

Activités

Module 2 – Sens de l'espace

Activités

Math
Mathique

Module 2 – Sens de l'espace

Une chanson pour se déplacer
(maternelle/jardin)

[X] en groupe-classe   [ ] en équipe   [X] individuelle

> Au cours de cette activité, l'élève chante la chanson *Gaston, le papillon* (maternelle) ou la chanson *C'était un bel oiseau* (jardin) et imite le papillon ou l'oiseau en se déplaçant dans la salle de classe ou le gymnase.

Pistes d'observation

L'élève :

– se déplace dans son environnement en suivant des consignes;
– utilise les termes précis pour décrire sa position dans l'espace.

Matériel requis

Maternelle :

✓ cédérom *Au jardin de Math et Mathique... un peu, beaucoup, à la folie!*
✓ ciseaux
✓ crayons-feutres
✓ rouleaux de papier hygiénique (un par élève)
✓ colle
✓ feuille de la chanson *Gaston, le papillon* (voir la section **Banque de chansons et de comptines**) (une copie par élève)
✓ feuille **Marionnette à doigts de Gaston, le papillon** (une copie par élève)
✓ feuille **Pictogrammes à afficher**

Avant la présentation de l'activité

– fabriquer une marionnette à doigts de Gaston, le papillon;
– faire une photocopie par élève de la feuille **Marionnette à doigts de Gaston, le papillon**;
– agrandir les pictogrammes de la feuille **Pictogrammes à afficher** et les afficher.

Jardin :

✓ cédérom *Au jardin de Math et Mathique... un peu, beaucoup, à la folie!*
✓ ciseaux
✓ crayons-feutres
✓ feuille de la chanson *C'était un bel oiseau* (voir la section **Banque de chansons et de comptines**) (une copie par élève)
✓ feuille **Marionnette à doigts de Picolo, le bel oiseau** (une copie par élève)
✓ feuille **Pictogrammes à afficher**

Avant la présentation de l'activité

– fabriquer une marionnette à doigts de Picolo, le bel oiseau;
– faire une photocopie par élève de la feuille **Marionnette à doigts de Picolo, le bel oiseau**;
– agrandir les pictogrammes de la feuille **Pictogrammes à afficher** et les afficher.

Déroulement

MATERNELLE
Étape 1

▸ Présenter la mise en situation de la façon suivante.
Je connais une belle chanson qui parle d'un papillon très spécial. Ce papillon se nomme Gaston et il est tout blond, comme les cheveux blonds de _____ (nommer un ou une élève).

▸ Présenter la marionnette à doigts.

▸ Dire aux élèves que Gaston, le papillon est très spécial, car il aime manger des bonbons qui sont tout ronds comme des ballons. Ajouter que Gaston aime aussi voler partout, partout, partout.

▸ Demander aux élèves de bien écouter la chanson *Gaston, le papillon* dans le but de découvrir où aime voler Gaston. Donner les consignes suivantes.

Pendant que tu écoutes la chanson, fais Gaston, le papillon en utilisant tes deux mains et fais-le voler aux endroits indiqués dans la chanson.

▸ S'assurer que les élèves placent bien leurs mains pour faire Gaston.

▸ Chanter la chanson *Gaston, le papillon* ou la faire écouter à l'aide du cédérom *Au jardin de Math et Mathique... un peu, beaucoup, à la folie!*.

▸ Demander aux élèves de nommer les endroits où aime voler Gaston.

▸ Écouter les réponses des élèves.

▸ Demander aux élèves de nommer d'autres endroits où pourrait voler Gaston.
Voici des exemples de réponses possibles :
  • Gaston peut voler **près** des fenêtres.
  • Gaston peut voler **par-dessus** le banc.
  • Gaston peut voler **devant** l'étagère.
  • Gaston peut voler **en arrière du** pupitre.
  • Gaston peut voler **dans** la salle de classe.

▸ Au fur et à mesure que les élèves nomment des endroits, faire voler Gaston aux endroits qu'elles et ils ont déterminés.

Étape 2

> Note : Réaliser l'étape 2 à un moment opportun, selon votre horaire.

▸ Inviter les élèves à venir s'asseoir dans l'aire de rassemblement.

▸ Dire aux élèves de bien regarder Gaston, le papillon.

▸ Poser aux élèves la question suivante : « Qu'est-ce que Gaston a de spécial? »
Voici des exemples de réponses possibles :
- ◆ Sa tête est ronde et son corps est composé de plein de cercles.
- ◆ Chacune de ses ailes est formée d'un gros cercle et d'un moyen cercle sur lesquels il y a plein de petits cercles.
- ◆ Ses yeux et le bout de ses antennes sont des cercles.

▸ Amener les élèves à dire que le papillon est spécial, car il est formé de plusieurs cercles.

▸ Dire aux élèves que ça prend beaucoup de cercles pour fabriquer Gaston, le drôle de papillon.

▸ Utiliser la feuille **Marionnette à doigts de Gaston, le papillon** pour présenter la marche à suivre pour fabriquer la marionnette à doigts.

▸ Afficher les pictogrammes de la feuille **Pictogrammes à afficher**.

> Note : Au lieu de fabriquer la marionnette à doigts à ce moment-ci de l'activité, il est possible de la construire au cours de la période des centres d'apprentissage.

▸ Remettre à chaque élève la feuille **Marionnette à doigts de Gaston, le papillon**.

▸ Donner aux élèves le temps requis pour fabriquer leur marionnette.

▸ Observer les élèves et les aider, au besoin.

▸ Lorsque les élèves ont terminé la fabrication de leur marionnette, les inviter à chanter la chanson et à faire voler leur papillon.

▸ Insérer la feuille de la chanson *Gaston, le papillon* dans le cahier de chansons et de comptines de chaque élève.

JARDIN
Étape 1

▸ Présenter la mise en situation de la façon suivante.
J'ai une nouvelle chanson à te présenter, qui parle d'un bel oiseau qui s'appelle Picolo.

▸ Présenter la marionnette à doigts.

▸ Dire aux élèves que l'oiseau Picolo est très spécial, car il aime beaucoup voyager et se promener un peu partout.

▸ Demander aussi aux élèves de bien écouter la chanson *C'était un bel oiseau* dans le but de connaître les endroits où se promène Picolo. Donner les consignes suivantes.

Pendant que tu écoutes la chanson, fais Picolo, le bel oiseau en utilisant tes deux mains et fais-le voler un peu partout.

▸ S'assurer que les élèves placent bien leurs mains pour faire Picolo.

▸ Chanter la chanson sur l'air de la chanson *Ne pleure pas Jeannette* ou la faire écouter à l'aide du cédérom *Au jardin de Math et Mathique... un peu, beaucoup, à la folie!*.

▸ Demander aux élèves de nommer les endroits où se promène Picolo.

▸ Écouter les réponses des élèves.

▸ Demander aux élèves de nommer d'autres endroits où pourrait voler Picolo.
  Voici des exemples de réponses possibles :
    * Picolo peut voler **près** des fenêtres.
    * Picolo peut voler **par-dessus** le banc.
    * Picolo peut voler **devant** l'étagère.
    * Picolo peut voler **en arrière du** pupitre.
    * Picolo peut voler **dans** la salle de classe.

▸ Au fur et à mesure que les élèves nomment des endroits, faire voler Picolo aux endroits qu'elles et ils ont déterminés.

Étape 2

> Note : Réaliser l'étape 2 à un moment opportun, selon votre horaire.

▸ Inviter les élèves à venir s'asseoir dans l'aire de rassemblement.

▸ Dire aux élèves de bien regarder Picolo, le bel oiseau.

▸ Poser aux élèves la question suivante : « Qu'est-ce que Picolo a de spécial? »
  Voici des exemples de réponses possibles :
    * Il a beaucoup de plumes sur le dessus de sa tête et ses deux ailes sont hautes comme s'il volait.
    * Ses yeux sont des ovales.
    * Il a une petite queue.
    * Il a de drôles de pattes : ce sont mes deux doigts.

▸ Amener les élèves à dire que l'oiseau a deux trous dans le bas de son ventre pour que l'on puisse y mettre deux doigts et le faire marcher comme un vrai petit oiseau.

▸ Utiliser la feuille **Marionnette à doigts de Picolo, le bel oiseau** pour présenter la marche à suivre pour fabriquer la marionnette à doigts.

▸ Afficher les pictogrammes de la feuille **Pictogrammes à afficher**.

> Note : Au lieu de fabriquer la marionnette à doigts à ce moment-ci de l'activité, il est possible de la construire au cours de la période des centres d'apprentissage.

▸ Remettre à chaque élève la feuille **Marionnette à doigts de Picolo, le bel oiseau**.

▸ Donner aux élèves le temps requis pour fabriquer leur marionnette.

▸ Observer les élèves et les aider, au besoin.

▸ Lorsque les élèves ont terminé la fabrication de leur marionnette, les inviter à chanter la chanson et à faire voler leur oiseau.

▸ Insérer la feuille de la chanson *C'était un bel oiseau* dans le cahier de chansons et de comptines de chaque élève.

> Note : Concernant les élèves qui montrent une certaine difficulté liée à la motricité fine, il est suggéré de leur demander de fabriquer une marotte au lieu d'une marionnette à doigts. Pour ce faire, il suffit de découper Picolo sur la feuille **Marionnette à doigts de Picolo, le bel oiseau** et de coller un bâton derrière Picolo.

Variantes

1. Reprendre le déroulement de l'activité tout en l'adaptant, au besoin, en vue de présenter une nouvelle chanson ou une nouvelle comptine (p. ex., *Belle hirondelle* (maternelle) ou *Entre les deux* (jardin) (voir la section **Banque de chansons et de comptines**)).

2. Demander aux élèves de représenter la chanson dans un livre collectif géant ou dans un minilivre.

3. Permettre aux élèves d'écouter les chansons et les comptines au centre d'écoute.

Marionnette à doigts de Gaston, le papillon

I. Colorie en jaune Gaston, le papillon.

2. Découpe Gaston, le papillon.

3. Colle Gaston, le papillon sur un rouleau de papier hygiénique.

4. Mets tes doigts dans le trou du rouleau.

Marionnette à doigts de Picolo, le bel oiseau

1. Colorie Picolo, le bel oiseau de la couleur de ton choix.

2. Découpe Picolo, le bel oiseau.

3. Découpe les deux cercles sur le ventre de Picolo.

4. Mets un doigt dans chaque trou.

Pictogrammes à afficher

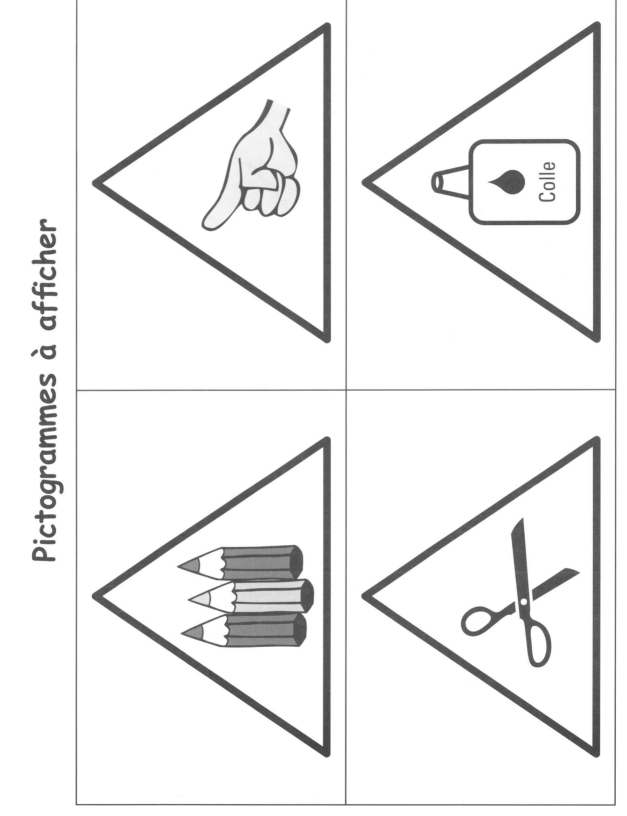

Passe, Passe, Passe-Pois! (maternelle/jardin)

[X] en groupe-classe   [ ] en équipe   [ ] individuelle

> Au cours de cette activité, l'élève écoute l'histoire *Passe-Pois, la coccinelle*, puis prend part au jeu *Passe, Passe, Passe-Pois!* dont le but est de passer Passe-Pois de différentes façons, selon les consignes données.

Pistes d'observation

L'élève :

– déplace un objet en suivant les consignes données;

– se déplace dans son environnement en suivant des consignes.

Matériel requis

✓ Maternelle : balle de tennis orangée

✓ Jardin : deux balles de tennis orangées

✓ autocollants de cercles noirs

✓ sac

✓ feuilles **Passe-Pois, la coccinelle**

✓ feuilles **Cartes du jeu *Passe, Passe, Passe-Pois!***

Avant la présentation de l'activité

– coller une dizaine d'autocollants de cercles noirs sur chaque balle pour représenter Passe-Pois, la coccinelle;

– retirer du guide les feuilles **Passe-Pois, la coccinelle**, les découper, les plastifier et les mettre en ordre pour former un livre;

– découper les cartes rectangulaires des feuilles **Cartes du jeu *Passe, Passe, Passe-Pois!*** et les mettre dans un sac.

> Note : Utiliser une ou deux coccinelles en peluche plutôt que des balles.

Déroulement

▸ Inviter les élèves à venir s'asseoir dans l'aire de rassemblement.

▸ Dire aux élèves que vous avez une belle histoire à leur raconter.

▸ Pour permettre aux élèves d'anticiper le sujet du livre, montrer la page couverture et leur demander de regarder l'illustration.

▸ Écouter les commentaires des élèves, puis lire le livre.

▸ Une fois la lecture terminée, dire aux élèves que vous allez leur montrer le jeu *Passe, Passe, Passe-Pois!*.

Jeu de coopération (maternelle)

▸ Montrer la balle aux élèves et leur dire qu'elle représente Passe-Pois, la coccinelle.

▸ Expliquer le jeu aux élèves en le simulant de la façon suivante :
  • On forme une grande ligne.

> Note : Pour former la ligne, on peut donner des consignes en utilisant le vocabulaire lié au sens de l'espace (p. ex., « Place-toi *devant* Line. »; « Place-toi *entre* Léo et Carole. »).

  • Je tire une carte du sac (p. ex., Entre les jambes).
  • Je remets Passe-Pois à la personne qui est derrière moi en suivant la consigne de la carte.
  • Cette dernière la donne à la personne qui est derrière elle en la faisant passer entre ses jambes.
  • On récite la comptine suivante : Pass', Pass', Passe-Pois,
      Je te donne, je te donne,
      Pass', Pass', Passe-Pois,
      1, 2, 3, c'est à toi!
  • Lorsque la comptine est terminée, la personne qui tient Passe-Pois dans ses mains tire une nouvelle carte du sac dans le but de connaître la nouvelle façon de passer Passe-Pois à la personne derrière elle.

▸ Jouer au jeu à quelques reprises.

▸ Observer les élèves et les aider, au besoin.

▸ Inviter les élèves à venir s'asseoir dans l'aire de rassemblement pour faire l'échange mathématique.

▸ Poser les questions suivantes.
  • De quelle façon a-t-on donné Passe-Pois?
  • Y a-t-il des façons que tu as trouvées plus faciles que d'autres? plus difficiles?
  • Quelle façon as-tu préférée?

Jeu de compétition (jardin)

▸ Montrer les deux balles aux élèves et leur dire qu'elles représentent Passe-Pois, la coccinelle.

▸ Expliquer le jeu aux élèves en le simulant de la façon suivante :
  • On forme deux grandes lignes.

> Note : Pour former les lignes, on peut donner des consignes en utilisant le vocabulaire lié au sens de l'espace (p. ex., « Place-toi *devant* Line. »; « Place-toi *entre* Léo et Carole. »).

  • Je tire une carte du sac (p. ex., Entre les jambes).
  • Je remets Passe-Pois à la première personne de chaque ligne.
  • Au signal, la première personne de chaque ligne donne Passe-Pois à la personne qui est derrière elle, en la faisant passer entre ses jambes. Chaque personne doit ensuite passer Passe-Pois de la même façon.
  • La dernière personne de chaque ligne qui reçoit Passe-Pois doit courir et se placer *en avant de* sa ligne.
  • La première personne à arriver *en avant de* sa ligne compte un point pour son équipe.

▸ Jouer au jeu à quelques reprises.

▸ Observer les élèves et les aider, au besoin.

▸ Noter les points de chaque équipe au fur et à mesure que se déroule le jeu.

▸ Inviter les élèves à venir s'asseoir dans l'aire de rassemblement pour faire l'échange mathématique.

▸ Poser les questions suivantes.
  • De quelle façon a-t-on donné Passe-Pois?
  • Y a-t-il des façons que tu as trouvées plus faciles que d'autres? plus difficiles?
  • Quelle façon as-tu préférée?

Variantes

1. Reprendre le jeu et faire passer Passe-Pois au moyen de différentes parties du corps.

2. Présenter aux élèves du jardin la comptine *Jeu de balle* (voir la section **Banque de chansons et de comptines**) et inviter chaque élève à jouer avec sa balle comme le décrit la comptine :
  • lancer la balle **sur** le mur : très **haut**, très **bas**, par **devant**, par **derrière** […]
  • la faire rebondir : très **haut**, très **bas**, par **devant**, par **derrière** […]
  • l'envoyer dans les airs : très **haut**, très **bas**, par **devant**, par **derrière** […]

3. Jouer au *Jeu du photographe* (p. ex., l'élève qui fait la ou le photographe dit aux autres : « Place-toi **à côté de** Michelle et mets ta main **sur** son épaule. »).

4. Demander aux élèves de créer individuellement ou en groupe-classe un autre petit livre portant sur Passe-Pois :
  • qui met un sac de sable **sur** ou **sous** différentes parties de son corps;
  • qui prend son bain et qui se lave partout : **devant**, **derrière**, **sous** les ailes, etc.;
  • qui peint son chalet : **devant**, **derrière**, sur le **côté**, sur l'autre **côté**, **sous** les fenêtres, **à l'extérieur**, **à l'intérieur**, etc.;
  • qui place ses antennes de toutes les façons possibles.

5. Mettre les cartes de jeu dans le centre de mathématiques et inviter les élèves de la maternelle à jouer au jeu de coopération.

Passe-Pois, la coccinelle
aime beaucoup se promener
partout, partout, partout!
À quel endroit Passe-Pois
se trouve-t-elle?

Regarde bien!

Passe-Pois, la coccinelle

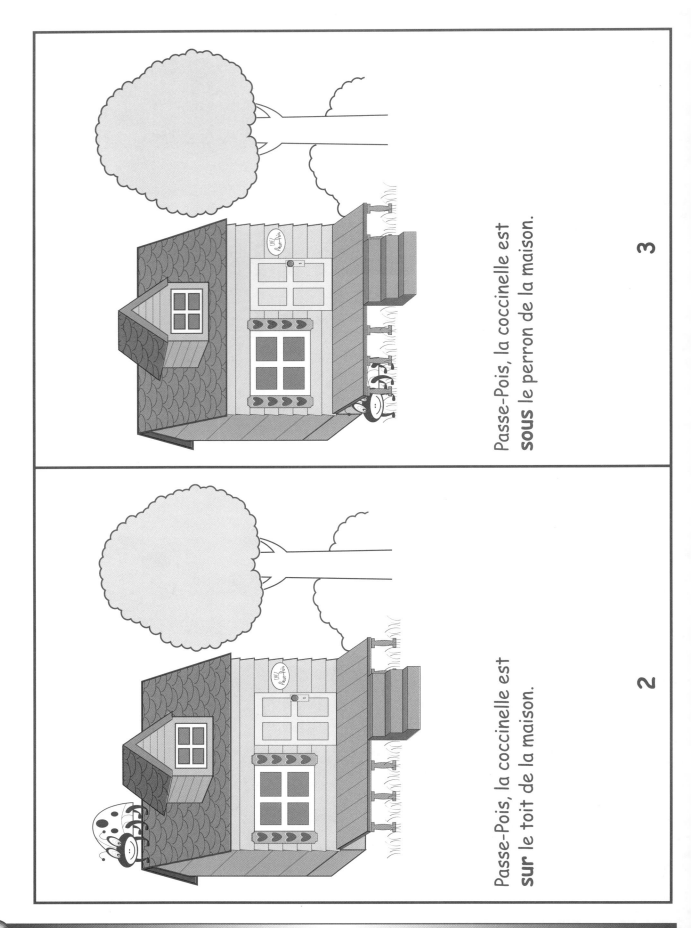

Passe-Pois, la coccinelle est **sous** le perron de la maison.

3

Passe-Pois, la coccinelle est **sur** le toit de la maison.

2

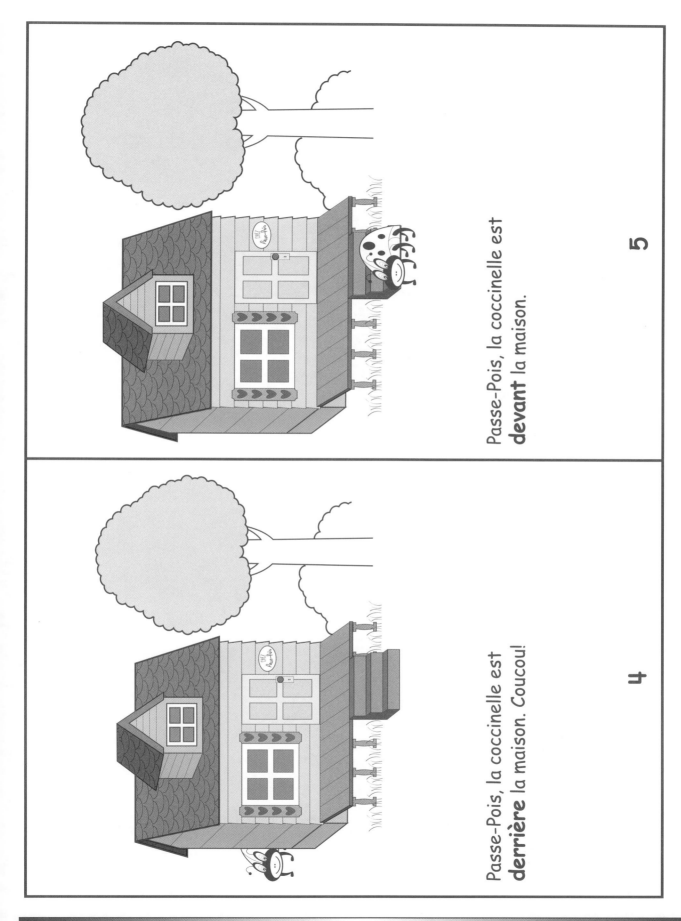

5

Passe-Pois, la coccinelle est **devant** la maison.

4

Passe-Pois, la coccinelle est **derrière** la maison. Coucou!

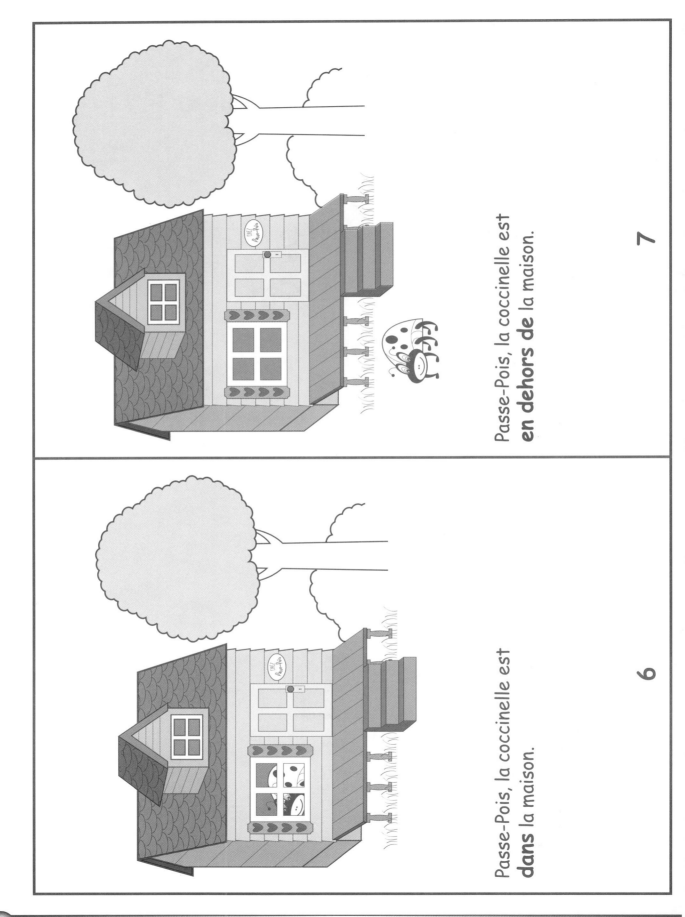

Passe-Pois, la coccinelle est **en dehors de** la maison.

7

Passe-Pois, la coccinelle est **dans** la maison.

6

Activité 2

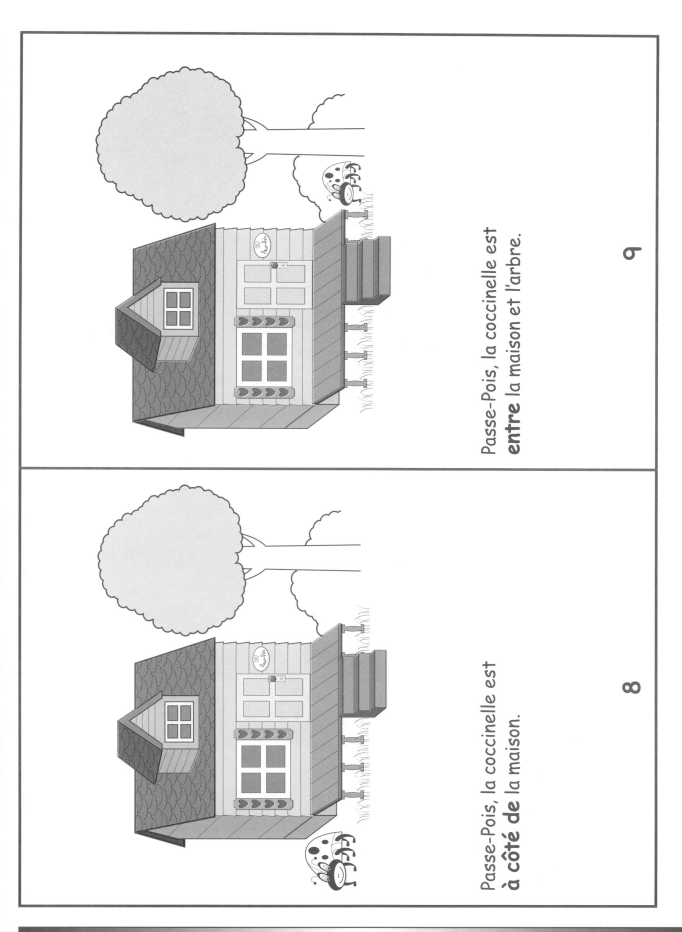

Passe-Pois, la coccinelle est **entre** la maison et l'arbre.

9

Passe-Pois, la coccinelle est **à côté de** la maison.

8

Passe-Pois, la coccinelle est **à l'extérieur de** la maison.

11

Passe-Pois, la coccinelle est **à l'intérieur de** la maison.

10

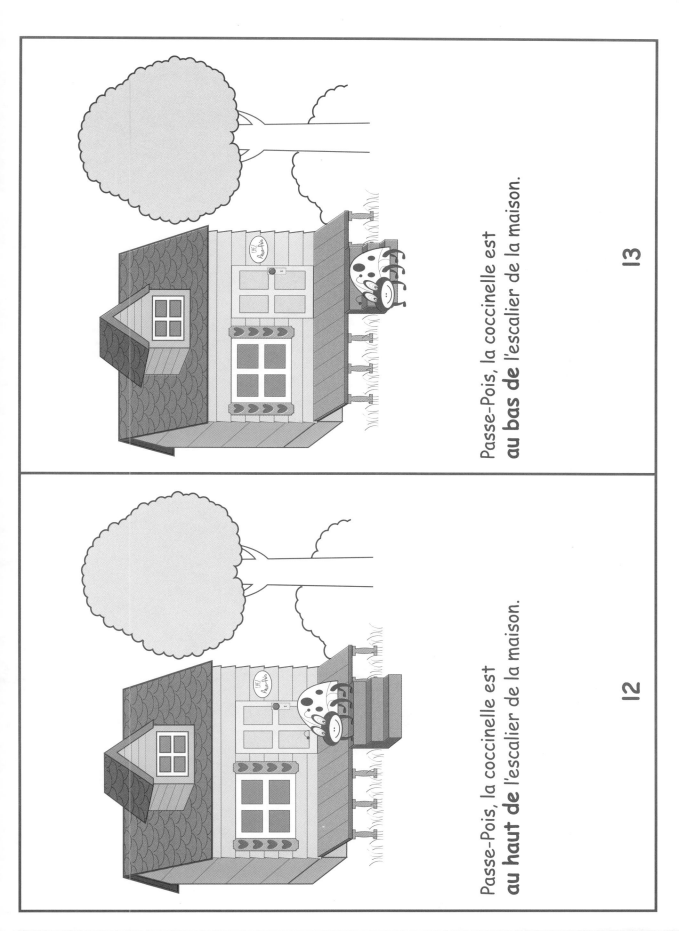

Passe-Pois, la coccinelle est
au haut de l'escalier de la maison.

Passe-Pois, la coccinelle est
au bas de l'escalier de la maison.

I2

I3

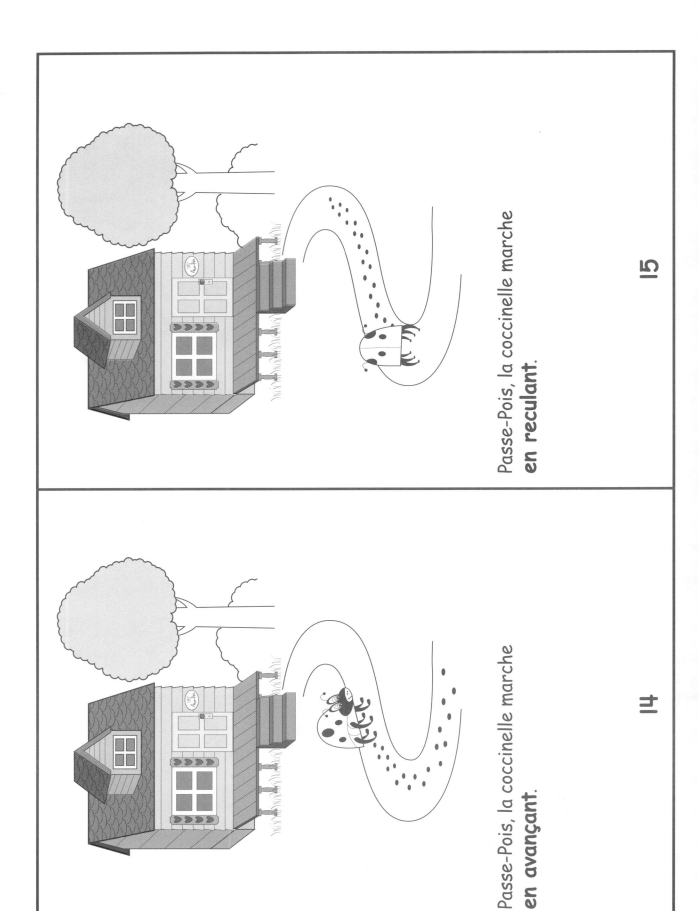

Passe-Pois, la coccinelle marche **en reculant.**

I5

Passe-Pois, la coccinelle marche **en avançant.**

I4

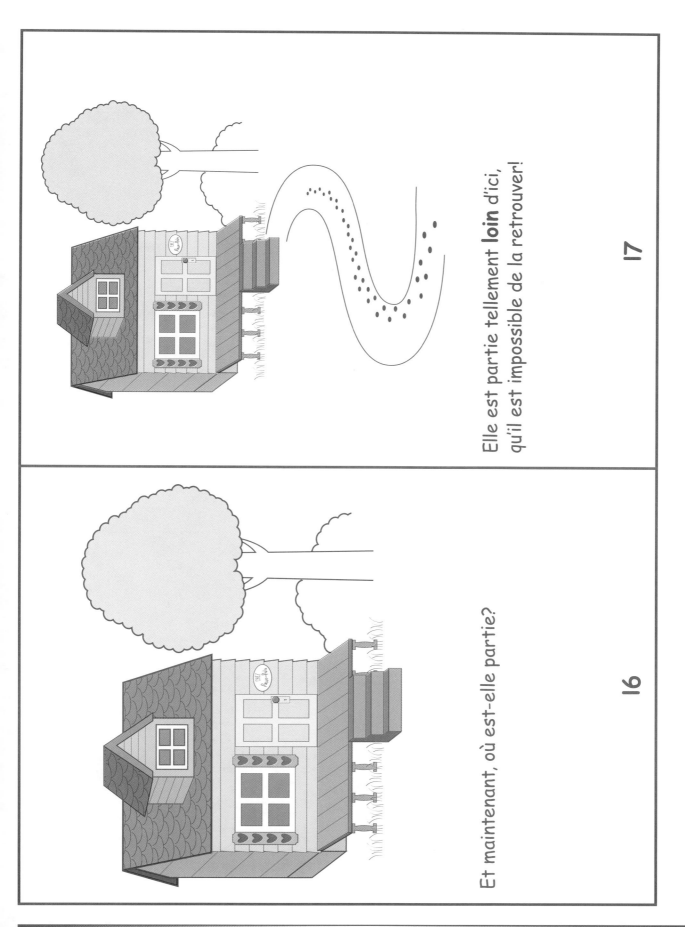

Et maintenant, où est-elle partie?

16

Elle est partie tellement **loin** d'ici, qu'il est impossible de la retrouver!

17

Cartes du jeu *Passe, Passe, Passe, Passe-Pois!*

Entre les jambes

Par-dessus la tête

De ce côté

De ce côté

Sous une jambe

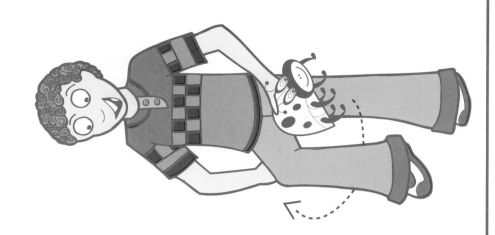

Sur le plancher avec une main
(l'élève fait rouler la balle ou glisser la coccinelle)

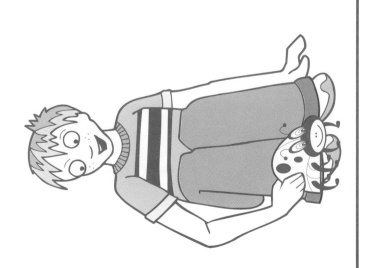

En dessous du bras

Par en avant
(l'élève doit se tourner et passer la balle à l'autre)

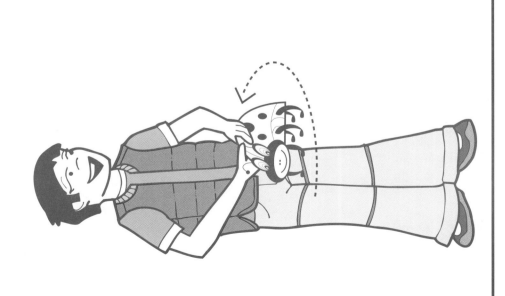

La danse des fichus (maternelle/jardin)

[X] en groupe-classe   [ ] en équipe   [ ] individuelle

> Au cours de cette activité, l'élève danse en se déplaçant au son de la musique tout en faisant bouger son fichu selon la position demandée.

Pistes d'observation

L'élève :

– utilise les termes précis pour décrire la position d'un objet;

– déplace un objet en suivant les consignes données;

– interprète les indices verbaux pour se déplacer et déplacer un objet dans son environnement.

Matériel requis

✓ fichus carrés (ou bouts de tissu très léger d'environ 60 cm × 60 cm) (un par élève)

✓ disque compact de musique instrumentale

✓ lecteur de disques compacts

Déroulement

▸ S'il y a lieu, se rendre au gymnase avec les élèves pour réaliser cette activité.

▸ Présenter la mise en situation de la façon suivante.
J'ai vu, à la télévision, des personnes qui dansaient et qui faisaient bouger des fichus de différentes façons. C'était vraiment beau et ça semblait être très amusant. C'est la raison pour laquelle j'ai pensé que tu aimerais danser en faisant bouger un fichu de différentes façons.

▸ Demander aux élèves de trouver des façons dont elles et ils pourraient faire bouger les fichus.

▸ Écouter les suggestions de quelques élèves et leur demander de montrer leurs façons de faire bouger leur fichu.
Voici des exemples de réponses possibles :

    ✦ On pourrait tenir un des bouts du fichu et le faire bouger dans les airs, bien **haut**.

    ✦ On pourrait faire bouger le fichu de chaque **côté**.

    ✦ Je pourrais le secouer **devant** moi ou **derrière** moi.

▸ Remettre un fichu à chaque élève et l'inviter à se placer n'importe où dans le gymnase ou la salle de classe.

▸ Dire aux élèves qu'elles et ils vont se déplacer et danser tout en faisant bouger leur fichu au son de la musique. Ajouter qu'à l'arrêt de la musique elles et ils vont s'arrêter aussi.

▸ Faire jouer la pièce instrumentale et observer les élèves pour être en mesure d'en choisir un ou une qui montrera aux autres sa façon de faire bouger le fichu.

▸ Arrêter la musique, choisir un ou une élève et lui demander de montrer aux autres sa façon de faire bouger le fichu et de l'expliquer.
Voici un exemple de réponse possible :
Je secoue mon fichu en faisant des zigzags **devant** moi.

▸ Dire aux autres de faire des zigzags **devant** elles et eux, comme l'a fait l'élève choisi ou choisie.

▸ Demander aux élèves de se déplacer de nouveau au son de la musique et de danser tout en faisant bouger leur fichu d'une façon différente de celle qu'a montrée l'élève choisi ou choisie auparavant.

▸ Poursuivre l'activité en permettant aux élèves de présenter différentes façons de faire bouger leur fichu.
Voici des exemples de réponses possibles :

　✦ **derrière** moi

　✦ **en dessous du** bras

　✦ **entre** mes jambes

　✦ d'**un côté**, de l'**autre côté**

　✦ **autour** de mon bras

　✦ en faisant des cercles **à côté de** moi

　✦ en faisant des vagues comme la mer, **en haut**, **en bas**

　✦ en faisant des lignes droites **devant** moi

▸ Après une dizaine de minutes, inviter les élèves à venir s'asseoir en cercle pour faire l'échange mathématique.

▸ Poser aux élèves des questions leur permettant d'utiliser le vocabulaire lié au sens de l'espace.
Voici des exemples de questions possibles :

　• Quel mouvement as-tu préféré?

　• Quel mouvement a été difficile à exécuter?

　• Quelle suite de mouvements peux-tu faire pour créer une danse?

Variantes

1. Reprendre le déroulement de l'activité, mais utiliser un autre objet que le fichu (p. ex., un ballon, un long ruban).

2. Reprendre le déroulement de l'activité, mais remettre deux fichus à chaque élève (un fichu par main).

3. Refaire l'activité en écoutant une pièce musicale plus rapide, plus lente, plus forte, plus douce, etc. et changer sa façon de se déplacer (p. ex., courir, sauter ou marcher en avançant ou en reculant).

4. Créer avec les élèves une danse comprenant une suite de mouvements exécutés avec les fichus.

Le parcours d'obstacles (maternelle/jardin)

[X] en groupe-classe   [ ] en équipe   [ ] individuelle

Au cours de cette activité, l'élève suit un parcours d'obstacles.

Pistes d'observation

L'élève :

- explore les notions d'intérieur et d'extérieur, et le concept de direction;
- se déplace dans son environnement en suivant des consignes;
- utilise les termes précis pour décrire sa position dans l'espace.

Matériel requis

✓ deux bancs
✓ quatre cerceaux
✓ grosse boîte de carton
✓ quatre gros blocs d'environ 50 cm × 20 cm
✓ tunnel
✓ quelques matelas de gymnastique
✓ plusieurs planches à roulettes
✓ musique instrumentale
✓ lecteur de disques compacts
✓ carton pour fabriquer des flèches en carton et un bonhomme sourire
✓ feuille **Exemple d'un parcours complexe**
✓ feuille **Exemple d'un parcours simple**

Notes : Si vous n'avez pas accès à certaines pièces d'équipement suggérées dans la liste du matériel requis, utiliser d'autres pièces (p. ex., un but de hockey pour remplacer la grosse boîte de carton, une grande toile de parachute pour remplacer le tunnel).

Le parcours complexe doit être réalisé au jardin, vers la fin de l'année scolaire, après que les élèves ont fait l'expérience de plusieurs parcours. Il est donc suggéré de commencer l'année scolaire en leur faisant suivre des parcours beaucoup plus simples, c'est-à-dire en ne faisant que quelques stations. Avec le temps, on augmente le nombre de stations et l'on varie le matériel, selon le groupe-classe.

En ce qui concerne les classes de maternelle, suivre le parcours de la feuille **Exemple d'un parcours simple**.

Avant la présentation de l'activité

- choisir un des parcours à préparer et l'installer au gymnase ou en salle de classe.

Déroulement

▸ Présenter la mise en situation de la façon suivante.
Passe-Pois aime beaucoup effectuer des parcours d'obstacles avec ses amis. Il dit que ça lui permet de se mettre en forme et d'avoir du plaisir en même temps. Un parcours d'obstacles, c'est un chemin que l'on doit suivre. Au fur et à mesure que l'on marche sur ce chemin, il y a des stations qui indiquent la façon de se déplacer et de se rendre à destination. As-tu déjà effectué un parcours d'obstacles?

▸ Écouter les élèves, puis leur dire que vous avez organisé un parcours d'obstacles spécialement pour elles et eux.

▸ Montrer aux élèves le point de départ qui est le cerceau.

▸ Effectuer le parcours une fois devant les élèves tout en l'expliquant de la façon suivante :
  • Tu commences le parcours en te mettant **dans** le cerceau.
  • Ensuite, tu vas **à l'extérieur du** cerceau pour passer **en dessous du** banc.
  • Tu entres **dans** la boîte de carton, tu comptes jusqu'à 5, puis tu sors de la boîte.
  • Tu sautes **par-dessus** chacun des blocs.
  • Tu passes **dans** le tunnel et tu marches **sur (à côté du)** le banc.
  • Tu marches **sur** la ligne droite jusqu'aux cerceaux.
  • Tu sautes trois fois **dans** le premier cerceau.
  • Tu passes **à travers** le deuxième cerceau.
  • Tu marches **autour** du troisième cerceau.
  • Tu marches **entre** les deux lignes et tu te rends au matelas de gymnastique.
  • Tu fais une culbute **sur** le matelas ou tu te couches sur le matelas, puis tu roules par terre.
  • Tu t'assoies **sur** une planche à roulettes et tu roules **très loin** jusqu'à la fin du parcours.
  • Tu recommences le parcours en tentant de l'effectuer un peu plus rapidement.

▸ Demander aux élèves de former une ligne droite **devant** le point de départ. Leur dire qu'au son de la musique elles et ils pourront commencer le parcours et que, lorsqu'elles et ils n'entendront plus la musique, elles et ils devront arrêter de marcher et faire semblant d'être des statues.

▸ Lorsque la musique s'arrête, en profiter pour poser aux élèves des questions leur permettant d'utiliser les termes liés au sens de l'espace.
  Voici des exemples de questions :
  • Que dois-tu faire à cette station?
  • Que devras-tu faire à la prochaine station? Peux-tu le montrer?
  • Dois-tu te mettre **à l'intérieur du** cerceau ou **à l'extérieur du** cerceau?
  • Comment vas-tu t'y prendre pour te tenir **sur** la planche à roulettes et la faire avancer?

▸ Donner aux élèves le temps requis pour effectuer le parcours à quelques reprises.

▸ Inviter les élèves à venir s'asseoir en cercle pour faire l'échange mathématique.

▸ Poser aux élèves des questions leur permettant d'utiliser les termes liés au sens de l'espace.
  Voici des exemples de questions :
  • As-tu eu de la difficulté à faire certaines actions (p. ex., passer à travers le cerceau, marcher sur le banc)?
  • Quelle station a été la plus facile pour toi?
  • Qu'as-tu fait lorsque tu es arrivé au second banc?

▸ Poser aux élèves la question suivante : « Est-ce qu'on peut faire autre chose à cette station? » Voici des exemples de réponses :

  ◆ On peut marcher autour du banc.

  ◆ On peut passer sous le banc.

  ◆ On peut sauter par-dessus le banc.

Variantes

1. Préparer deux parcours identiques et faire une course à relais (compétition). La première équipe qui termine le parcours est l'équipe gagnante.

2. Organiser le parcours avec les élèves en partant des cartes du livre *Passe-Pois, la coccinelle* de l'activité 2.

3. Organiser un parcours comprenant des stations où l'élève doit déplacer des objets au lieu de se déplacer (p. ex., faire rouler la balle **sous** le banc, lancer la poche de sable **dans** le cerceau).

4. Jouer à un jeu de mime. Les élèves forment une ligne et suivent l'enseignant ou l'enseignante en mimant ses déplacements.

Exemple d'un parcours complexe

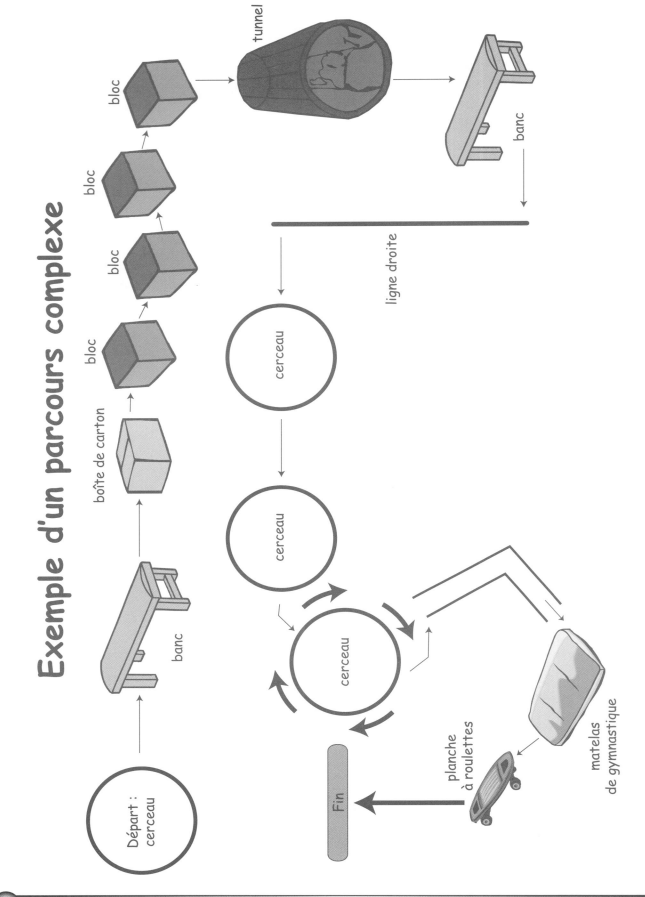

Départ : cerceau

banc

boîte de carton

bloc

bloc

bloc

bloc

tunnel

banc

ligne droite

cerceau

cerceau

cerceau

matelas de gymnastique

planche à roulettes

Fin

Exemple d'un parcours simple

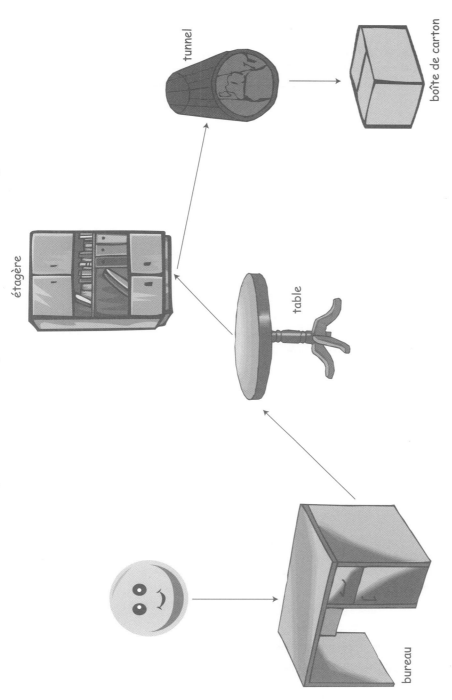

étagère

tunnel

table

boîte de carton

bureau

Consignes :

- Place-toi **sur** le bonhomme sourire.
- Place-toi **à côté du** bureau de l'enseignant ou de l'enseignante.
- Marche jusqu'à la table ronde et marche à quatre pattes **sous** la table.
- Tourne-toi et marche en direction de l'étagère. Place-toi **devant** l'étagère.
- Tourne-toi et dirige-toi vers le tunnel. Marche à quatre pattes **dans** le tunnel.
- Marche jusqu'à la boîte de carton **près du** mur. Cache-toi **dans** la boîte. Compte jusqu'à 10 et place-toi à **l'extérieur de** la boîte de carton.

Activité 4

Changeons de côté, on s'est trompés!
(maternelle/jardin)

[X] en groupe-classe ☐ en équipe ☐ individuelle

Au cours de cette activité, l'élève prend part au jeu *Changeons de côté, on s'est trompés!* dont le but est de se déplacer dans différentes directions au son de la musique.

Pistes d'observation

L'élève :

– se déplace dans son environnement en suivant des consignes;

– interprète les indices verbaux pour se déplacer.

Matériel requis

✓ musique instrumentale ou tambourin

✓ sifflet

Déroulement

Note : Faire cette activité au gymnase. Toutefois, s'il est impossible d'avoir accès au gymnase, la faire dans la cour d'école.

▸ Inviter les élèves à se trouver une place dans le gymnase, loin des autres, et à s'asseoir dans leur espace personnel.

▸ Présenter le jeu en le simulant au fur et à mesure :

- Aujourd'hui, nous allons jouer au jeu *Changeons de côté, on s'est trompés!*.

- L'expression *Changeons de côté, on s'est trompés!* veut dire que l'on s'est trompé de côté; par exemple, si je marche dans cette direction, vers l'avant du gymnase, et que je me rends compte que ce n'est pas la bonne direction, je dois changer de direction. Je peux me tourner et aller dans une autre direction, par exemple vers l'arrière du gymnase ou vers un des côtés du gymnase.

- Pour jouer au jeu, je vais te demander de te déplacer partout dans le gymnase au son de la musique ou du tambourin. Lorsque tu entends le son du sifflet, tu fais la statue et tu écoutes la consigne pour changer de direction comme je viens de le montrer.
  Voici des exemples de consignes :
  - Marche vers **l'avant** du gymnase; vers **l'arrière**; vers **le côté**.
  - Saute vers **l'avant** du gymnase; vers **l'arrière**.
  - Sautille vers **l'avant** du gymnase; vers **l'arrière**.
  - Gambade vers **l'arrière** du gymnase; vers **le côté**.

▸ Identifier avec les élèves le **devant**, l'**arrière** et les **côtés** du gymnase.

▸ Jouer à ce jeu à quelques reprises pour permettre aux élèves d'approfondir les concepts à l'étude.

Notes : Concernant les élèves qui ont de la difficulté, il est possible de former des équipes de deux en regroupant une ou un élève plus fort avec une ou un élève plus faible et de leur demander de se déplacer en se tenant la main.

Selon le groupe-classe, il est possible d'ajouter d'autres consignes. Toutefois, s'assurer que les élèves comprennent bien les consignes énumérées précédemment avant de suivre les suivantes.

– Marche, en reculant, vers **le devant** du gymnase.

– Marche, en avançant, vers **l'arrière** du gymnase.

– Marche **de côté** vers **le devant** du gymnase.

– Cours vers **l'avant** en reculant (ou **de côté**).

– Saute vers **l'arrière** en reculant (ou **de côté**).

Variantes

1. Dire aux élèves de se déplacer en imitant une personne qui conduit une voiture. À chaque coup de sifflet, elles et ils doivent changer de direction.

2. Faire une ronde, se tenir la main et se déplacer au son d'une musique entraînante ou d'une chanson folklorique. À chaque coup de sifflet, changer de consignes et dire aux élèves de changer de direction.

3. Jouer de nouveau au jeu, mais, cette fois-ci, remettre à chaque élève un ruban de 100 cm de long sur 4 cm de large ou une bande de papier crêpé collé à l'extrémité d'un bâtonnet d'une trentaine de centimètres. Demander aux élèves de tenir le bâtonnet très haut dans les airs et de se déplacer rapidement au son de la musique.

4. Grouper les élèves en équipes de quatre et leur dire de se placer en ligne droite, les uns derrière les autres, pour représenter des personnes qui sont dans un canot et qui rament. Leur dire de mimer les rameurs selon la direction donnée; par exemple, ramer en se dirigeant vers **l'avant** de la salle de classe, ramer en se dirigeant vers **l'arrière** de la salle de classe ou vers **le côté** des tableaux.

L'objet mystère (maternelle/jardin)

[X] en groupe-classe   [ ] en équipe   [ ] individuelle

> Au cours de cette activité, l'élève prend part au jeu *L'objet mystère* dont le but est de donner des indices qui décrivent la position d'un objet, permettant ainsi à ses camarades de le trouver.

Pistes d'observation

L'élève :
- utilise les termes précis pour décrire la position et la distance d'un objet, ou pour décrire sa position dans l'espace;
- interprète les indices verbaux pour localiser un objet dans son environnement.

Matériel requis

- ✓ objets exposés à la vue de tous en partant de l'aire de rassemblement (p. ex., boîtes de cubes, pots à crayons, voitures miniatures, étagère de livres, chaises, tables)
- ✓ carton
- ✓ feuille **Une loupe de détective** (maternelle) (une copie par élève)
- ✓ feuille **Une paire de lunettes de détective** (jardin) (une copie par élève)
- ✓ attaches parisiennes (jardin) (deux par élève)

Avant la présentation de l'activité

- photocopier, sur du carton, la feuille **Une loupe de détective** (maternelle) ou la feuille **Une paire de lunettes de détective** (jardin) (un carton par élève);
- demander à chaque élève de découper la loupe ou la paire de lunettes en vue de prendre part au jeu *L'objet mystère*;
- dire aux élèves du jardin d'assembler les parties des lunettes de détective à l'aide des deux attaches parisiennes.

Déroulement

▸ Inviter les élèves à venir s'asseoir en cercle dans l'aire de rassemblement.

▸ Présenter la mise en situation de la façon suivante.
Aujourd'hui, nous allons jouer au jeu L'objet mystère. *Mets la loupe dans tes mains (maternelle) ou mets les lunettes de détective (jardin) pour trouver l'objet mystère.*
Écoute bien et regarde partout dans la salle de classe, car je vais te dire où se trouve l'objet mystère. Je vois un objet qui se trouve au centre de la maison. Cet objet se trouve sur le petit lit de bébé. Quel est cet objet mystère?

▸ Demander aux élèves de bien écouter les consignes pour trouver un autre objet mystère et de se servir de leur loupe (maternelle) ou de leurs lunettes de détective (jardin).
Voici des exemples de devinettes :
- Je vois un objet qui se trouve **dans** le centre de construction. Il est **sur** la tablette du bas de l'étagère brune, **à côté du** contenant rouge.
- Je vois un objet qui est très **près de** mon bureau. En fait, il est juste **à côté de** mon bureau.

▸ Choisir un ou une élève pour donner aux autres des consignes aidant à repérer l'objet mystère.

▸ Tout le long du jeu, poser aux élèves des questions leur permettant de mieux cibler l'objet mystère et d'utiliser les termes liés au sens de l'espace.
Voici des exemples de questions :

- Pourquoi dis-tu que l'objet mystère est le bac de cubes?
- Peut-on avoir plus d'un objet mystère? Pourquoi?
- Pourquoi l'objet nommé ne peut-il pas être l'objet mystère?
- Quel autre indice peut-on ajouter pour aider nos amis à trouver l'objet mystère?

▸ Poursuivre le jeu dans le but de permettre à plusieurs élèves de dire leurs devinettes.

> Note : Dans les classes qui suivent un programme d'actualisation linguistique (ALF), il est important de jouer à ce jeu à plusieurs reprises et de s'assurer que les élèves comprennent bien le vocabulaire à l'étude avant de leur demander de donner aux autres des consignes aidant à repérer leurs objets mystères. Des illustrations accompagnant le vocabulaire repère peuvent aider les élèves (p. ex., les illustrations du livre *Passe-Pois, la coccinelle* de l'activité 2).

Variantes

1. Suivre la même démarche, mais, au lieu de décrire la position de l'objet mystère, décrire l'**endroit mystère** où l'élève choisi ou choisie devra ranger un objet; par exemple, range le livre **dans** le centre de lecture, **sur** l'étagère, **à côté du** minilivre.

2. Remettre à chaque élève du jardin la feuille **L'endroit mystère** ainsi que la feuille **Les objets à ranger**. Dire aux élèves de découper les objets et de les déposer sur la feuille **L'endroit mystère**, selon les consignes données. Voici un exemple de consigne : « Mets un papillon qui vole **au-dessus de** l'arbre. »

3. Grouper les élèves du jardin en équipes de deux et leur distribuer la feuille **L'endroit mystère** et les objets découpés de la feuille **Les objets à ranger**. Dire aux élèves :
   - de s'asseoir face à face;
   - de déposer leur feuille sur la table;
   - de mettre un écran entre les deux feuilles;
   - de donner, à tour de rôle, une consigne à sa ou à son partenaire pour déposer un objet sur sa feuille (p. ex., « Mets le nuage **sous** le soleil. »);
   - de retirer l'écran en vue de se corriger.

4. Demander aux élèves de fermer les yeux. Leur donner des indices pour leur permettre de trouver l'objet mystère.

5. Jouer au jeu *L'élève mystère*. Chaque jour, donner une description de l'endroit où se trouve l'élève mystère du jour et demander aux autres de l'identifier.

Une loupe de détective (maternelle)

Une paire de lunettes de détective (jardin)

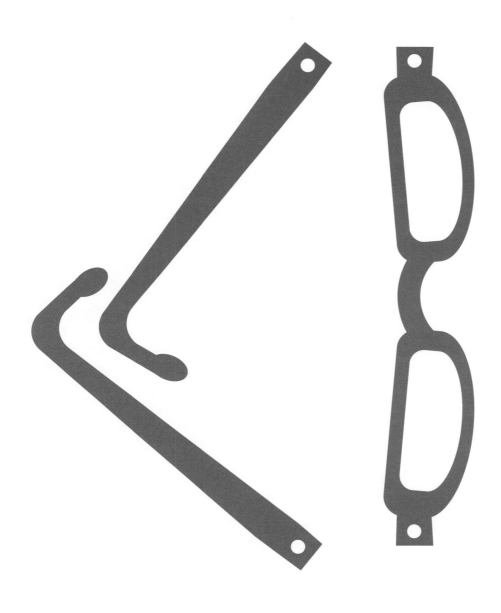

L'endroit mystère

Les objets à ranger

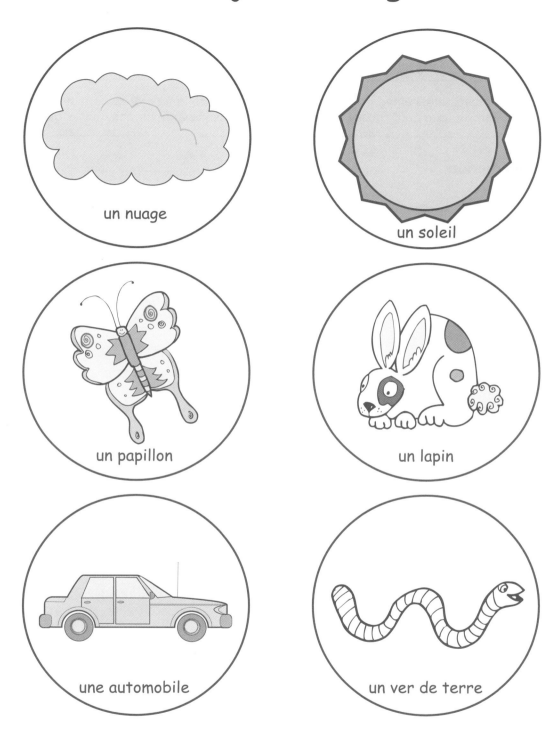

un nuage

un soleil

un papillon

un lapin

une automobile

un ver de terre

La cachette de la marionnette
(maternelle/jardin)

| X | en groupe-classe | | en équipe | | individuelle |

> Au cours de cette activité, l'élève prend part au jeu *La cachette de la marionnette* dont le but est de trouver la marionnette qu'a cachée l'enseignant ou l'enseignante en posant des questions.

Pistes d'observation

L'élève :

– utilise les termes précis pour décrire la position et la distance d'un objet, ou pour décrire sa position dans l'espace;

– interprète les indices verbaux pour localiser un objet dans son environnement.

Matériel requis

✓ marionnette à doigts : Gaston, le papillon (maternelle) ou Picolo, le bel oiseau (jardin)

Déroulement

▸ Inviter les élèves à venir s'asseoir dans l'aire de rassemblement.

▸ Présenter le jeu de la façon suivante :

• Aujourd'hui, nous allons jouer au jeu *La cachette de la marionnette*.

• Je vais te demander de fermer les yeux pour que je puisse cacher la marionnette. Tu ne dois pas les ouvrir avant que je te le dise.
(S'assurer que les élèves ont bien fermé les yeux, puis cacher la marionnette dans le réfrigérateur du centre de la maison.)

• Tu peux maintenant ouvrir les yeux.

• Tu vas essayer de trouver l'endroit où j'ai caché la marionnette en me posant des questions.
Voici des exemples de questions :
La marionnette est-elle cachée **dans** le centre de bricolage? **dans** le centre de la maison? **sous** la table? **dans** le réfrigérateur?

▸ Poursuivre le jeu en cachant la marionnette à d'autres endroits, puis demander à un ou à une élève de cacher la marionnette à son tour.

▸ Tout le long du jeu, poser aux élèves des questions leur permettant de mieux cibler la cachette de la marionnette et d'utiliser les termes liés au sens de l'espace.
Voici des exemples de questions possibles :

• Pourquoi dis-tu que la marionnette se trouve à cet endroit?

• Es-tu certain ou certaine que la marionnette se trouve **sous** la chaise qui est au centre de la maison?

• Pourquoi cet endroit ne peut-il pas être la cachette de la marionnette?

• Quelle autre question pourrais-tu poser?

▸ Poursuivre le jeu pendant quelque temps.

▸ Observer les élèves et utiliser une grille d'observation (voir la section **Évaluation**) pour noter vos observations.

Variante

Utiliser les cartes des feuilles **Passe-Pois, la coccinelle** (activité 2) et les mettre dans un paquet, face vers le bas. Demander aux élèves de fermer les yeux. Demander à un ou à une élève de tirer une carte et de cacher la marionnette (ou un autre objet) en s'inspirant de l'illustration de la carte tirée (p. ex., si l'élève tire la carte « Passe-Pois, la coccinelle est **sur** le toit de la maison. », l'élève doit cacher la marionnette **sur** un objet). Les autres doivent ouvrir les yeux et poser des questions dans le but de découvrir la cachette de la marionnette.

Où peut-il bien se cacher? (maternelle/jardin)

| X | en groupe-classe | ☐ en équipe | X | individuelle |

Au cours de cette activité, l'élève écoute l'histoire d'un livre portant sur le jeu de cache-cache et fabrique un livre collectif amovible intitulé *Où peut-il bien se cacher?* lui permettant d'utiliser le vocabulaire lié au sens de l'espace.

Pistes d'observation

L'élève :

- utilise les termes précis pour décrire la position d'un objet;
- déplace un objet en suivant les consignes du livre;
- interprète les indices oraux ou écrits pour déplacer un objet.

Matériel requis

✓ livre *Cache-cache avec papa* (facultatif)
✓ feuille **Les minipersonnages**
✓ feuilles de papier de 22 cm × 28 cm (8,5 po × 11 po)
✓ cartons de 23 cm × 30 cm (9 po × 12 po)
✓ ciseaux
✓ crayons-feutres
✓ corde ou ruban (environ 30 cm de long)
✓ agrafeuse ou ruban adhésif
✓ feuilles **Où peut-il bien se cacher?** (maternelle) ou feuilles **Où peut-il bien se cacher?** (jardin)

Avant la présentation de l'activité

- créer le livre de la façon suivante :
  - photocopier la première page des feuilles **Où peut-il bien se cacher?** et la coller sur un carton rigide pour fabriquer la page couverture du livre;
  - photocopier les pages 1 et 2 des feuilles **Où peut-il bien se cacher?** et les agrafer à la page couverture pour former le début du livre collectif;
  - découper Gaston, le papillon (maternelle) ou Picolo, le bel oiseau (jardin) sur la feuille **Les minipersonnages**;
  - agrafer le ruban au haut de la page couverture, dans le coin gauche, et agrafer le minipersonnage à l'autre bout du ruban;
  - photocopier, pour chaque élève, la page 3 des feuilles **Où peut-il bien se cacher?**.

Maternelle	**Jardin**

Déroulement

Étape 1

▸ Inviter les élèves à venir s'asseoir dans l'aire de rassemblement.

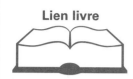

Lien livre

Avant de commencer l'activité, lire le livre *Cache-cache avec papa* de Claire Clément, coll. Léo et Popi, Paris, Éditions Bayard jeunesse, 2005, ou tout autre livre ayant pour thème des jeux de cache-cache.

▸ Pour permettre aux élèves d'anticiper le sujet du livre, montrer la page couverture du livre *Cache-cache avec papa* et leur demander de regarder l'illustration.

▸ Écouter les commentaires des élèves, puis lire le livre.

▸ À la fin du livre, poser aux élèves des questions leur permettant d'utiliser le vocabulaire lié au sens de l'espace.
Voici des exemples de questions :
- Le personnage a-t-il trouvé de bonnes cachettes? Pourquoi?
- Y a-t-il d'autres endroits où peut se cacher le personnage?
- Y a-t-il des cachettes qui ne sont pas de bonnes cachettes? Pourquoi?

Étape 2

▸ Montrer aux élèves le livre *Où peut-il bien se cacher?* et leur demander de regarder l'illustration de la page couverture.

▸ Inviter les élèves à donner leurs commentaires.

▸ Écouter les commentaires des élèves, puis lire le titre et le début du livre.

▸ À la dernière page, demander aux élèves de trouver des idées de cachettes pour Gaston, le papillon (maternelle) ou Picolo, le bel oiseau (jardin).
Voici des exemples de réponses possibles :
...**dans** l'armoire de la cuisine; ...**sous** la table; ...**derrière** le grille-pain; etc.

▸ Demander aux élèves de nommer une façon dont elles et ils pourraient illustrer le personnage **dans** l'armoire.
Voici un exemple de réponse :
Je peux coller un petit carton d'un côté seulement. De cette façon, je peux faire semblant que la porte de l'armoire s'ouvre et y cacher Gaston, le papillon ou Picolo, le bel oiseau.

▸ Expliquer aux élèves qu'elles et ils vont dessiner l'endroit où peut se cacher le personnage.

▸ Remettre à chaque élève une copie de la page 3 et des crayons-feutres et leur dire de commencer à dessiner l'endroit de la cachette.

▸ Circuler dans la salle de classe et demander à chaque élève de nommer l'endroit où se cache le personnage. Écrire l'endroit de la cachette au bas de la page.

▸ Observer les élèves et leur poser des questions leur permettant de mieux cibler la cachette de la marionnette et d'utiliser le vocabulaire lié au sens de l'espace.
Voici des exemples de questions :

  • La marionnette peut-elle se cacher **sous** la chaise? Pourquoi?

  • Que pourrais-tu faire pour montrer que la marionnette est **sur** le comptoir?

  • Est-ce que c'est une bonne idée de cacher la marionnette à cet endroit? Pourquoi?

▸ Lorsque les élèves ont terminé leur dessin, rassembler toutes les feuilles et les relier aux autres pour former le livre collectif.

▸ Plastifier le livre collectif, puis le remettre chaque jour à un ou à une élève afin qu'il ou elle l'apporte à la maison et le montre à ses parents.

Étape 3

▸ Inviter les élèves à venir s'asseoir dans l'aire de rassemblement.

▸ Lire le livre en invitant chaque élève à lire sa page.

> Note : Il est possible d'enregistrer les élèves qui lisent le livre. Mettre le livre et la cassette au centre d'écoute, ce qui permettra aux élèves qui le désirent de lire le livre de nouveau à l'aide de la cassette pendant la période des centres d'apprentissage.

Variantes

1. Permettre à un petit groupe d'élèves de jouer à la cachette pendant la période des centres d'apprentissage.

2. Fabriquer un autre livre à structure répétée en présentant d'autres contextes.
Voici des exemples de contextes :

  • L'écureuil se prépare pour l'hiver. Il cache des glands partout! Il en cache **sous**…

  • La poule brune cache un œuf **dans**… **derrière**… **sur**…

  • Le dauphin lance le ballon avec son museau. Le ballon passe **devant**… **au-dessus**…; roule bien **loin**…; tombe **dans**…

  • Le lapin blanc part en voyage. Il passe **devant**… **derrière**… **par-dessous**…

Les minipersonnages

Gaston, le papillon (maternelle)

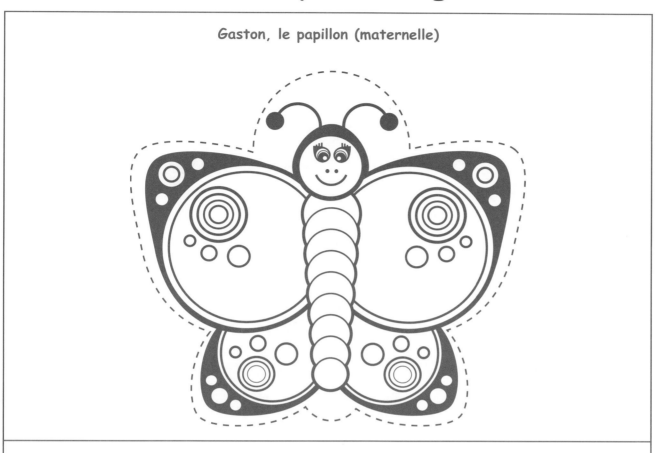

Picolo, le bel oiseau (jardin)

Où peut-il bien se cacher?

Maternelle

J'ai un beau papillon
Qui se nomme Gaston.
Il vit dans ma maison
Et joue avec Pompon,
Le chaton tout rond
Qui aime les bonbons.

1

Gaston aime jouer
Au jeu de cache-cache.
Où peut-il bien se cacher?

2

Il peut se cacher...

3

Où peut-il bien se cacher?

Jardin

J'ai un très bel oiseau
Qui se nomme Picolo.
Il vit dans ma cuisine
Et joue souvent avec Copine,
Ma p'tite chienne bien fine
Qui montre ses babines.

1

Picolo aime beaucoup jouer
Au jeu de cache-cache.
Où peut-il bien se cacher?

2

Il peut se cacher...

3

Le jeu de poursuite (maternelle/jardin)

[X] en groupe-classe   [ ] en équipe   [ ] individuelle

Au cours de cette activité, l'élève prend part au *Jeu de poursuite* pour approfondir le concept d'intérieur/extérieur. Selon les consignes données, l'élève se place à l'intérieur ou à l'extérieur des cerceaux.

Pistes d'observation
L'élève :
– interprète les indices verbaux pour se déplacer dans son environnement;
– explore le concept d'intérieur/extérieur.

Matériel requis
✓ cerceaux (un par élève)
✓ cédérom *Au jardin de Math et Mathique… un peu, beaucoup, à la folie!*
  • chanson *Gaston, le papillon* (maternelle)
  • chanson *Picolo, le bel oiseau* (jardin)
✓ lecteur de disques compacts

Avant la présentation de l'activité
– mettre, un peu partout sur le plancher, autant de cerceaux qu'il y a d'élèves.
  (L'activité peut avoir lieu au gymnase ou dans la cour d'école.)

Déroulement
▸ Inviter les élèves à se rendre au gymnase ou dans la cour d'école.

▸ Dire aux élèves que vous avez un nouveau jeu à leur montrer. Ajouter que le jeu est un jeu de poursuite.

▸ Présenter la mise en situation de la façon suivante :
Maternelle :
Y a-t-il des amis qui ont déjà observé de près des papillons? Pourquoi aimes-tu les regarder de très près? Comment fais-tu?
Jardin :
Y a-t-il des amis qui sont déjà allés faire une promenade pour observer les oiseaux? Pourquoi aimes-tu observer les oiseaux? Comment fais-tu?

Note : Concernant le déroulement de l'activité, on utilise le mot *papillon*. Changer le mot *papillon* pour le mot *oiseau* si l'activité est présentée aux élèves du jardin.

▸ Expliquer le jeu de la façon suivante :
  • Aujourd'hui, je veux observer des papillons.
  • J'ai besoin de papillons pour jouer. Je vais te demander de te déplacer un peu partout, **autour** des cerceaux, en imitant des papillons qui volent, et te poser la question suivante : « Qui peut montrer une façon de se déplacer **autour** des cerceaux? »

- Lorsque tu entends la musique, vole comme un papillon.
- Lorsque j'arrête la musique, chaque papillon doit se mettre **à l'intérieur d'**un cerceau qui représente sa maison. Attention! S'il y a un papillon qui n'est pas **dans** sa maison, je vais tenter de le toucher et, si je réussis, ce papillon devra s'asseoir **dans** sa maison (**à l'intérieur du** cerceau) et passer son tour. Puis, au prochain tour, le papillon pourra se promener de nouveau **à l'extérieur de** sa maison.
- Tout le monde est prêt? On commence le jeu.

▸ Jouer au *Jeu de poursuite* à quelques reprises.

▸ Arrêter le jeu et inviter les élèves à venir s'asseoir à l'intérieur d'une maison. En profiter pour faire l'échange mathématique.

▸ Poser aux élèves des questions leur permettant d'utiliser le vocabulaire lié au sens de l'espace et de comprendre que les termes *à l'intérieur de* et *à l'extérieur de* veulent dire la même chose que *dedans* (*dans*) et *dehors* (*en dehors de*).
Voici des exemples de questions possibles :
- Que font les papillons lorsqu'ils entendent la musique?
- Que font les papillons lorsqu'ils n'entendent pas la musique?

Variantes

1. Reprendre le jeu et enlever un cerceau chaque fois avant de reprendre la musique. Les papillons qui se font toucher par l'observateur ou l'observatrice deviennent des observateurs et des observatrices à leur tour. Pour faciliter leur identification, chaque observateur ou observatrice met une main sur sa tête. Jouer au jeu jusqu'à ce qu'il ne reste aucun papillon ou aucun oiseau.

2. Dessiner des cercles sur le pavé de la cour d'école et jouer au jeu.

3. Commencer en prenant un petit nombre de cerceaux et en augmenter le nombre au fur et à mesure que se déroule le jeu.

Introduction

Module 3

De l'ordre, s'il vous plaît!

Maternelle et jardin d'enfants

Modélisation – Maternelle/Jardin

Module 3 – De l'ordre, s'il vous plaît!

But du module

Les régularités se trouvent partout dans l'environnement, et ce, sous différentes formes. Elles sont dans l'architecture, dans la nature, dans les livres, sur des objets (vêtements, bijoux, lampes, vaisselles, etc.). Bref, les régularités embellissent le monde qui nous entoure et assurent un certain ordre.

Le module 3 présente une variété d'activités dont le but est d'initier l'élève au domaine de la modélisation. Il porte sur l'étude des suites non numériques à motif répété. Tout le long de ce module, les élèves utilisent du matériel concret dans le but de prolonger, de créer ou de modifier des suites. L'utilisation de ce matériel diminue l'appréhension des élèves vis-à-vis de l'erreur et leur permet de prendre plus de risques et de tester leurs hypothèses.

Au cycle préparatoire, l'élève doit pouvoir reconnaître des régularités pour prolonger des suites et en créer. Au fur et à mesure que l'élève réalise des activités, elle ou il utilise le vocabulaire lié au domaine, précise ses idées et explique son raisonnement.

Attentes et contenus d'apprentissage

MODÉLISATION

Attente

À la fin du jardin, l'enfant peut reconnaître des régularités dans l'environnement et dans des suites non numériques.

Contenus d'apprentissage

Pour satisfaire aux attentes et dans le contexte d'activités ludiques, de manipulation, d'exploration, d'expérimentation, d'observation et de communication, l'enfant :

– utilise les termes *avant* et *après* pour décrire des régularités.

– identifie des régularités dans l'environnement et dans des suites non numériques (p. ex., le cycle des saisons, l'horaire des activités de la journée, les motifs du carrelage du plancher, une suite d'estampes; « Je vois une suite sur le zèbre : une rayure blanche, une rayure noire, une rayure blanche… »).

– reproduit, prolonge et crée des suites non numériques en se servant de gestes (p. ex., le battement des mains ou des pieds), de matériaux divers (p. ex., des estampes, des gommettes, des jetons, des blocs) et de sons (p. ex., des sons produits avec la voix).

NUMÉRATION ET SENS DU NOMBRE

Attente

À la fin du jardin, l'enfant peut utiliser les notions de base du système de numération et montrer sa compréhension du sens du nombre.

Contenus d'apprentissage

Pour satisfaire aux attentes et dans le contexte d'activités ludiques, de manipulation, d'exploration, d'expérimentation, d'observation et de communication, l'enfant :

– récite les nombres jusqu'à 30.

– reconnaît que les pièces de monnaie canadiennes possèdent différentes valeurs (p. ex., 1 ¢, 5 ¢, 10 ¢).

– utilise les nombres ordinaux jusqu'à 5 : premier, deuxième… dernier (p. ex., « Lorsque les enfants se mettent en rang, je suis le premier. »).

Description des activités

Activités	Description	Pistes d'observation
Activité 1 : Des suites sonores en mouvement **(maternelle/jardin)**	L'élève effectue une suite de mouvements et de sons en utilisant son corps au rythme de la chanson *Mon père m'a donné* (maternelle) ou de la comptine *À l'école, j'aime, j'aime, j'aime* (jardin).	L'élève : – reproduit et prolonge des suites non numériques à motif répété à l'aide de gestes, de sons ou d'objets; – utilise les termes *avant* et *après* pour décrire des régularités, et les nombres ordinaux de 1 à 5 pour préciser une position dans le rang.
Activité 2 : Plein de suites! **(maternelle/jardin)**	L'élève identifie, prolonge et crée des suites à motif répété en partant du livre *Plein de suites!*.	L'élève : – observe et décrit certains attributs d'objets ou d'ensembles d'objets tels que la couleur, la taille, la forme, la texture; – reproduit et prolonge des suites non numériques à motif répété à l'aide d'objets; – crée des suites non numériques à motif répété à l'aide de gestes, de sons ou de matériel concret et semi-concret.
Activité 3 : Au château des suites **(maternelle)** Au jardin des mille et une suites **(jardin)**	L'élève trouve, dans son environnement, des objets qui contiennent des suites et les expose au **Château des suites** (maternelle) ou au **Jardin des mille et une suites** (jardin) dans le but de faire une journée porte ouverte.	L'élève : – observe et décrit certains attributs d'objets ou d'ensembles d'objets tels que la couleur, la taille, la forme, la texture; – identifie et décrit des régularités dans des suites non numériques trouvées dans son environnement; – reproduit et prolonge des suites non numériques à motif répété à l'aide d'objets; – utilise les termes *avant* et *après* pour décrire des régularités, et les nombres ordinaux de 1 à 5 pour préciser une position dans le rang.
Activité 4 : Des chenilles bien différentes **(maternelle/jardin)**	L'élève compare deux chenilles. Ensuite, elle ou il crée deux chenilles et les classifie.	L'élève : – observe et décrit certains attributs d'objets ou d'ensembles d'objets tels que la couleur, la taille, la forme, la texture; – reproduit, prolonge et crée des suites non numériques à motif répété à l'aide d'objets; – identifie des régularités.

Activités	Description	Pistes d'observation
Activité 5 : Et puis après? **(maternelle/jardin)**	L'élève décrit et prolonge des suites non numériques à motif répété telles que celles présentées dans le livre *Qu'est-ce qui vient après?*. Elle ou il prend part au jeu *Et puis après?* dont le but est de créer une suite d'objets que prolongera sa ou son partenaire.	L'élève : – prolonge et crée des suites non numériques à motif répété à l'aide de matériel concret et semi-concret; – utilise les termes *avant* et *après* pour décrire des régularités, et les nombres ordinaux de 1 à 5 pour préciser une position dans le rang.
Activité 6 : De bien jolis trains! **(jardin)**	L'élève prend part au jeu *De bien jolis trains!* dont le but est de composer et de décomposer, en utilisant des cubes emboîtables, un train comprenant une suite de wagons.	L'élève : – prolonge et crée des suites non numériques à motif répété à l'aide de matériel concret et semi-concret; – utilise les termes *avant* et *après* pour décrire des régularités, et les nombres ordinaux de 1 à 5 pour préciser une position dans le rang.
Activité 7 : Des sentiers en mouvement **(maternelle/jardin)**	L'élève représente une suite de mouvements, la reproduit et la prolonge.	L'élève reproduit, prolonge et crée des suites non numériques à motif répété à l'aide de gestes, de sons et de matériel concret et semi-concret.
Activité 8 : Un cadre bien spécial **(maternelle/jardin)**	L'élève fabrique une chenille qui tourne les coins en prolongeant une suite sur le contour d'une feuille quadrillée. Elle ou il décore le contour d'un cadre en réalisant une suite au moyen de matériel varié.	L'élève : – reproduit, prolonge et crée des suites non numériques à motif répété à l'aide de matériel concret et semi-concret; – utilise les termes *avant* et *après* pour décrire des régularités, et les nombres ordinaux de 1 à 5 pour préciser une position dans le rang.
Activité 9 : Encore un autre de plus! **(maternelle/jardin)**	L'élève récite la comptine à structure croissante *Je vais dans mon jardin* (maternelle) ou chante la chanson *Il faut marcher* (jardin) en faisant des mouvements cumulatifs.	L'élève : – reproduit et prolonge des suites non numériques à l'aide d'une comptine ou d'une chanson, de gestes et de sons; – utilise les termes *avant* et *après* pour décrire des régularités, et les nombres ordinaux de 1 à 5 pour préciser une position dans le rang.

Évaluation

Note : Il est possible de trouver, en version électronique, les grilles d'observation du groupe-classe et les grilles d'observation individuelles proposées dans ce module sur le DVD *Les mathématiques… en action!* fourni avec le guide de 1re année du domaine Numération et sens du nombre.

Évaluation

L'évaluation des élèves est **continue**, **intégrée à l'enseignement** et souvent **fondée sur des observations** relevées **pendant que** les élèves travaillent et réalisent diverses activités en groupe-classe et au cours d'activités et de jeux dans les centres d'apprentissage.

Au cours des activités, l'enseignant ou l'enseignante doit **observer**, **écouter**, **questionner** et **examiner de près** les démarches et les stratégies qu'utilisent les élèves en fonction des pistes d'observation qui permettent de cerner leur compréhension.

Tel qu'il est écrit dans le *Rapport de la table ronde des experts en mathématiques* (2003), l'évaluation consiste à recueillir des informations ou des preuves observables de ce que peut faire l'élève. Il n'est donc pas de mise d'attendre seulement à la fin d'une étape pour porter un jugement sur l'apprentissage d'un ou d'une élève. Pour cette raison, nous préconisons davantage une **évaluation formative**.

De plus, des **grilles d'observation** sont fournies aux pages suivantes. Il est donc possible de s'en servir pour noter des observations au cours des activités de mathématiques quotidiennes.

Une **évaluation diagnostique** se trouve au tout début de cette section pour permettre aux enseignantes et aux enseignants de cerner, dès le début de l'année, les forces de chaque élève et les défis à relever dans le domaine Modélisation. Par la suite, il est possible de choisir les activités et les jeux de ce module et de les adapter aux divers besoins des élèves.

Évaluation diagnostique (maternelle/jardin)

En maternelle et au jardin d'enfants, l'enseignant ou l'enseignante doit observer l'élève au cours d'activités concrètes et réelles, accomplies au quotidien. Cependant, s'il est impossible d'évaluer certains concepts portant sur le domaine Modélisation dans un contexte naturel, l'enseignant ou l'enseignante peut avoir recours à cette évaluation diagnostique et faire une courte entrevue avec chaque élève pour recueillir de l'information au sujet de ce qu'elle ou il connaît. Les renseignements recueillis vont permettre à l'enseignant ou à l'enseignante de préparer des activités qui tiennent compte des acquis et des besoins des élèves du groupe-classe et de les présenter.

Pistes d'observation

L'élève :

– observe et décrit certains attributs d'objets ou d'ensembles d'objets tels que la couleur ou la forme;
– reproduit, prolonge et crée des suites non numériques à motif répété (p. ex., A-B, A-A-B ou A-A-B-B) à l'aide de matériel concret (p. ex., perles, cubes, autocollants, jetons, formes diverses);
– identifie et décrit des régularités dans des suites non numériques à motif répété trouvées dans son environnement;
– utilise les termes *avant* et *après* pour décrire des régularités, et les nombres ordinaux de 1 à 5 pour préciser une position dans le rang.

Matériel requis

✓ feuilles **Évaluation diagnostique – Modélisation** (une copie par élève)
✓ contenant de cubes emboîtables
✓ contenant de mosaïques géométriques
✓ deux bandes de papier (environ 5 cm × 44 cm chacune)

Avant la présentation de l'évaluation diagnostique

– fabriquer un train à l'aide de cinq cubes rouges et de cinq cubes bleus en formant la suite à motif répété « rouge, bleu ».

Au cours de l'entrevue

✓ ne pas aider l'élève, donc ne pas intervenir;

✓ accepter toutes les réponses;

✓ permettre à l'élève de communiquer sa compréhension dans ses propres mots;

✓ ne pas dire si une réponse est correcte ou non;

✓ s'abstenir de tout commentaire.

Évaluation diagnostique – Modélisation

□ **Maternelle**   □ **Jardin**

Nom de l'élève : _____   **Date :** _____

Déroulement de l'évaluation diagnostique	Observations	Oui	Non
Déposer le train et un contenant de cubes emboîtables devant l'élève et suivre la démarche suivante :			
▶ Voici le train que j'ai construit. Que remarques-tu? Que peux-tu dire au sujet de ce train?	▶ L'élève reconnaît qu'il y a une régularité dans les couleurs.		
▶ J'aimerais bien avoir un train plus long. Peux-tu ajouter des cubes à mon train?	▶ L'élève prolonge la suite du train.		
	▶ L'élève lit la suite à voix haute : rouge, bleu, rouge, bleu…		
Déposer un contenant de mosaïques géométriques devant l'élève ainsi qu'une bande de papier. Mettre l'autre bande de papier devant vous.			
▶ Regarde bien! Je vais fabriquer un autre train, mais, au lieu d'utiliser des cubes, je vais utiliser des mosaïques géométriques et construire mon train sur la bande de papier.			
Créer, sur la bande de papier, la suite suivante :			
Peux-tu reproduire mon train sur la bande de papier et l'allonger?	▶ L'élève reproduit le train.		
	▶ L'élève allonge le train en prolongeant la suite.		
	▶ L'élève utilise une stratégie pour ne pas se tromper (p. ex., nomme les objets, fait des essais et des erreurs, compare les motifs).		

▲ Maintenant, peux-tu construire un train différent du mien à l'aide des mosaïques géométriques qui se trouvent sur la bande de papier que tu as devant toi?

▲ L'élève crée une nouvelle suite.

▲ L'élève crée une suite :

☐ A-B

☐ A-B-C

☐ A-A-B-B

☐ A-A-B

☐ A-B-B

☐ Autre : _____

▲ Parle-moi de ton train.

Poser des questions pour permettre à l'élève d'utiliser les termes *avant* et *après* et les nombres ordinaux de 1 à 5.

Voici des exemples de questions :

• Qu'est-ce qui vient après le triangle?

• Où est le carré dans ton train?

• Quelle est la première forme?

▲ L'élève décrit son train en utilisant les termes *avant* et *après*.

▲ L'élève comprend le concept des nombres ordinaux.

Note : Si l'élève crée une suite A-B, lui demander d'en créer une autre dans le but de voir si l'élève peut créer des suites un peu plus complexes.

Évaluation diagnostique –
Module 3 – Modélisation
Portrait du groupe-classe

☐ **Maternelle**   ☐ **Jardin**

Titulaire : _____   **Date :** _____

Nom de l'élève :	observe et décrit certains attributs d'objets ou d'ensembles d'objets tels que la couleur ou la forme	reproduit et prolonge des suites non numériques à motif répété à l'aide de matériel concret	crée des suites non numériques à motif répété à l'aide de matériel concret	identifie et décrit des régularités dans des suites non numériques à motif répété trouvées dans son environnement	utilise les termes *avant* et *après* pour décrire des régularités, et les nombres ordinaux de 1 à 5 pour préciser une position dans le rang

Évaluation diagnostique –
Module 3 – Modélisation
Portrait de l'élève

Nom de l'élève : _____

☐ **Maternelle**   ☐ **Jardin**

Titulaire : _____   **Date :** _____

Pistes d'observation	Commentaires
observe et décrit certains attributs d'objets ou d'ensembles d'objets tels que la couleur ou la forme	
reproduit et prolonge des suites non numériques à motif répété à l'aide de matériel concret	
crée des suites non numériques à motif répété à l'aide de matériel concret	
identifie et décrit des régularités dans des suites non numériques à motif répété trouvées dans son environnement	
utilise les termes *avant* et *après* pour décrire des régularités, et les nombres ordinaux de 1 à 5 pour préciser une position dans le rang	

Grille d'observation du groupe-classe – Module 3 – Modélisation

☐ **Maternelle**   ☐ **Jardin**   **Titulaire :** _____

Nom de l'élève :	observe et décrit certains attributs d'objets ou d'ensembles d'objets tels que la couleur, la taille, la forme ou la texture	reproduit, prolonge et crée des suites non numériques à motif répété à l'aide de gestes, de sons ou de matériel concret et semi-concret	identifie et décrit des régularités dans des suites non numériques à motif répété trouvées dans son environnement	utilise les termes *avant* et *après* pour décrire des régularités, et les nombres ordinaux de 1 à 5 pour préciser une position dans le rang
1.				
2.				
3.				
4.				
5.				
6.				
7.				
8.				
9.				
10.				
11.				
12.				
13.				
14.				
15.				
16.				
17.				
18.				
19.				
20.				
21.				
22.				
23.				

Grille d'observation d'une équipe –
Module 3 – Modélisation

☐ **Maternelle**　　☐ **Jardin**　　　　**Titulaire :** _____

Nom de l'élève :	observe et décrit certains attributs d'objets ou d'ensembles d'objets tels que la couleur, la taille, la forme ou la texture	reproduit, prolonge et crée des suites non numériques à motif répété à l'aide de gestes, de sons ou de matériel concret et semi-concret	identifie et décrit des régularités dans des suites non numériques à motif répété trouvées dans son environnement	utilise les termes *avant* et *après* pour décrire des régularités, et les nombres ordinaux de 1 à 5 pour préciser une position dans le rang

Grille d'observation individuelle – Module 3 – Modélisation

Nom de l'élève : _____   Date : _____

☐ **Maternelle**   ☐ **Jardin**   Titulaire : _____

Pistes d'observation	Commentaires
observe et décrit certains attributs d'objets ou d'ensembles d'objets tels que la couleur, la taille, la forme ou la texture	
reproduit, prolonge et crée des suites non numériques à motif répété à l'aide de gestes, de sons ou de matériel concret et semi-concret	
identifie et décrit des régularités dans des suites non numériques à motif répété trouvées dans son environnement (p. ex., sur le calendrier, sur les bordures du tableau d'affichage, sur le carrelage du plancher de la salle de classe, dans l'horaire des activités de la journée)	
utilise les termes *avant* et *après* pour décrire des régularités, les nombres ordinaux de 1 à 5 pour préciser une position dans le rang	

Activités

Module 3 – Modélisation

Des suites sonores en mouvement

(maternelle/jardin)

[X] en groupe-classe   [ ] en équipe   [ ] individuelle

> Au cours de cette activité, l'élève effectue une suite de mouvements et de sons en utilisant son corps au rythme de la chanson *Mon père m'a donné* (maternelle) ou de la comptine *À l'école, j'aime, j'aime, j'aime* (jardin).

Pistes d'observation

L'élève :
- reproduit et prolonge des suites non numériques à motif répété à l'aide de gestes, de sons ou d'objets;
- utilise les termes *avant* et *après* pour décrire des régularités, et les nombres ordinaux de 1 à 5 pour préciser une position dans le rang.

Matériel requis

✓ cédérom *Au jardin de Math et Mathique… un peu, beaucoup, à la folie!*
✓ lecteur de disques compacts
✓ feuilles **Des sons en mouvement – Grandes cartes**
✓ feuille de la chanson *Mon père m'a donné* (maternelle) (voir la section **Banque de chansons et de comptines**)
✓ feuille de la comptine *À l'école, j'aime, j'aime, j'aime* (jardin) (voir la section **Banque de chansons et de comptines**)

> Note : Il est possible de réaliser l'activité de la maternelle avec les élèves du jardin ou vice-versa. Choisir la comptine ou la chanson en fonction des champs d'intérêt et des besoins de votre groupe-classe.

Avant la présentation de l'activité

- faire une photocopie par élève de la feuille de la chanson *Mon père m'a donné* (maternelle) ou de la feuille de la comptine *À l'école, j'aime, j'aime, j'aime* (jardin);
- faire huit photocopies des feuilles **Des sons en mouvement – Grandes cartes** et découper les cartes.

Déroulement

Maternelle

▸ Inviter les élèves à venir s'asseoir dans l'aire de rassemblement.

▸ Dire aux élèves que vous connaissez une chanson à répondre qui s'intitule *Mon père m'a donné*. Leur expliquer qu'une chanson à répondre veut dire qu'elles et ils doivent répéter chaque phrase chantée.

▸ Donner les consignes suivantes :
  • Garde le rythme en frappant tes genoux avec tes mains pendant que tu écoutes la chanson.
  • Répète après moi chaque ligne que je chante.

▸ Chanter la chanson ou la faire écouter à l'aide du cédérom *Au jardin de Math et Mathique... un peu, beaucoup, à la folie!* tout en gardant le rythme avec les élèves.

▸ Poser aux élèves les questions suivantes :

• Pourquoi dit-on que tu es un singe?
  Je suis un singe parce que je répète tous les mots de la chanson.

• Qu'est-ce que les singes aiment faire habituellement?
  Les singes aiment beaucoup imiter les autres.

• Que remarques-tu au sujet des cadeaux qu'a donnés mon père à chaque ami?
  Les mots riment avec les prénoms. *René* rime avec *soulier*! *Marie-Pierre* rime avec *cuillère*!

• Qu'est-ce que mon père a donné à Natasha?
  Il lui a donné du chocolat.

• Quel autre cadeau peut-on donner à Natasha? Pourquoi?
  On peut lui donner un *chat*, un *drap*, etc., car ces mots riment avec *Natasha*.

▸ Dire aux élèves qu'elles et ils vont chanter de nouveau les trois premiers couplets en faisant deux gestes consécutifs différents pour garder le rythme, c'est-à-dire frapper ses genoux avec ses mains, puis taper des mains.

▸ Afficher au tableau les deux illustrations ci-contre comme aide-mémoire.

▸ S'exercer à faire les deux mouvements l'un à la suite de l'autre.

▸ Chanter avec les élèves les trois premiers couplets tout en faisant les gestes.

▸ Observer les élèves et les aider, au besoin.

▸ Avant de poursuivre avec les autres couplets, demander aux élèves de trouver d'autres gestes.

genoux | mains

▸ Afficher au tableau les cartes des parties du corps qu'ont nommées les élèves comme aide-mémoire.

▸ Dessiner, au besoin, les gestes qui ne sont pas illustrés sur les cartes.
  Voici des exemples de gestes possibles :

• Taper des mains et frapper les mains de sa ou de son partenaire.
• Taper du pied et taper des mains.
• Taper du pied et taper des mains deux fois.

▸ Choisir les nouveaux gestes et s'exercer à faire les mouvements l'un à la suite de l'autre.

▸ Demander aux élèves d'illustrer, au tableau, les mouvements qui se répètent; par exemple, si les gestes choisis étaient « Tape du pied, tape du pied, tape des mains, tape des mains, tape du pied... », la suite illustrée serait la suivante :

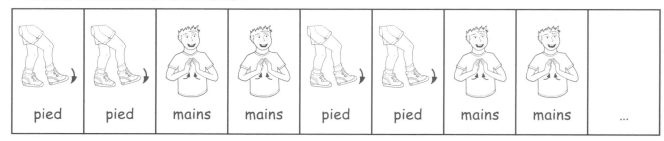

pied | pied | mains | mains | pied | pied | mains | mains | ...

▸ Poser aux élèves les questions ci-dessous en vue de les amener à décrire la suite de mouvements :

• Dans quel ordre dois-tu faire les mouvements?
L'ordre est pied, pied, mains, mains.

• Quel mouvement fais-tu immédiatement après avoir taper du pied la seconde fois?
Je tape des mains.

▸ Chanter avec les élèves les trois derniers couplets en respectant la même suite de mouvements.

Note : Chanter la chanson tout en faisant les gestes peut s'avérer difficile pour certaines et certains élèves. Faire jouer le cédérom et leur demander de se concentrer uniquement sur la suite des mouvements. Présenter d'abord des suites comprenant un motif à deux mouvements.

▸ Terminer l'activité en faisant l'échange mathématique.
Voici des exemples de questions :

• As-tu trouvé que c'était difficile de faire les gestes et de chanter en même temps?

• Quels mouvements aimes-tu répéter?

• Y a-t-il d'autres mouvements que nous pouvons faire pour garder le rythme?

▸ Insérer la feuille de la chanson *Mon père m'a donné* dans le cahier de chansons et de comptines de chaque élève.

Jardin

▸ Inviter les élèves à venir s'asseoir dans l'aire de rassemblement.

▸ Dire aux élèves que vous connaissez une comptine qui s'intitule *À l'école, j'aime, j'aime, j'aime* et qu'elles et ils vont la réciter souvent en faisant des gestes.

▸ Donner les consignes suivantes :

• Garde le rythme en frappant tes genoux avec tes mains pendant que tu écoutes la comptine.

• Écoute bien les mots pour connaître l'histoire de la comptine.

▸ Réciter la comptine ou la faire écouter à l'aide du cédérom *Au jardin de Math et Mathique… un peu, beaucoup, à la folie!* tout en gardant le rythme avec les élèves.

▸ Poser aux élèves les questions suivantes.

• Qu'est-ce que j'aime faire à l'école?
Tu aimes faire de la musique, des mathématiques et de la gymnastique.

• Et toi, qu'aimes-tu faire à l'école?
Voici des exemples de réponses possibles :

  ◆ J'aime jouer avec mes amis.

  ◆ J'aime jouer aux jeux dans les centres d'apprentissage.

  ◆ J'aime chanter des chansons.

▸ Dire aux élèves qu'elles et ils vont réciter de nouveau la comptine en ajoutant deux gestes consécutifs différents pour garder le rythme, c'est-à-dire frapper ses genoux avec ses mains deux fois, puis frapper les mains de sa ou de son partenaire quatre fois.

▸ Grouper les élèves en équipes de deux et s'exercer à faire les gestes, les uns à la suite des autres : genoux, genoux, partenaire, partenaire, partenaire, partenaire/ genoux, genoux, partenaire, partenaire, partenaire, partenaire/genoux, genoux, partenaire, partenaire, partenaire, partenaire…

▸ Réciter la comptine avec les élèves à plusieurs reprises tout en faisant les gestes.

genoux   partenaire

Note : S'assurer que les mouvements correspondent au rythme de la comptine. Toutefois, réciter la comptine tout en faisant les gestes peut s'avérer difficile pour certaines et certains élèves. Faire jouer le cédérom et leur demander de se concentrer uniquement sur la suite des mouvements.

▸ Observer les élèves et les aider, au besoin.

▸ Après avoir récité la comptine à plusieurs reprises, demander à un ou à une élève d'illustrer, à l'aide des cartes, la suite des mouvements réalisés.

| genoux | genoux | partenaire | partenaire | partenaire | partenaire | … |

▸ Poser aux élèves les questions ci-dessous en vue de les amener à décrire la suite de mouvements.
  • Combien de mouvements fais-tu dans cette suite?
    Je fais deux mouvements : frapper mes genoux avec mes mains et frapper les mains de mon partenaire.
  • Dans quel ordre dois-tu faire les mouvements?
    Dans cet ordre : genoux, genoux, partenaire, partenaire, partenaire, partenaire…
  • Quel mouvement fais-tu immédiatement après avoir frappé deux fois tes genoux avec tes mains?
    Je frappe les mains de mon partenaire.
  • Quel mouvement fais-tu immédiatement après avoir frappé quatre fois les mains de ton partenaire?
    Je frappe mes genoux avec mes mains.

▸ Réciter de nouveau la comptine avec les élèves tout en faisant les gestes et en se référant à la suite de mouvements illustrée.

Note : Il est possible de poursuivre la démarche ci-dessous à un autre moment, selon votre horaire et l'intérêt des élèves.

▶ Demander aux élèves de trouver d'autres gestes pour remplacer les gestes du motif précédent. Dessiner, au tableau, les cartes selon les parties du corps qu'ont nommées les élèves comme aide-mémoire.
Voici des exemples de réponses possibles :

◦ Taper des mains et frapper les mains de mon voisin.

◦ Taper du pied, taper des mains et frapper les mains de mon partenaire à quatre reprises.

◦ Taper des pieds un après l'autre et taper des mains à quatre reprises.

▶ Exécuter la suite de nouveaux mouvements.

▶ Demander aux élèves d'illustrer la suite de mouvements à l'aide des cartes.

▶ Réciter la comptine avec les élèves tout en faisant les gestes et en se référant à la suite de mouvements illustrée.

▶ Terminer l'activité en faisant l'échange mathématique.
Voici des exemples de questions :

• As-tu trouvé que c'était difficile de faire les gestes et de chanter en même temps?

• Quels mouvements aimes-tu répéter?

• Y a-t-il d'autres mouvements que nous pouvons faire pour garder le rythme?

▶ Insérer la feuille de la comptine *À l'école, j'aime, j'aime, j'aime* dans le cahier de chansons et de comptines de chaque élève.

Variantes

1. Reprendre l'activité en suivant la démarche décrite précédemment, mais en présentant d'autres chansons ou d'autres comptines.
Maternelle : *Gâteau, cadeau* (voir la section **Banque de chansons et de comptines** des domaines Numération et sens du nombre, Mesure et Traitement de données)
Jardin : *Pique, Pique* (voir la section **Banque de chansons et de comptines** des domaines Numération et sens du nombre, Mesure et Traitement de données) et *Mon grand-père* (voir la section **Banque de chansons et de comptines**)
Concernant la chanson *Mon grand-père*, faire une suite de quatre mouvements en partant du motif ci-dessous et la chanter à plusieurs reprises.

Mon grand-**père**, **ma** grand-**mère**, **mon** cou**sin**, et **vi**re le mou**lin**!

| pied | pied | genoux | genoux | partenaire | partenaire | demi-tour | demi-tour |

Il est possible de chanter la chanson en canon en divisant le groupe-classe en deux groupes. Choisir un chef par groupe dans le but de permettre à chaque groupe de suivre son chef en vue de faire les gestes de façon synchronisée.

2. Jouer au *Jeu de l'écho*. Faire un motif de sons avec la bouche ou avec différentes parties du corps et demander aux élèves de prolonger la suite en vous imitant.
Voici des exemples de motifs :

• pieds, mains, doigts

• mains, cliquetis avec la langue, hou, hou

• S, SS, hou, hou

3. Permettre aux élèves d'écouter les chansons et les comptines au centre d'écoute au cours de la période des centres d'apprentissage. Leur dire d'utiliser les petites cartes des parties du corps pour créer une suite de gestes et de sons (voir les feuilles **Des sons en mouvement – Petites cartes**).

4. Faire écouter aux élèves une musique instrumentale. Ensemble, inventer quelques mouvements à répéter pour en faire une petite danse.

5. Chaque jour, demander à l'élève de la journée de créer une suite de mouvements à exécuter à l'aide des cartes **Des sons en mouvement – Grandes cartes**.

Des sons en mouvement – Grandes cartes

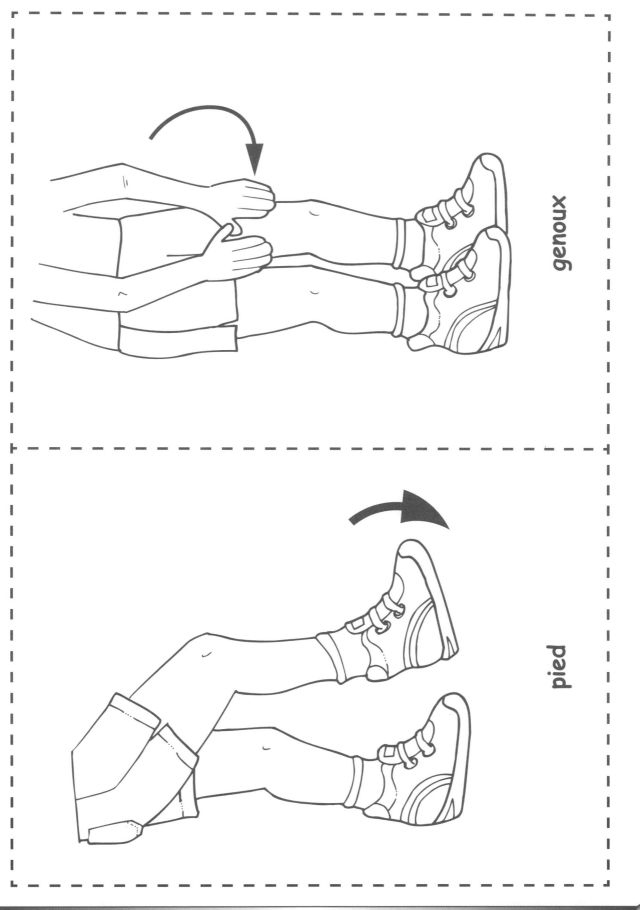

genoux

pied

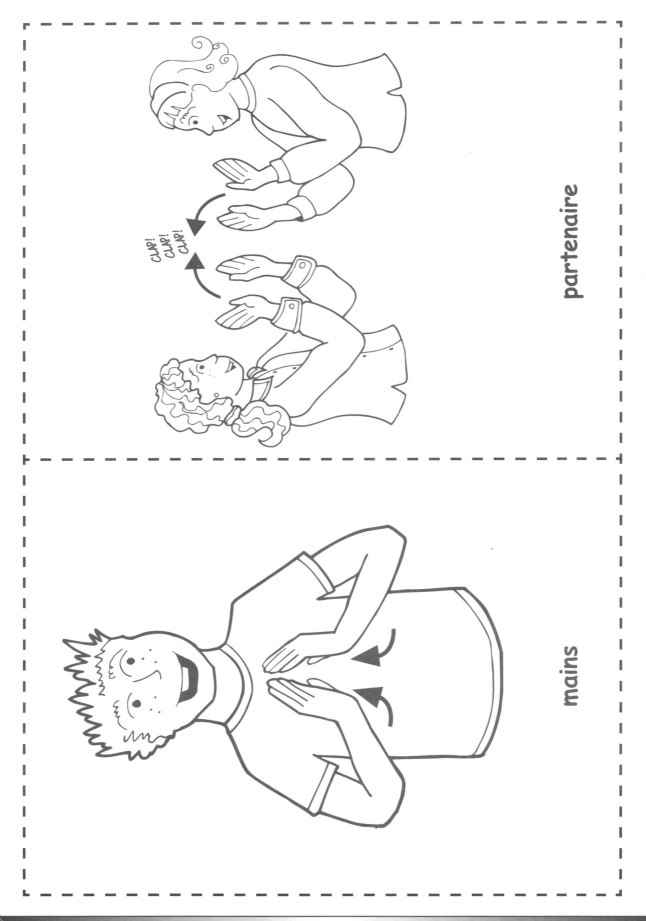

partenaire

mains

poing

bouche

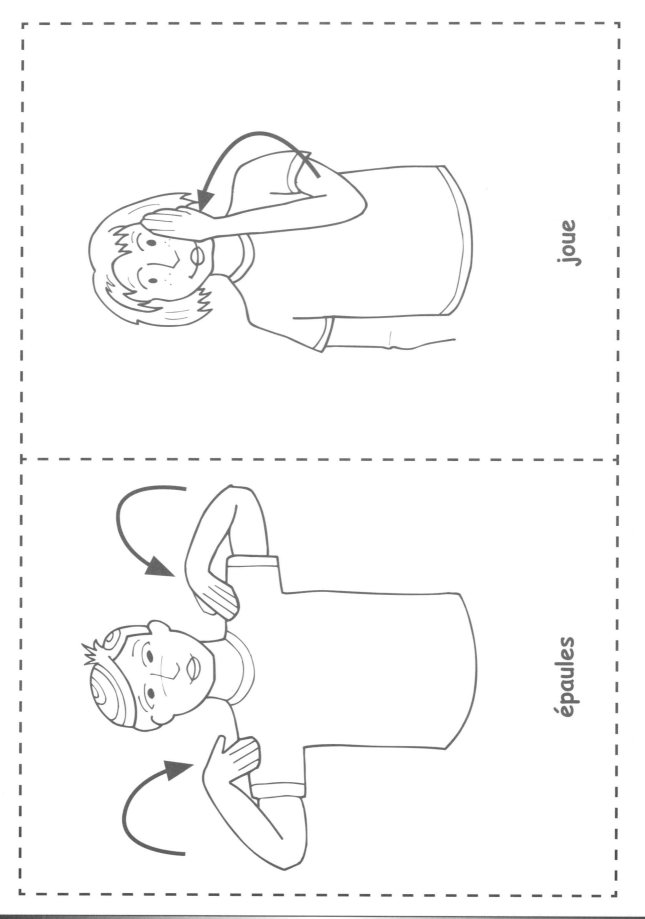

épaules

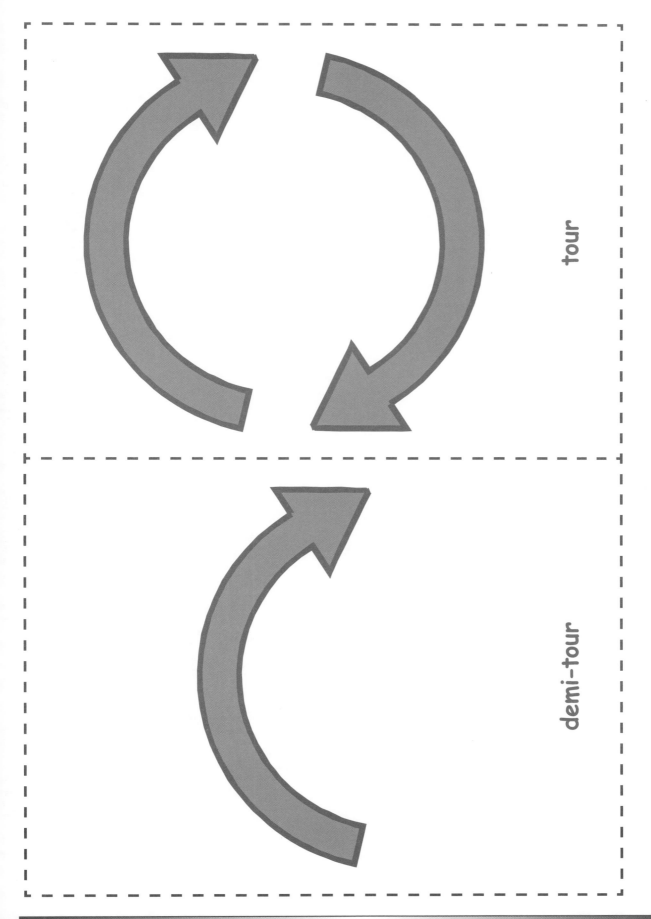

tour

demi-tour

Des sons en mouvement – Petites cartes

genoux

partenaire

pied

mains

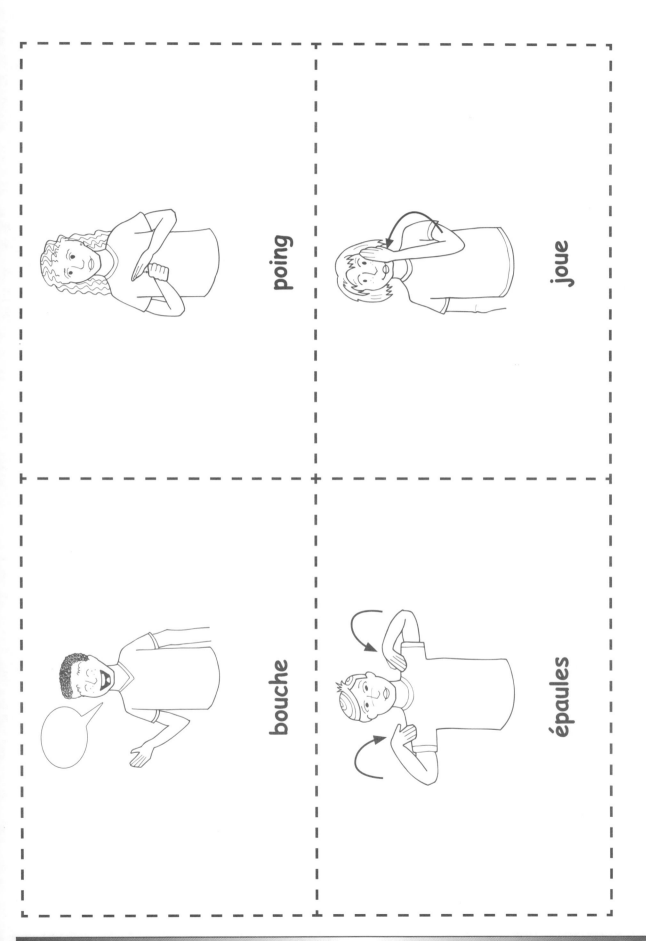

poing

joue

bouche

épaules

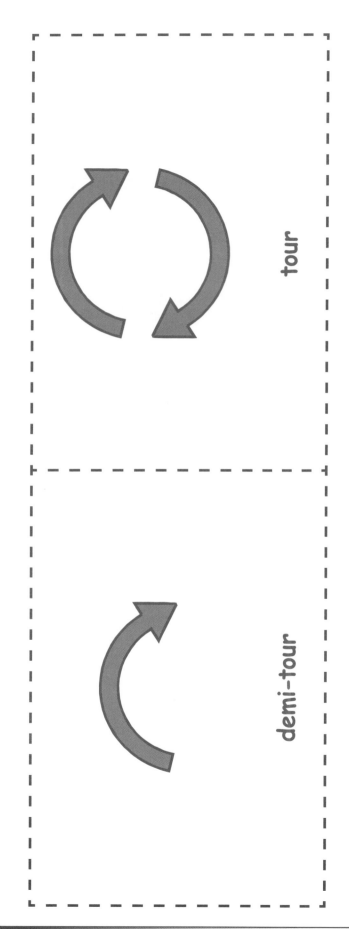

tour

demi-tour

Plein de suites! (maternelle/jardin)

| X | en groupe-classe | | en équipe | X | individuelle |

> Au cours de cette activité, l'élève identifie, prolonge et crée des suites à motif répété en partant du livre *Plein de suites!*.

Pistes d'observation

L'élève :

– observe et décrit certains attributs d'objets ou d'ensembles d'objets tels que la couleur, la taille, la forme, la texture;

– reproduit et prolonge des suites non numériques à motif répété à l'aide d'objets;

– crée des suites non numériques à motif répété à l'aide de gestes, de sons ou de matériel concret et semi-concret.

Matériel requis

✓ ensembles de blocs logiques

✓ ensembles de mosaïques géométriques (un par équipe de quatre)

✓ crayons-feutres

✓ autocollants

✓ cubes emboîtables

✓ pièces de monnaie de 1 ¢, de 5 ¢, de 10 ¢, etc.

✓ tampons en caoutchouc variés de grand format et tampon encreur

✓ tout autre matériel de manipulation et de recyclage

✓ feuilles blanches

✓ très grand carton bristol (ou tableau en nylon à pochettes transparentes)

✓ ruban-cache

✓ appareil photo (numérique, s'il y a lieu)

✓ imprimante

✓ feuilles **Plein de suites!**

Avant la présentation de l'activité

– fabriquer le livre en reliant les feuilles **Plein de suites!**.

Déroulement

Étape 1

▸ Inviter les élèves à venir s'asseoir dans l'aire de rassemblement.

▸ Dire aux élèves que vous avez une belle histoire à leur lire.

▸ Pour permettre aux élèves d'anticiper le sujet du livre, montrer la page couverture du livre *Plein de suites!* et leur demander de regarder les illustrations.

▸ Écouter les commentaires des élèves, puis lire le livre.

▶ Tout le long de la lecture, encourager les élèves à répondre aux questions posées dans le livre.

▶ Après avoir lu la page 5, permettre aux élèves de prolonger la suite : debout, assis, debout, assis, debout, assis...

▶ Poser aux élèves des questions leur permettant de décrire la suite d'élèves.
Voici des exemples de questions :
- Qui peut prédire l'action de la prochaine personne?
- Qu'est-ce qui se répète toujours?
- Qu'est-ce qui vient toujours après le mot *debout*?
- Qu'est-ce qui vient toujours avant le mot *assis*?

▶ Poser aux élèves la question suivante : «Y a-t-il une autre façon de faire une suite d'amis? »
Voici des réponses possibles :
- Un ami croise ses bras, un autre met ses mains sur ses hanches, un autre met ses bras le long de ses hanches...
- Un ami ferme ses yeux, un autre ouvre les yeux...

▶ Continuer la lecture du livre.

▶ Après avoir lu la page 8, demander à quelques élèves de faire des suites à l'aide de blocs logiques ou à l'aide de triangles et de carrés en carton.

▶ Lire les pages 9 et 10, puis remettre à chaque équipe de quatre un bac de mosaïques géométriques. Dire aux élèves de créer une suite ou quelques suites, s'il y a suffisamment de temps, et de lever la main lorsqu'elles et ils ont terminé pour vous permettre de prendre des photos.

▶ Circuler dans la salle de classe et observer les élèves. Leur poser des questions en vue de les amener à décrire certains attributs d'objets tels que la couleur, la taille ou la forme et de leur permettre d'utiliser les termes relatifs à la description des régularités et à la position des objets dans le rang.
Voici des exemples de questions :
- Pourquoi dis-tu que c'est une suite?
- Pourquoi dis-tu que ce triangle vient après le carré?
- Y a-t-il une autre façon de décrire la suite?
- Quelle forme vient après...? avant?
- Pourquoi dis-tu que ce n'est pas le triangle qui va à la suite de...?
- Y a-t-il une autre façon de créer une suite en utilisant ces formes?
- As-tu fait la même suite que ton ami? Pourquoi?
- Pourquoi dis-tu que c'est différent?

▶ Au fur et à mesure que les suites sont composées, prendre des photos, les imprimer et les coller sur un grand carton, ou les mettre dans les pochettes transparentes d'un grand tableau en nylon.

Étape 2

Note : L'activité de la page 11 du livre *Plein de suites!* doit se faire après avoir créé l'affiche de photos. Elle peut être réalisée à un autre moment de la journée ou de la semaine, selon le degré de concentration de votre groupe-classe ou selon votre horaire.

▶ Montrer aux élèves l'affiche de photos. Demander à quelques élèves de lire quelques suites.

Notes : Lire une suite à voix haute permet aux élèves de prendre conscience du motif qui s'y répète et de voir ce qui vient après chaque élément de la suite.

Permettre aux élèves de présenter leur façon de lire une suite les aide à comprendre qu'une suite peut être lue de différentes façons.

Par exemple, la suite ci-dessous peut se lire ainsi :
- triangle, triangle, carré, triangle, triangle, carré, triangle, triangle, carré...
- triangle blanc, triangle blanc, carré mauve, triangle blanc, triangle blanc, carré mauve...
- blanc, blanc, mauve, blanc, blanc, mauve, blanc, blanc, mauve...

▸ Poser aux élèves des questions en vue de les amener à décrire les suites.
Voici des exemples de questions :
  • Y a-t-il des suites qui se ressemblent? Pourquoi?
  • Peux-tu montrer ce qui vient après? avant?
  • Est-ce qu'il manque une forme après celle-ci? Pourquoi?
  • Que peux-tu faire pour savoir ce qui vient après ces formes?

▸ Lire la page 11 du livre *Plein de suites!* et dire aux élèves qu'elles et ils vont faire des suites en utilisant du matériel varié tel que des formes géométriques, des figurines, des voitures miniatures, des crayons-feutres, des autocollants, des cubes emboîtables, des pièces de monnaie ou des tampons en caoutchouc variés avec tampon encreur. Ajouter qu'il est possible de se référer aux suites de l'affiche exposée au centre de mathématiques pour avoir des idées.

▸ Grouper les élèves en équipes de quatre et distribuer le matériel.

▸ Circuler dans la salle de classe et observer les élèves. Leur poser des questions semblables à celles suggérées à l'étape 1 de l'activité en vue de les amener à décrire certains attributs d'objets tels que la couleur, la taille ou la forme et de leur permettre d'utiliser les termes relatifs à la description des régularités et à la position des objets dans le rang.

▸ Lorsque les élèves ont terminé leurs suites, leur dire de circuler dans la salle de classe et d'observer les différentes suites. En profiter pour faire un échange mathématique et pour poser des questions semblables à celles suggérées précédemment.

Variantes

1. Trouver des frises dans d'autres livres.

2. Inviter les élèves à trouver des suites dans leur environnement : dans la salle de classe, dans l'école, dans le quartier, à la maison.

3. Prendre des photos des suites qu'ont créées les élèves à l'étape 2. Relier les photos pour en faire un petit livre ou les mettre dans un album à exposer au centre de mathématiques. Au cours de la période des centres d'apprentissage, dire aux élèves qu'elles et ils peuvent reproduire des suites de l'album et les prolonger.

4. Créer des suites à l'aide du logiciel *Kid Pix* ou de tout autre logiciel semblable à *Kid Pix*.

5. Pendant la période des centres d'apprentissage, inviter les élèves à fabriquer un livre contenant des suites en se servant de matériel varié tel que des autocollants et des crayons-feutres. Demander aux élèves de présenter leur livre aux autres.
Voici un exemple de livre :

PLEIN DE SUITES!

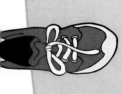

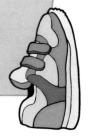

Observe les illustrations.
Qu'est-ce qui se répète?

Et ici?

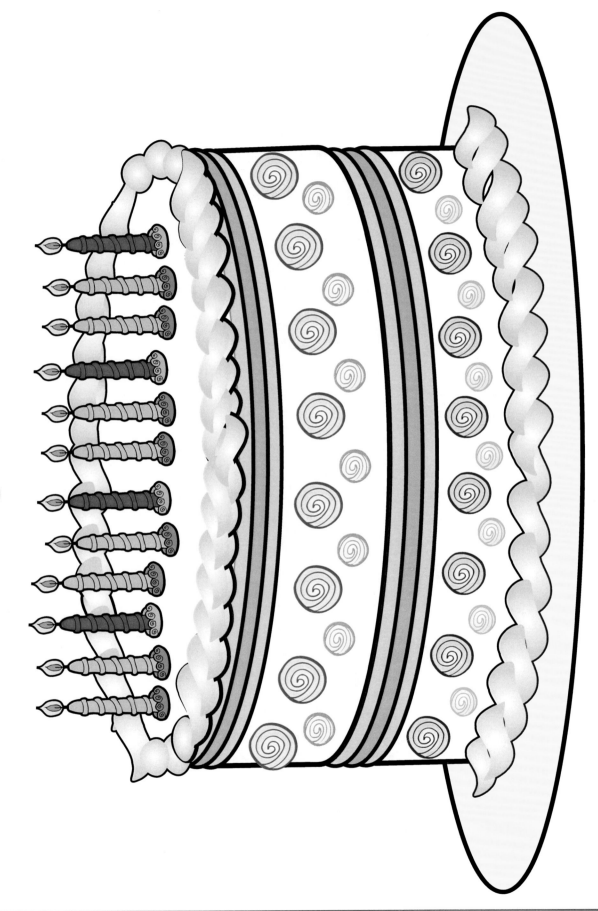

Peux-tu parler de cette suite?

Peux-tu décrire cette suite?

Parle-moi de cette suite.

Prolonge cette suite avec les amis du groupe-classe : debout, assis...

Parle-moi de cette suite.

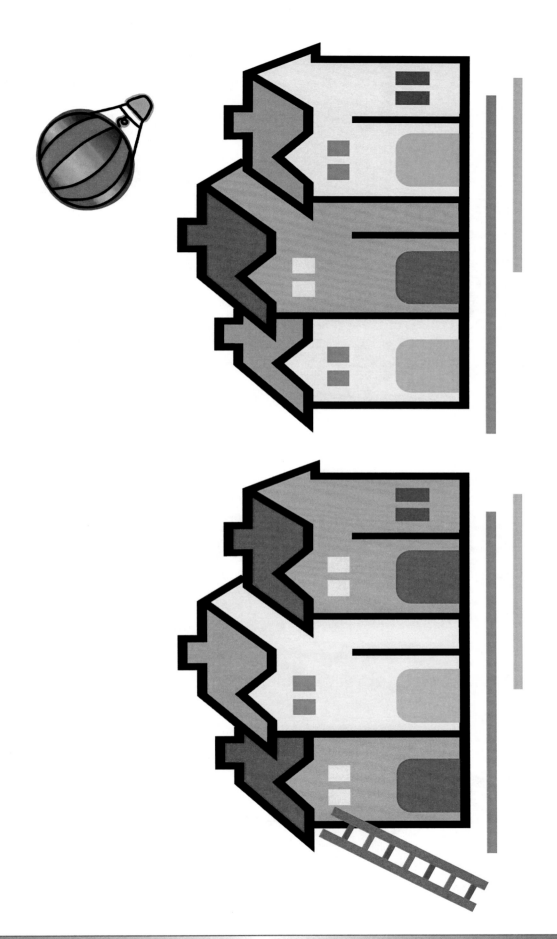

Voici une suite d'arbres.

Que peux-tu faire pour trouver les éléments qui manquent?

Quelles suites peux-tu faire à l'aide de ces deux formes?

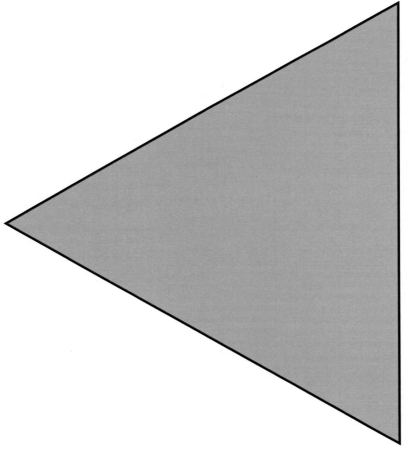

Crée différentes suites
en utilisant les mosaïques géométriques.

Prends des photos des suites que tu as créées et colle-les sur une affiche.

Mets l'affiche dans le centre de mathématiques.
Crée des suites en utilisant d'autre matériel et
en t'inspirant des photos.

Au château des suites (maternelle)

Au jardin des mille et une suites (jardin)

| X | en groupe-classe | X | en équipe | X | individuelle |

> Au cours de cette activité, l'élève trouve, dans son environnement, des objets qui contiennent des suites et les expose au **Château des suites** (maternelle) ou au **Jardin des mille et une suites** (jardin) dans le but de faire une journée porte ouverte.

Pistes d'observation

L'élève :

– observe et décrit certains attributs d'objets ou d'ensembles d'objets tels que la couleur, la taille, la forme, la texture;

– identifie et décrit des régularités dans des suites non numériques trouvées dans son environnement;

– reproduit et prolonge des suites non numériques à motif répété à l'aide d'objets;

– utilise les termes *avant* et *après* pour décrire des régularités, et les nombres ordinaux de 1 à 5 pour préciser une position dans le rang.

Matériel requis

✓ divers objets sur lesquels on trouve des suites

✓ photos d'objets

✓ feuilles

✓ crayons-feutres

✓ très grand carton bristol (ou tableau en nylon à pochettes transparentes)

✓ ruban-cache

✓ table et tableau d'affichage

✓ feuille **Lettre aux parents** (maternelle ou jardin)

Avant la présentation de l'activité

– photocopier, pour chaque élève, la feuille **Lettre aux parents** (maternelle ou jardin)

– écrire, sur une affiche, le titre **Château des suites** (maternelle) ou **Jardin des mille et une suites** (jardin).

Déroulement

Étape 1

▸ Inviter les élèves à venir s'asseoir dans l'aire de rassemblement.

▸ Dire aux élèves qu'elles et ils vont organiser un centre où exposer toutes les suites reproduites et créées en salle de classe ainsi que des objets sur lesquels on trouve des suites.

▸ Suggérer aux élèves de transformer le centre de la maison ou le centre de mathématiques en château ou en jardin où exposer les suites.

▸ Dire aux élèves qu'au cours de la période des centres d'apprentissage une équipe pourrait commencer à préparer le centre et à le décorer.

▸ Demander aux élèves de faire part de leurs idées pour que le centre ressemble à un château ou à un jardin.

▸ Pendant la période des centres d'apprentissage, aider les élèves à organiser le **Château des suites** ou le **Jardin des mille et une suites**. Y mettre l'affiche de photos préparée à l'activité 2. Fournir le matériel requis pour transformer le centre.

▸ Dire aux élèves que vous avez écrit une lettre à leurs parents leur demandant de les aider à trouver, dans leur maison, des objets à exposer dans le centre du château ou du jardin.

▸ Remettre à chaque élève la lettre aux parents.

Étape 2

> Note : L'étape 2 de cette activité se poursuivra pendant plusieurs jours, le temps de recevoir divers objets de la maison.

▸ Au fur et à mesure que les élèves apportent des objets de la maison, les ajouter dans le centre.

▸ Permettre aux élèves de présenter les objets de la maison au cours des rassemblements.

▸ Poser des questions aux élèves en vue de les amener à décrire certains attributs d'objets tels que la couleur, la taille ou la forme et de leur permettre d'utiliser les termes relatifs à la description des régularités et à la position des objets dans le rang.
Voici des exemples de questions :
- Qu'est-ce qui se répète toujours?
- Qu'est-ce qui vient après? avant?
- Pourquoi dis-tu que cette suite ressemble à celle-ci? qu'elle diffère de celle-ci?

Étape 3

> Note : Réaliser l'étape 3 à la toute fin de ce module, comme synthèse.

▸ Au cours de la journée porte ouverte, grouper les élèves en équipes de deux pour qu'elles et ils puissent montrer les suites aux invités et les décrire.

Variantes

1. Construire un trottoir ou un sentier comprenant une suite, qui se rend au **Château des suites** ou au **Jardin des mille et une suites**.

2. Prendre des photos au cours de la journée porte ouverte et en faire un livre à exposer au centre de lecture.

Lettre aux parents *(maternelle)*

Au château des suites

Chers parents,

Au cours des prochaines semaines, votre enfant réalisera des activités de mathématiques lui permettant de reconnaître des régularités sur des objets et de trouver des suites dans son environnement. Elle ou il aura la chance de reproduire, de prolonger et de créer des suites à motif répété. Nous en profiterons pour exposer, dans le **Château des suites**, les suites trouvées ou créées.

À cet effet, les élèves sont à la recherche d'objets, d'illustrations, de photos, de livres, de tissus, de papiers peints, de bijoux, de vêtements, de cadres, etc. qui présentent des suites. Pourriez-vous aider votre enfant à trouver de tels objets? Veuillez l'encourager à regarder un peu partout dans la maison dans le but de trouver des suites.

Tous les objets seront exposés quelques semaines, puis retournés à la maison. On vous demande d'écrire le nom de votre enfant sur chaque objet envoyé à l'école.

Il y aura une journée porte ouverte le _____ de _____ à _____ pour vous permettre, à vous ou aux grands-parents de votre enfant, de visiter le **Château des suites**. Vous êtes les bienvenus!

J'aimerais vous remercier de votre collaboration habituelle et vous souhaiter beaucoup de plaisir à faire cette activité avec votre enfant.

Au plaisir,

_____

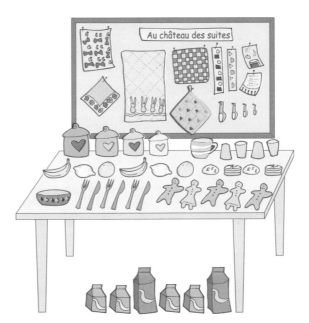

Lettre aux parents (jardin)

Au jardin des mille et une suites

Chers parents,

Au cours des prochaines semaines, votre enfant réalisera des activités de mathématiques lui permettant de reconnaître des régularités sur des objets et de trouver des suites dans son environnement. Elle ou il aura la chance de reproduire, de prolonger et de créer des suites à motif répété. Nous en profiterons pour exposer, dans le **Jardin des mille et une suites**, les suites trouvées ou créées.

À cet effet, les élèves sont à la recherche d'objets, d'illustrations, de photos, de livres, de tissus, de papiers peints, de bijoux, de vêtements, de cadres, etc. qui présentent des suites. Pourriez-vous aider votre enfant à trouver de tels objets? Veuillez l'encourager à regarder un peu partout dans la maison dans le but de trouver des suites.

Tous les objets seront exposés quelques semaines, puis retournés à la maison. On vous demande d'écrire le nom de votre enfant sur chaque objet envoyé à l'école.

Il y aura une journée porte ouverte le _____ de _____ à _____ pour vous permettre, à vous ou aux grands-parents de votre enfant, de visiter le **Jardin des mille et une suites**. Vous êtes les bienvenus!

J'aimerais vous remercier de votre collaboration habituelle et vous souhaiter beaucoup de plaisir à faire cette activité avec votre enfant.

Au plaisir,

_____

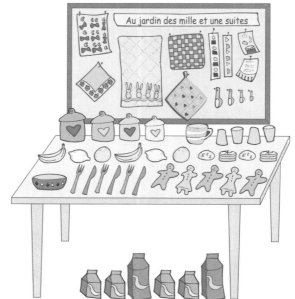

Des chenilles bien différentes
(maternelle/jardin)

X	en groupe-classe		en équipe	X	individuelle

> Au cours de cette activité, l'élève compare deux chenilles. Ensuite, elle ou il crée deux chenilles et les classifie.

Pistes d'observation

L'élève :

- observe et décrit certains attributs d'objets ou d'ensembles d'objets tels que la couleur, la taille, la forme, la texture;
- reproduit, prolonge et crée des suites non numériques à motif répété à l'aide d'objets;
- identifie des régularités.

Matériel requis

✓ deux lacets
✓ perles de bois à enfiler
✓ cubes emboîtables (une centaine par équipe de quatre)

Avant la présentation de l'activité

- fabriquer une chenille multicolore en enfilant, sans ordre précis, des perles de bois de la même forme sur un lacet;
- préparer une autre chenille en enfilant des perles de bois de la même forme sur un lacet en s'assurant d'y retrouver une suite, telles une perle violette, une perle blanche, une perle violette, une perle blanche…;
- mettre les deux chenilles dans l'aire de rassemblement;
- y mettre également un contenant rempli de perles en vue de poursuivre la suite de la seconde chenille.

Déroulement

> Notes : Avant de présenter cette activité, s'assurer que les élèves ont eu la chance de manipuler les perles à enfiler et d'utiliser les perles et les lacets pour créer des colliers, des bracelets, des chenilles, des serpents, etc.
>
> Cette activité se prête bien aux élèves de la maternelle; toutefois, elle peut aussi s'adresser aux élèves du jardin, surtout en début d'année scolaire.

Étape 1

▸ Inviter les élèves à venir s'asseoir dans l'aire de rassemblement.

▸ Présenter la mise en situation suivante.
  J'ai deux chenilles devant moi. Regarde-les bien, car je vais te poser des questions à leur sujet.

▸ Prendre, dans vos mains, la chenille sans motif répété et poser la question suivante : « Que remarques-tu à propos de cette chenille? »
  Voici des exemples de réponses possibles :

  ⬥ Je vois des perles de couleur différente. Il y a deux perles rouges, deux perles jaunes, une perle bleue, une perle verte, une perle blanche et une perle violette.

  ⬥ Les perles sont en forme de cubes.

  ⬥ Il y a huit perles.

  ⬥ La chenille est faite de perles en forme de carrés. Il n'y a pas de perles en forme de cercles.

▸ Prendre, dans vos mains, la chenille à motif répété et poser la question suivante : « Que remarques-tu à propos de cette chenille? »
  Voici des exemples de réponses possibles :

  ⬥ Je vois une chenille qui est faite de perles de couleur différente, soit des violettes et des blanches.

  ⬥ Je vois une chenille construite à l'aide de perles en forme de cubes.

  ⬥ Il y a une perle violette, une perle blanche, une perle violette, une perle blanche, une perle violette, une perle blanche…

  ⬥ Il y a huit perles.

▸ Mettre les deux chenilles l'une à côté de l'autre et poser aux élèves les questions suivantes.

  • Si l'on compare les deux chenilles, qu'est-ce qu'il y a de semblable?
    Voici des exemples de réponses possibles :

    ⬥ Les deux chenilles sont composées de huit perles.

    ⬥ Elles sont faites à l'aide de perles en forme de cubes.

    ⬥ Elles sont de la même longueur.

  • Qu'est-ce qu'il y a de différent?
    Voici des exemples de réponses possibles :

    ⬥ La première chenille est faite à l'aide de perles de couleur différente.

    ⬥ La seconde chenille est faite à l'aide de perles violettes et de perles blanches seulement.

    ⬥ La seconde chenille a une perle violette, une perle blanche, une perle violette… Les perles sont mises en ordre.

    ⬥ La première chenille n'a pas de perles de couleur qui sont mises en ordre : les couleurs sont toutes mêlées.

▸ Faire ressortir :

  • que la première chenille a des perles de couleur différente qui ne suivent pas un ordre en particulier; on ne voit pas de couleurs ou de formes qui se répètent selon un ordre précis;

  • que la seconde chenille est composée de perles qui sont mises dans un ordre bien défini; il y a toujours une perle violette et une perle blanche qui se suivent.

▸ Poser aux élèves les questions suivantes : « Si je veux que ma seconde chenille soit un peu plus longue, quelle perle dois-je mettre après la blanche? après la violette? Pourquoi? »

▸ Prolonger la seconde chenille au fur et à mesure que les élèves nomment la couleur des perles.

Étape 2

▸ Expliquer aux élèves qu'elles et ils vont construire des chenilles à l'aide de cubes emboîtables.

▸ Donner les consignes suivantes :
  • Tu construis deux chenilles d'au moins 10 cubes chacune.
  • Une des chenilles doit être composée de cubes qui sont placés selon un certain ordre (régularité) et l'autre chenille peut être composée de cubes tout en désordre ou disposés selon un certain ordre.

▸ Grouper les élèves en équipes de quatre.

▸ Remettre à chaque équipe des cubes emboîtables.

▸ Donner aux élèves le temps requis pour fabriquer leurs chenilles.

▸ Circuler dans la salle de classe et observer les élèves. Leur poser des questions en vue de les amener à décrire leurs chenilles et de leur permettre d'utiliser les termes relatifs à la description des régularités et à la position des objets dans le rang.
  Voici des exemples de questions :
  • Que vas-tu faire? Comment vas-tu t'y prendre?
  • Quelles couleurs utilises-tu pour construire ta chenille?
  • Quelle couleur se répète toujours?
  • Dans quel ordre sont mis tes cubes?
  • Pourquoi dis-tu que le cube vert va après le cube rouge?
  • Quel cube vient après? avant? Comment le sais-tu?
  • Pourquoi dis-tu que ce n'est pas ce cube qui vient après celui-ci?
  • Y a-t-il une autre façon de fabriquer une chenille à l'aide de ces cubes?

▸ Lorsque les élèves ont terminé la fabrication de leurs chenilles, leur dire de prendre leurs chenilles et les inviter à venir s'asseoir en cercle dans l'aire de rassemblement pour faire l'échange mathématique.

▸ Demander aux élèves de déposer leurs chenilles par terre.

▸ Dire aux élèves de regarder toutes les chenilles et leur demander de les décrire.

▸ Suggérer aux élèves de classifier les chenilles en deux groupes : les chenilles qui ont été construites sans ordre précis et les autres qui ont été construites selon un ordre précis.

▸ Donner aux élèves le temps de classifier les chenilles.

▸ Dire aux élèves de regarder les deux groupes de chenilles et faire ressortir :
  • que les chenilles du premier groupe sont construites sans ordre précis;
  • que, si l'on veut prolonger la chenille, on met des cubes selon les couleurs de son choix;
  • que les chenilles du second groupe sont construites selon un ordre précis; par exemple, jaune, vert, jaune, vert…; jaune, jaune, bleu, jaune, jaune, bleu…;
  • que, si l'on veut prolonger la chenille, on doit placer les cubes en s'assurant de respecter le même ordre de couleurs.

Variantes

1. Au centre de mathématiques, inviter les élèves à fabriquer d'autres chenilles à l'aide de matériel de manipulation varié (p. ex., mosaïques géométriques, carreaux de couleur, pièces de monnaie, trombones, tampons en caoutchouc avec tampon encreur, macaronis de couleur, autocollants, attaches de sacs à pain).

2. Chaque jour, afficher, au tableau, une chenille différente et demander aux élèves de la reproduire et de la prolonger pendant la période des centres d'apprentissage.

3. Chaque mois, faire une suite différente sur le calendrier (voir la section **Routines** qui traite des domaines Numération et sens du nombre, Mesure et Traitement des données).

Et puis après? (maternelle/jardin)

| X | en groupe-classe | X | en équipe | | individuelle |

Au cours de cette activité, l'élève décrit et prolonge des suites non numérique à motif répété telles que celles présentées dans le livre *Qu'est-ce qui vient après?*. Elle ou il prend part au jeu *Et puis après?* dont le but est de créer une suite d'objets que prolongera sa ou son partenaire.

Pistes d'observation

L'élève :

– prolonge et crée des suites non numériques à motif répété à l'aide de matériel concret et semi-concret;

– utilise les termes *avant* et *après* pour décrire des régularités, et les nombres ordinaux de 1 à 5 pour préciser une position dans le rang.

Matériel requis

✓ livre *Qu'est-ce qui vient après?* d'Adria Klein (texte) et de Johanne Tremblay (traduction), coll. Chenelière Mathématiques, Montréal, Éditions de la Chenelière, 2003
ou
livre présentant des suites logiques

✓ sacs de plastique

✓ blocs logiques

✓ mosaïques géométriques

✓ rouleau de ruban adhésif transparent

✓ 4 contenants de matériel de manipulation (p. ex., jetons, boutons, macaronis de couleur, petites voitures)

✓ 12 verres en styromousse

✓ feuilles **Napperon de la chenille géante**

Avant la présentation de l'activité

– fabriquer quatre chenilles géantes :

  • faire quatre copies de la première et de la troisième page des feuilles **Napperon de la chenille géante**, et huit copies de la deuxième page;

  • découper le contour de chaque partie des chenilles;

  • coller bout à bout les quatre parties de chaque chenille tel qu'il est indiqué ci-dessous en vue de former quatre napperons;

– plastifier les chenilles;

– mettre 10 triangles et 10 cercles dans un sac.

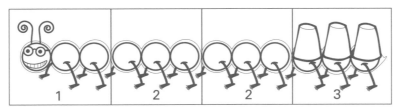

Déroulement

Étape 1

▸ Inviter les élèves à venir s'asseoir dans l'aire de rassemblement.

▸ Pour permettre aux élèves d'anticiper le sujet du livre, leur montrer la page couverture du livre *Qu'est-ce qui vient après?* et leur demander de regarder les illustrations.

▸ Écouter les commentaires des élèves.

▸ Lire le livre aux élèves et discuter des suites au fur et à mesure.

▸ Remettre à chaque élève un sac de mosaïques géométriques.

▸ Dire aux élèves d'utiliser ces mosaïques pour créer une suite.

▸ Donner aux élèves le temps requis pour créer leur suite.

▸ Lorsque les élèves ont terminé, leur demander de regarder les suites qu'ont créées les autres. Leur poser des questions en vue de leur permettre de prendre conscience qu'il y a plusieurs façons de créer des suites en utilisant les mêmes formes.
Voici des exemples de questions :
  • Vincent, de quelle façon peux-tu décrire ta suite?
  • Qui a créé la même suite que Vincent?
  • Pourquoi dis-tu que c'est pareil?
  • Qui a fait une suite différente de celle de Vincent?
  • Pourquoi dis-tu que c'est différent?
  • Quelle mosaïque dois-tu mettre pour prolonger cette suite? Pourquoi?

Étape 2

> Note : À la suite de la présentation du jeu, cette étape de l'activité sera réalisée en centres d'apprentissage.

▸ Inviter les élèves à venir s'asseoir dans l'aire de rassemblement.

▸ Dire aux élèves qu'en équipes de deux elles et ils vont jouer au jeu *Et puis après?*.

▸ Mettre par terre, à la vue des élèves, la chenille géante, le sac contenant des triangles et des cercles ainsi que trois verres en styromousse.

▸ Présenter le jeu aux élèves en le simulant au fur et à mesure.
Tu dois :
  • former une suite sur la chenille géante en déposant un objet (p. ex., un bloc logique) sur chacun des cercles, en commençant par la tête de la chenille;
  • cacher les objets sur les trois derniers cercles à l'aide des verres en styromousse;
  • dire à ta ou à ton partenaire de nommer les objets cachés sous chacun des verres;

- donner des indices à ta ou à ton partenaire;
- enlever les verres au fur et à mesure qu'est nommé le bon objet.

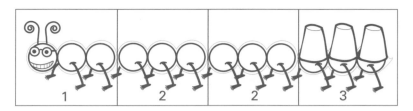

Note : En ce qui concerne les élèves de la maternelle ou les élèves qui montrent de la difficulté, leur remettre un sac ne comprenant que deux ou trois types d'objets.

▸ Jouer au jeu avec les élèves à quelques reprises, en suivant la démarche décrite précédemment.

▸ Poser aux élèves des questions leur permettant de décrire la suite et d'expliquer leurs stratégies en vue de la prolonger.
Voici des exemples de questions :
- Peux-tu décrire la suite?
- Y a-t-il une autre façon de lire la suite?
- Quelle forme vient toujours après le cercle?
- Quelle forme vient toujours après le premier triangle?
- Que peux-tu faire pour deviner ce qui vient après le cercle?
- Pourquoi dis-tu que le triangle est la forme suivante? Comment le sais-tu?
- Quelle sera la dernière forme de la suite?

▸ Dire aux élèves qu'elles et ils auront la chance de jouer en équipes de deux au cours de la période des centres d'apprentissage.

▸ Mettre les 4 chenilles, les 4 contenants de matériel de manipulation ainsi que les 12 verres en styromousse au centre de mathématiques pour permettre à deux équipes de deux de jouer.

▸ Au cours de la période des centres d'apprentissage, allouer aux deux équipes le temps requis pour leur permettre de jouer. Chaque élève crée sa suite en cachant les trois derniers cercles de la chenille à l'aide des verres, puis doit nommer les objets qu'a cachés sa ou son partenaire.

▸ Observer les élèves et intervenir, au besoin. Leur poser des questions semblables à celles proposées précédemment.

▸ À la fin de la journée ou de la semaine, inviter les élèves à venir s'asseoir dans l'aire de rassemblement pour faire l'échange mathématique. Leur poser des questions leur permettant d'expliquer les stratégies utilisées en vue de prolonger les suites.
Voici des exemples de questions :
- Comment as-tu réussi à prolonger la suite?
- Est-il est possible de décrire une suite d'une façon différente de celle de ta ou de ton partenaire?
- As-tu eu de la difficulté à prolonger certaines suites? Pourquoi? Qu'as-tu fait?
- Comment as-tu aidé ta ou ton partenaire à prolonger la suite?

▸ Faire ressortir :
- que, pour connaître le prochain objet à ajouter, on doit lire la suite;
- que, pour créer une suite, on doit mettre les objets dans un ordre précis;
- que, pour prolonger la suite, on doit l'observer attentivement.

Variantes

1. Au lieu de cacher les trois derniers objets à l'aide des verres en styromousse, laisser les trois derniers cercles vides et demander au partenaire de prolonger la suite en utilisant les objets.

2. Demander aux élèves de laisser des traces de leurs suites : en dessinant des objets, en utilisant des éponges de différentes formes, en utilisant des autocollants, etc.

3. Mettre les trois verres par-dessus trois objets de la suite, peu importe sa position dans la suite, et demander à sa ou à son partenaire de nommer les objets cachés.

4. Augmenter le nombre d'objets cachés.

5. Demander à sa ou à son partenaire de reproduire la suite avant de nommer les objets cachés sous les verres pour prolonger la suite.

6. Demander aux élèves de créer différentes suites à l'aide des mosaïques géométriques. Prendre des photos des suites et les utiliser pour fabriquer un livre à structure répétée semblable au livre *Qu'est-ce qui vient après?*.

7. Créer des suites en utilisant des autocollants sur des plus petites chenilles (voir la feuille **Napperon des petites chenilles**). Les afficher au tableau et amener les élèves à les comparer et à voir les ressemblances et les différences.

8. Chaque mois, créer avec les élèves des suites différentes selon les thèmes à l'étude.

Napperon de la chenille géante

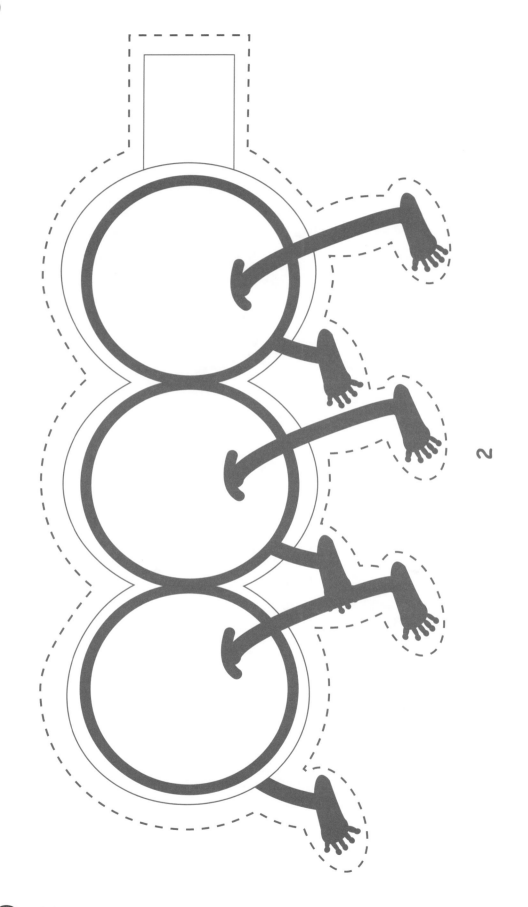

2

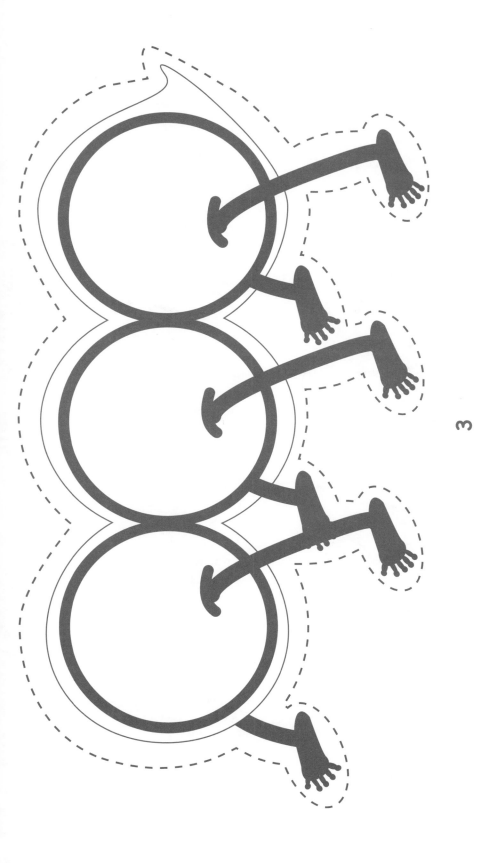

3

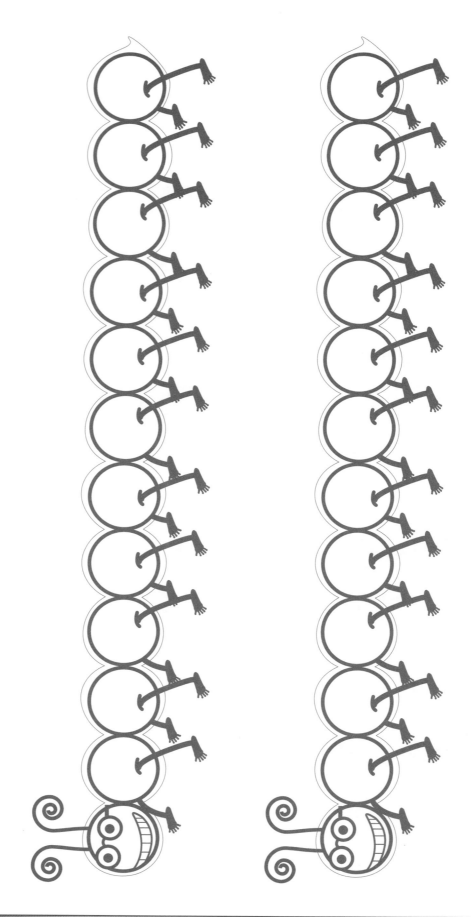

Napperon des petites chenilles
(à agrandir, au besoin)

De bien jolis trains! (jardin)

X en groupe-classe   X en équipe   ☐ individuelle

> Au cours de cette activité, l'élève prend part au jeu *De bien jolis trains!* dont le but est de composer et de décomposer, en utilisant des cubes emboîtables, un train comprenant une suite de wagons.

Pistes d'observation

L'élève :

– prolonge et crée des suites non numériques à motif répété à l'aide de matériel concret et semi-concret;

– utilise les termes *avant* et *après* pour décrire des régularités, et les nombres ordinaux de 1 à 5 pour préciser une position dans le rang.

Matériel requis

✓ sacs de plastique

✓ cubes emboîtables Unifix

✓ cubes de bois

Avant la présentation de l'activité

– préparer, pour chaque équipe de deux, les trousses de la façon suivante :

– écrire, sur les faces d'un cube de bois, les chiffres 1, 1, 2, 2, 3 et 3 ou représenter les nombres au moyen de points;

Ex. :

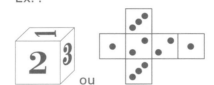

ou

– prendre 12 cubes emboîtables de quatre couleurs différentes en vue d'obtenir 48 cubes et les mettre dans un sac en plastique avec le dé.

Déroulement

Étape 1

▸ Inviter les élèves à venir s'asseoir dans l'aire de rassemblement.

▸ Poser aux élèves la question suivante : « Qui a déjà voyagé en train? »

▸ Écouter les réponses des élèves.

▸ Dire aux élèves que vous allez construire des wagons à l'aide de cubes pour jouer à un jeu.

▸ Vider un des sacs de cubes devant les élèves et construire les wagons de la façon suivante :

bleu vert   bleu vert   bleu vert

▸ Présenter aux élèves le jeu *De bien jolis trains!*.

- On joue en équipes de deux.
- Pour jouer, chaque équipe a besoin d'un sac de cubes emboîtables et d'un dé (montrer aux élèves le matériel requis).
  Chaque partenaire :
  ✦ choisit deux couleurs de cubes (p. ex., les bleus et les verts);
  ✦ construit un premier wagon en mettant un cube bleu, puis un cube vert;
  ✦ construit des wagons semblables au premier en utilisant le reste des cubes pour obtenir 12 wagons en tout.
- Une fois la construction des wagons terminée, on peut commencer à jouer.
- Chaque élève attend son tour pour lancer le dé dans le but de connaître le nombre de wagons qu'elle ou il peut emboîter pour construire son train; par exemple, si tu obtiens le nombre 2, tu dois emboîter deux wagons.
  Ex. :

bleu vert bleu vert

- La première joueuse ou le premier joueur à emboîter 12 wagons gagne le jeu.

▸ Choisir deux élèves pour simuler le jeu. Leur poser des questions leur permettant de décrire la suite et d'utiliser le vocabulaire relatif à la description des régularités et à la position dans le rang. Voici des exemples de questions :

- Quelle couleur vient toujours après le bleu?
- Quelle couleur vient toujours avant le bleu?
- Que peux-tu faire pour deviner ce qui vient après le cube vert?
- Pourquoi dis-tu que les cubes ne sont pas bien placés dans le train?
- Quelle sera la dernière couleur de la suite?
- Combien de fois le motif **bleu et vert** se répète-t-il dans ton train?

▸ Grouper les élèves en équipes de deux.

▸ Remettre une trousse de jeu à chaque équipe.

▸ Donner aux élèves le temps requis pour jouer au jeu à quelques reprises.

▸ Observer les élèves et intervenir, au besoin, en leur posant des questions semblables à celles proposées précédemment.

▸ Lorsque vient le temps de ranger, dire aux équipes de ranger chaque train (les 12 wagons assemblés) et le dé dans le sac de plastique.

Note : Il est possible de poursuivre l'activité avec deux équipes au cours de la période des centres d'apprentissage.

Étape 2

▸ Dire aux élèves qu'elles et ils vont pouvoir jouer de nouveau au jeu *De bien jolis trains!*, mais d'une façon différente.

▸ Prendre un train déjà terminé qui comprend 12 wagons. Expliquer aux élèves cette seconde partie du jeu de la façon suivante :

- Voici un des trains qui a été construit précédemment.

- Cette fois-ci, la première joueuse ou le premier joueur lance le dé et défait le train en enlevant le nombre de wagons indiqué sur le dé; par exemple, si tu obtiens le nombre 3, tu dois enlever trois wagons.

- La première ou le premier qui finit de détacher ses 12 wagons gagne la partie.

▸ Choisir deux élèves pour simuler le jeu. Leur poser des questions semblables à celles proposées à l'étape 1 en vue de leur permettre de décrire la suite et d'utiliser le vocabulaire relatif à la description des régularités.

▸ Grouper les élèves en équipes de deux.

▸ Remettre une trousse de jeu à chaque équipe.

▸ Donner aux élèves le temps requis pour jouer au jeu à quelques reprises.

▸ Observer les élèves et intervenir, au besoin, en leur posant des questions semblables à celles proposées précédemment.

Variante

Construire un train comprenant un motif répété de trois couleurs ou plus.

Des sentiers en mouvement (maternelle/jardin)

X	en groupe-classe	X	en équipe	X	individuelle

> Au cours de cette activité, l'élève représente une suite de mouvements, la reproduit et la prolonge.

Piste d'observation

L'élève :

– reproduit, prolonge et crée des suites non numériques à motif répété à l'aide de gestes, de sons et de matériel concret et semi-concret.

Matériel requis

✓ cédérom *Au jardin de Math et Mathique… un peu, beaucoup, à la folie!*

✓ lecteur de disques compacts

✓ grands carrés de carton (30 cm × 30 cm chacun) (12 par équipe de deux)

✓ rouleaux de ruban-cache (un par équipe de deux)

✓ sacs de plastique

✓ cartons grand format (environ 56 cm × 70 cm)

✓ bâtons de colle (un par élève)

✓ feuille de la comptine *Gâteau, cadeau* (voir la section **Banque de chansons et de comptines** des domaines Numération et sens du nombre, Mesure et Traitement de données)

✓ feuille de la comptine *Pique, Pique* (voir la section **Banque de chansons et de comptines** des domaines Numération et sens du nombre, Mesure et Traitement de données)

✓ feuille **Petits carrés**

Avant la présentation de l'étape 1

– faire une photocopie par élève de la feuille de la comptine *Gâteau, cadeau* (maternelle) ou de la feuille de la comptine *Pique, Pique* (jardin).

Avant la présentation de l'étape 2

– photocopier la feuille **Petits carrés** sur du carton ou des feuilles de couleur en quantité suffisante pour obtenir 30 carrés de la même couleur par élève; découper les carrés et les mettre dans des sacs (un sac par élève);

– préparer, pour chaque élève, une bande de carton de 12 cm × 56 cm d'une couleur différente de celle des petits carrés.

> Note : Réaliser cette activité au gymnase ou dans un très grand local, s'il y a lieu, pour créer un sentier.

Déroulement

Étape 1 – Maternelle/Jardin

▸ Inviter les élèves à venir s'asseoir dans l'aire de rassemblement.

▸ Présenter la comptine *Gâteau, cadeau* (maternelle) ou la comptine *Pique, Pique* (jardin) en la récitant ou en faisant jouer le cédérom.

▸ Dire aux élèves de bien observer les mouvements que vous ferez en présentant la comptine.

▸ En suivant le rythme de la comptine, mettre les pieds côte à côte et faire un saut vers l'avant en éloignant les pieds l'un de l'autre. Sauter de nouveau vers l'avant et remettre les pieds côte à côte.

▸ Répéter la suite des mouvements jusqu'à la fin de la comptine.

▸ Poser aux élèves la question suivante : « Qu'as-tu remarqué quant aux mouvements que j'ai faits? » Voici un exemple de réponse possible :
Tu as sauté en mettant les deux pieds ensemble, puis tu as sauté de nouveau, mais en éloignant les pieds.

▸ Demander à un ou à une élève de reproduire les mouvements.

▸ Demander aux élèves s'il y a des mots que l'on peut dire pour s'aider à se souvenir de faire les sauts de la bonne façon.

▸ Écouter leurs suggestions.
En voici quelques-unes :
   ◆ ...ensemble, séparés...
   ◆ ...saute près, saute loin...
   ◆ ...collés, pas collés...

▸ Dire aux élèves de se lever et de former cinq ou six rangs. Leur dire aussi de faire les sauts au son de la musique.

▸ Faire jouer le cédérom de la comptine et faire les sauts avec les élèves.

▸ Observer les élèves et les aider, au besoin.

▸ À la fin de la comptine, dire aux élèves de s'asseoir.

▸ Expliquer aux élèves que vous allez construire un sentier à l'aide des carrés de carton.

▸ Placer les carrés de la façon ci-contre :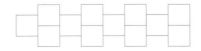

▸ Poser aux élèves les questions suivantes.

- À quoi ce sentier te fait-il penser?
  Voici des exemples de réponses possibles :
  - On dirait que ce sont des blocs de trottoir.
  - Ça ressemble au jeu de marelle qu'il y a dans la cour d'école!
  - On dirait une suite de carrés : un carré, deux carrés, un carré, deux carrés…

- De quelle façon peux-tu te déplacer sur ce sentier? Montre-le et décris ce que tu fais.
  Voici des exemples de réponses possibles :
  - Je peux sauter sur un pied, sur deux pieds…
  - Je peux sauter les pieds joints, les pieds éloignés…
  - Je peux sauter et dire en même temps « …sur un pied, sur deux pieds… ».

▸ Grouper les élèves en équipes de deux.

▸ Remettre à chaque équipe un ensemble de 12 grands carrés et un rouleau de ruban-cache.

▸ Dire aux élèves de créer une suite de mouvements et de les représenter en formant un sentier à l'aide des carrés.

▸ Dire aux élèves d'utiliser le ruban-cache pour coller les carrés les uns aux autres et les empêcher de glisser sur le sol.

▸ Donner aux élèves le temps requis pour trouver les mouvements et construire leur sentier.
  Voici des exemples de sentiers possibles :

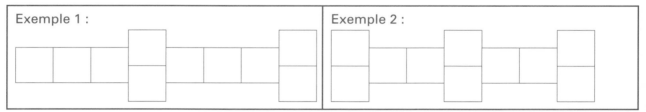

Exemple 1 :

Exemple 2 :

▸ Circuler parmi les élèves, les observer et les aider, au besoin. Leur poser des questions leur permettant d'utiliser les termes relatifs à la description des régularités.
  Voici des exemples de questions :
  - Quels mouvements répètes-tu?
  - Comment peux-tu utiliser les carrés pour représenter tes mouvements?
  - Qu'est-ce qui vient après ce carré? avant?
  - Qu'est-ce qui vient après ces deux carrés? avant?
  - Peux-tu montrer les mouvements qui représentent ta suite de carrés?

▸ Lorsque les élèves ont terminé la création de leur sentier, les inviter à circuler dans la salle de classe et à regarder les différents sentiers.

▸ Demander à quelques élèves de présenter leur sentier et leur façon de se déplacer.

▸ Faire ressortir les différences et les ressemblances quant aux sentiers et aux mouvements des différentes équipes.

▸ Demander aux élèves d'écrire leur nom sur leur sentier. Les ranger pour la prochaine étape.

▸ Insérer la feuille de la comptine *Gâteau, cadeau* (maternelle) ou la feuille de la comptine *Pique, Pique* (jardin) dans le cahier de chansons et de comptines de chaque élève.

Étape 2 – Jardin

‣ Inviter les élèves à venir s'asseoir dans l'aire de rassemblement.

‣ Mettre, sur le plancher, un des sentiers qu'a créé une équipe et lui demander de présenter sa suite de mouvements en se déplaçant sur le sentier.

‣ Poser aux élèves la question suivante : « Pourquoi dis-tu que ton sentier est une suite? »
Voici des exemples de réponses possibles :
   ◆ Il y a deux mouvements qui se répètent toujours.
   ◆ On fait les mêmes mouvements plusieurs fois.

‣ Remettre à chaque équipe le sentier qu'elle a créé à l'étape 1.

‣ Remettre à chaque élève une bande de carton, un sac de petits carrés et un bâton de colle.

‣ Dire aux élèves de reproduire leur sentier sur la bande de carton à l'aide des petits carrés.

‣ Faire un exemple avec les élèves.

‣ Donner aux élèves le temps requis pour créer leur sentier.

‣ Circuler dans la salle de classe, observer les élèves et les aider, au besoin.

‣ Poser aux élèves des questions leur permettant de décrire la suite de carrés et de mouvements.
Voici des exemples de questions :
   • Combien de carrés dois-tu coller après celui-ci? Pourquoi?
   • Peux-tu faire la suite de mouvements?
   • Dans quel ordre dois-tu mettre tes carrés?
   • Comment peux-tu décrire la suite?

‣ Terminer l'activité en faisant l'échange mathématique. Poser aux élèves des questions leur permettant d'utiliser les termes liés au domaine de la modélisation.
Voici des exemples de questions :
   • En quoi ces deux sentiers sont-ils semblables? En quoi sont-ils différents? Pourquoi?
   • Ce sentier représente-t-il la suite de mouvements? Pourquoi?

Variantes

1. Mettre, dans le centre de mathématiques, quelques suites miniatures qu'ont créées les élèves. Au cours de la période des centres d'apprentissage, dire aux élèves de reproduire ces suites à l'aide des carrés géants et d'inventer une suite de gestes représentant la suite miniature.

2. Inviter les élèves à jouer au jeu de la marelle.

3. Inventer des règles de jeu semblables à celles du jeu de la marelle et jouer avec un des sentiers qu'ont créés les élèves.

Petits carrés

Un cadre bien spécial (maternelle/jardin)

[X] en groupe-classe   [ ] en équipe   [X] individuelle

Au cours de cette activité, l'élève fabrique une chenille qui tourne les coins en prolongeant une suite sur le contour d'une feuille quadrillée. Elle ou il décore le contour d'un cadre en réalisant une suite au moyen de matériel varié.

Note : Si cette activité s'adresse à des élèves de la maternelle, il serait préférable de la réaliser en plusieurs étapes ou en petits groupes au cours de la période des centres d'apprentissage.

Pistes d'observation

L'élève :

- reproduit, prolonge et crée des suites non numériques à motif répété à l'aide de matériel concret et semi-concret;
- utilise les termes *avant* et *après* pour décrire des régularités, et les nombres ordinaux de 1 à 5 pour préciser une position dans le rang.

Matériel requis

- ✓ tableau à pochettes transparentes vides de 1 à 100
- ✓ 20 cercles de carton d'une couleur (qui entrent dans les pochettes vides)
- ✓ 20 carrés d'une couleur différente des cercles (qui entrent dans les pochettes vides)
- ✓ matériel de manipulation (p. ex., jetons, macaroni de couleur, autocollants)
- ✓ sacs de plastique (deux par élève)
- ✓ matériel de bricolage varié (p. ex., autocollants, tampons en caoutchouc avec tampon encreur, poinçons de formes diverses, petites formes en carton)
- ✓ cartons ou feuilles de différentes couleurs
- ✓ bâtons de colle
- ✓ crayons-feutres
- ✓ ciseaux
- ✓ ruban-cache
- ✓ feuille **La chenille qui tourne les coins**
- ✓ feuille **Un cadre à décorer**

Avant la présentation de l'activité

- reproduire la suite ci-dessous sur la première rangée du tableau à pochettes transparentes :

- préparer, pour chaque élève, un sac contenant de petits objets de manipulation;
- photocopier la feuille **La chenille qui tourne les coins** et l'agrandir, au besoin (une copie par élève);
- photocopier la feuille **Un cadre à décorer** sur des cartons de différentes couleurs (un carton par élève);
- s'assurer d'avoir le matériel de bricolage requis pour décorer les cadres.

Déroulement

Étape 1

▸ Inviter les élèves à venir s'asseoir dans l'aire de rassemblement.

▸ Montrer aux élèves le tableau à pochettes transparentes sur lequel sont affichées des formes représentant une chenille semblable à celle qu'elles et ils ont déjà créées. Leur demander de la décrire.
Voici des exemples de réponses possibles :

  ♦ Tu as fait une chenille à l'aide des cercles et des carrés. Je vois un cercle, un carré, un cercle, un carré, un cercle, un carré…

  ♦ Je vois du blanc, du mauve, du blanc, du mauve, du blanc, du mauve…

▸ Poser aux élèves les questions suivantes.

  • Qu'est-ce qui est toujours répété?
    On répète toujours les mots *cercle* et *carré*.

  • Comment puis-je prolonger la suite pour faire le tour du tableau? (Faire le tour de la bordure en utilisant son doigt.)
    Tu peux mettre un cercle sous le carré, un carré sous le cercle…

  • Que peux-tu faire pour deviner ce qui vient après?
    Voici des exemples de réponses possibles :

    ♦ Je peux dire les mots *cercle, carré, cercle, carré*…

    ♦ Je peux dire les mots *blanc, mauve, blanc, mauve*…

  • Si je saute trois cases (compter les cases à l'aide de son doigt et les montrer), quelle forme devrais-je mettre dans cette case?
    Tu dois mettre un carré, car il y a toujours un carré après un cercle.

▸ Procéder de cette façon jusqu'à ce que le contour du tableau soit rempli et poser la question suivante : « Comment puis-je vérifier si je ne me suis pas trompé? »
Voici des exemples de réponses possibles :

    ♦ Tu peux lire la suite en disant les mots *cercle, carré, cercle, carré*…

    ♦ Tu peux nommer les couleurs : blanc, mauve, blanc, mauve…

Note : Selon la force de votre groupe-classe, il est possible de créer une suite différente de celle qui est proposée (p. ex., au lieu de créer la suite A-B, créer une suite A-B-C, A-A-B, A-B-B ou A-A-B-B).

Exemple d'une suite A-B-C :

▸ Dire aux élèves qu'elles et ils vous ont aidé à faire une chenille qui peut tourner les coins.

▸ Dire aux élèves qu'elles et ils vont maintenant construire une chenille qui tourne les coins à l'aide de petits objets et de la feuille **La chenille qui tourne les coins**.

▸ Remettre à chaque élève le matériel requis.

▸ Donner aux élèves le temps requis pour construire leur chenille.

▸ Circuler dans la salle de classe, observer les élèves et les aider, au besoin.

▸ Poser aux élèves des questions leur permettant de décrire leur chenille. Voici des exemples de questions :

- Dans quel ordre dois-tu mettre les objets?

- Qu'est-ce qui est toujours répété?

- Pourquoi dis-tu que tu dois mettre cet objet après celui-ci? avant?

- Quels mots décrivent ta chenille?

- Comment sais-tu que tu n'as pas fait d'erreur?

▸ Lorsque les élèves ont terminé, leur demander de circuler dans la salle de classe et de regarder les différentes chenilles.

▸ Au cours d'un échange mathématique, poser des questions semblables à celles proposées précédemment. En profiter pour comparer les chenilles et trouver des ressemblances et des différences.

Étape 2

> Note : Réaliser l'étape 2 à un autre moment de la journée ou de la semaine. Profiter d'une occasion spéciale pour créer des cadres à offrir en cadeau ou à utiliser comme décoration.

▸ Inviter les élèves à venir s'asseoir dans l'aire de rassemblement.

▸ Dire aux élèves qu'il serait intéressant de fabriquer des cadres servant à encadrer des dessins, des photos, etc. que l'on pourrait ensuite offrir en cadeaux ou utiliser comme décoration.

▸ Montrer aux élèves le matériel requis pour fabriquer un cadre, soit la feuille **Un cadre à décorer** et du matériel de bricolage varié.

▸ Distribuer le matériel aux élèves.

▸ Dire aux élèves de mettre des petits objets sur le contour du cadre en vue de former une suite. Préciser de ne pas coller les objets sur le cadre avant que leur suite ait été vérifiée.

> Note : En ce qui concerne les élèves de la maternelle ou des élèves ayant plus de difficultés, limiter les options d'attributs en leur demandant de créer une suite selon un attribut seulement; par exemple, en fonction de la couleur, de la forme ou de la taille.

▸ Donner aux élèves le temps requis pour fabriquer leur cadre.

▸ Circuler dans la salle de classe, observer les élèves et les aider, au besoin.

▸ Poser aux élèves des questions leur permettant de décrire leur suite.

▸ Lorsque les élèves ont terminé, les inviter à venir s'asseoir dans l'aire de rassemblement en apportant leur cadre pour faire l'échange mathématique. En profiter pour comparer les cadres et trouver des ressemblances et des différences.

Variantes

1. Créer un cadre à l'ordinateur en utilisant le logiciel *Kid Pix* ou *Lapin malin* ou tout autre logiciel semblable.

2. Varier la forme du cadre ou sa grosseur.

3. Créer une bordure pour un tableau d'affichage, selon les thèmes à l'étude.

4. Avec les élèves du jardin, créer une chenille qui se promène sur une grille.
   Exemple :

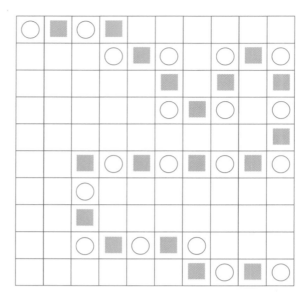

La chenille qui tourne les coins

Un cadre à décorer

Encore un autre de plus! (maternelle/jardin)

[X] en groupe-classe   [ ] en équipe   [ ] individuelle

> Au cours de cette activité, l'élève récite la comptine à structure croissante *Je vais dans mon jardin* (maternelle) ou chante la chanson *Il faut marcher* (jardin) en faisant des mouvements cumulatifs.

Pistes d'observation

L'élève :

– reproduit et prolonge des suites non numériques à l'aide d'une comptine ou d'une chanson, de gestes et de sons;

– utilise les termes *avant* et *après* pour décrire des régularités, et les nombres ordinaux de 1 à 5 pour préciser une position dans le rang.

Matériel requis

✓ cédérom *Au jardin de Math et Mathique... un peu, beaucoup, à la folie!*

✓ lecteur de disques compacts

✓ feuille de la comptine *Je vais dans mon jardin* (voir la section **Banque de chansons et de comptines**) (une copie par élève)

✓ feuille de la chanson *Il faut marcher* (voir la section **Banque de chansons et de comptines**) (une copie par élève)

Déroulement

MATERNELLE
Étape 1

▸ Inviter les élèves à venir s'asseoir dans l'aire de rassemblement.

▸ Dire aux élèves que vous connaissez une belle comptine qui s'intitule *Je vais dans mon jardin*.

▸ Demander aux élèves de nommer ce qu'il peut bien y avoir dans votre jardin.
Voici des exemples de réponses possibles :

    ✦ Il peut y avoir des tomates et des concombres.

    ✦ Il peut y avoir des lapins ou des chevreuils qui viennent manger les légumes.

▸ Dire aux élèves de bien écouter la comptine pour savoir ce qu'il y a dans votre jardin.

▸ Réciter la comptine ou la faire écouter à l'aide du cédérom *Au jardin de Math et Mathique... un peu, beaucoup, à la folie!*.

▸ Poser aux élèves les questions suivantes.

  • Qu'y a-t-il dans mon jardin?

    ✦ Il y a plein de légumes.

    ✦ Il y a des chiens, des chats, des loups et des merles.

- Quel son chaque animal fait-il?
  Le chien fait « Wouf! Wouf! Wouf », le chat fait « Miaou! Miaou! », le loup fait « Aou… Aou… » et le merle fait « Cui! Cui! Cui! Cui! Cui! ».

- Qu'est-ce qu'il y a de spécial à propos de cette comptine?
  Chaque fois que l'on récite la comptine, il y a toujours un animal qui s'ajoute. Au début, il y a des chiens, puis il y a des chats. Après, il y a des loups et, ensuite, il y a des merles. On répète toujours les bruits que font les animaux.

> Note : Si les élèves ne se rendent pas compte de la structure croissante dans la chanson, ne pas insister. Elles et ils trouveront peut-être la réponse un peu plus tard dans l'activité.

▶ Former quatre équipes : les chiens, les chats, les loups et les merles.

▶ Demander à chaque équipe d'imiter le son de l'animal qui lui a été assigné.

▶ Dire aux élèves de se lever lorsqu'elles et ils entendent pour la première fois le nom de l'animal représenté.

▶ Réciter la comptine ou la faire jouer à l'aide du cédérom *Au jardin de Math et Mathique… un peu, beaucoup, à la folie!*.

▶ Indiquer, au fur et à mesure, l'équipe qui doit se lever pour imiter le son de l'animal représenté.

Étape 2

▶ Revoir la comptine et demander aux élèves de nommer d'autres animaux que l'on pourrait ajouter à la comptine.
  Voici des exemples de réponses possibles :
  - Des canards qui font « Coin! Coin! Coin! ».
  - Des coqs qui font « Cocorico! ».

▶ Reprendre la même démarche qu'à l'étape 1 en ajoutant le son d'autres animaux qu'ont nommés les élèves.

▶ Terminer l'activité en faisant l'échange mathématique. Poser aux élèves des questions leur permettant d'utiliser les termes relatifs à la description des régularités et à la position dans le rang. Voici des exemples de questions :
  - Quel animal vient après le chien? après le chat?
  - Quels animaux font du bruit juste avant les merles? après les loups?

▶ Insérer la feuille de la comptine *Je vais dans mon jardin* dans le cahier de chansons et de comptines de chaque élève.

Variante

Reprendre la démarche, mais ajouter des mouvements à exécuter en même temps que les sons (p. ex., le chien qui branle sa queue, le merle qui bouge ses ailes).

JARDIN

▶ Inviter les élèves à venir s'asseoir dans l'aire de rassemblement.

▶ Dire aux élèves que vous connaissez une belle chanson qui s'intitule *Il faut marcher*.

▸ Demander aux élèves de garder le rythme en tapant des mains pendant qu'elles et ils écoutent la chanson.

▸ Demander aux élèves de garder le rythme en frappant d'autres parties du corps.

▸ Dire aux élèves que la chanson demande de bouger différentes parties de son corps. Or, lorsque la chanson dit, à la fin du premier couplet, « Le pied droit va commencer. », on garde le rythme en tapant du pied droit. À la fin du deuxième couplet, on continue à taper du pied droit et on tape aussi du pied gauche (marcher sur place comme un soldat). À la fin de chacun des autres couplets, on ajoute un mouvement : on bouge le bras droit (devant et derrière, comme un soldat), on bouge le bras gauche (derrière et devant) et l'on termine la suite de mouvements en ajoutant un mouvement de la tête (de bas en haut). Lorsque la musique arrête, tout le corps doit s'arrêter d'un coup.

▸ Réciter la chanson ou la faire jouer à l'aide du cédérom *Au jardin de Math et Mathique… un peu, beaucoup, à la folie!* et ajouter les mouvements au fur et à mesure que les parties du corps sont nommées dans la chanson.

▸ Poser aux élèves des questions leur permettant d'utiliser les termes relatifs à la description des régularités.
Voici des exemples de questions :

• Quel est le premier mouvement?

• Comment doit-on marcher?

• Que veut dire la phrase « La main droite va commencer. » ou « Le pied droit va commencer. »?

• Quel mouvement vient après avoir tapé des deux pieds? des deux mains?

• Dans quel ordre dois-tu exécuter les mouvements?

• Qu'est-ce qui est répété dans la chanson?

• Combien de mouvements fais-tu en tout?

• Quels mouvements fait-on à la fin de la chanson?

Note : Si les élèves ne se rendent pas compte de la structure croissante dans la chanson, ne pas insister. Elles et ils trouveront peut-être la réponse un peu plus tard dans l'activité.

▸ Insérer la feuille de la chanson *Il faut marcher* dans le cahier de chansons et de comptines de chaque élève.

Variante

Reprendre la même démarche, mais ajouter des mouvements différents.

Introduction

Possible

Impossible

Math

Mathique

Module 4

Ça se peut! Ça ne se peut pas!

Maternelle et jardin d'enfants

Probabilité – Maternelle/Jardin

Module 4 – Ça se peut! Ça ne se peut pas!

But du module

Dans ce module, les élèves auront l'occasion d'effectuer des activités liées à la probabilité.

Au cycle préparatoire, l'élève doit avoir la chance de réaliser des activités et de prendre part à des jeux lui permettant de découvrir de façon graduelle le concept de probabilité et d'utiliser le vocabulaire lié à ce domaine. Ainsi, elles et ils seront exposés à des jeux de hasard leur permettant de constater que le hasard est un facteur important à considérer lorsqu'une personne gagne plutôt qu'une autre. Par ailleurs, les mots liés à la probabilité utilisés dans le langage courant font également partie des apprentissages auxquels peut être initié ou initiée l'élève du cycle préparatoire.

Ce module présente deux jeux liés à l'expérience personnelle des élèves. Il vise à les initier de façon amusante au concept de probabilité. En outre, il présente des pistes d'observation relatives aux élèves.

Attente et contenu d'apprentissage – Probabilité

Attente

À la fin du jardin, l'élève peut décrire, en mots, la probabilité d'un événement lié à son quotidien.

Contenu d'apprentissage

Pour satisfaire aux attentes et dans le contexte d'activités ludiques, de manipulation, d'exploration, d'expérimentation, d'observation et de communication, l'enfant utilise les termes *jamais*, *toujours*, *possible* et i*mpossible* pour décrire de façon informelle la probabilité d'un événement (p. ex., « Je porte toujours des vêtements lorsque je vais à l'école. »; « Il est impossible de… »).

Description des activités

Activités	Description	Pistes d'observation
Activité 1 : Vrai ou faux? **(jardin)**	L'élève prend part au jeu collectif *Vrai ou faux?* dont le but est de classer des cartes en fonction d'histoires vraies ou fausses.	L'élève comprend et utilise les termes *jamais* et *toujours* pour reconnaître et décrire de façon informelle la probabilité d'un événement.
Activité 2 : Des histoires de cubes **(jardin)**	L'élève prend part au jeu *Des histoires de cubes* dont le but est de créer des phrases décrivant des situations possibles ou impossibles.	L'élève comprend et utilise les termes *possible* et *impossible* pour reconnaître et décrire de façon informelle la probabilité d'un événement.

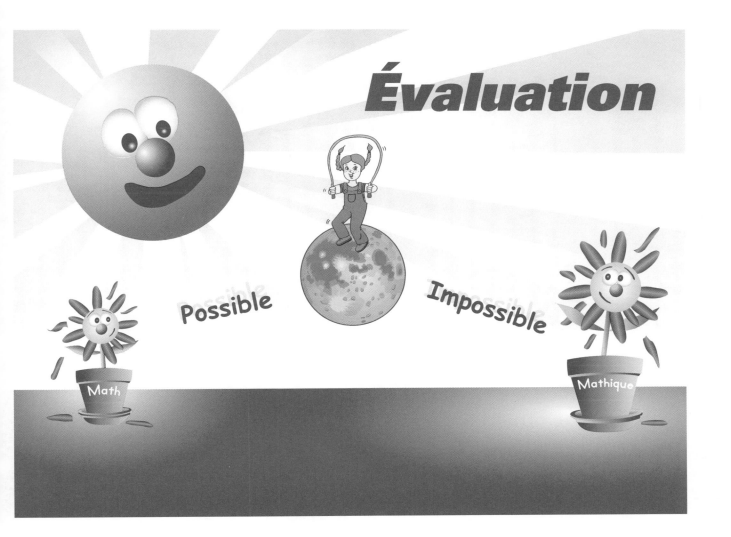

Évaluation

Possible

Impossible

Math

Mathique

Note : Il est possible de trouver, en version électronique, la grille d'observation du groupe-classe proposée dans ce module sur le DVD *Les mathématiques… en action!* fourni avec le guide de 1re année du domaine Numération et sens du nombre.

Évaluation

L'observation est généralement la stratégie d'évaluation formative la plus utilisée. Elle permet aux enseignantes et aux enseignants de repérer, chez les élèves, ce qui est compris et ce qui ne l'est pas. Concernant ce module, les comportements observables qui permettent de déterminer si l'élève comprend le vocabulaire lié à la probabilité et l'utilise se trouvent dans la grille d'observation fournie à la page suivante.

Grille d'observation du groupe-classe –
Module 4 – Probabilité

Titulaire : _____

Nom de l'élève :	L'élève comprend et utilise les termes ci-dessous pour reconnaître et décrire de façon informelle la probabilité d'un événement.			
	jamais	*toujours*	*possible*	*impossible*
1.				
2.				
3.				
4.				
5.				
6.				
7.				
8.				
9.				
10.				
11.				
12.				
13.				
14.				
15.				
16.				
17.				
18.				
19.				
20.				

Activités

Toujours

Jamais

Possible

Impossible

Math

Mathique

Module 4 – Probabilité

Vrai ou faux? (jardin)

| X | en groupe-classe | | en équipe | | individuelle |

Au cours de cette activité, l'élève prend part au jeu collectif *Vrai ou faux?* dont le but est de classer des cartes en fonction d'histoires vraies ou fausses.

Piste d'observation

L'élève comprend et utilise les termes *jamais* et *toujours* pour reconnaître et décrire de façon informelle la probabilité d'un événement.

Matériel requis

✓ feuilles **Cartes du jeu *Vrai ou faux?***

Avant la présentation de l'activité

– retirer du guide les feuilles **Cartes du jeu *Vrai ou faux?***, les découper et les plastifier.

Déroulement

▸ Inviter les élèves à venir s'asseoir dans l'aire de rassemblement.

▸ Dire aux élèves que vous allez leur montrer le jeu *Vrai ou faux?*.

▸ Expliquer le jeu aux élèves de la façon suivante.
J'ai un nouveau jeu de cartes à te montrer. C'est le jeu Vrai ou faux?. *Le but de ce jeu est de faire deux piles de cartes : une pile de cartes dont les histoires sont vraies et une autre pile dont les histoires sont fausses.*

▸ Montrer aux élèves la carte suivante : « Je porte **toujours** un maillot de bain pour aller à l'école. »

▸ Demander aux élèves de regarder l'illustration et lire la phrase.

▸ Poser aux élèves les questions suivantes : « Cette histoire est-elle vraie ou fausse? Pourquoi? »
Voici des exemples de réponses possibles :
  ♦ Cette histoire est fausse! Je ne vais **jamais** à l'école en maillot de bain!
  ♦ Ce n'est pas vrai! Je n'ai **jamais** vu quelqu'un venir à l'école en maillot de bain!

▸ Demander à un ou à une élève de mettre cette carte sur le tapis pour former la pile des histoires fausses. Ajouter qu'il faudra mettre toutes les cartes présentant des histoires fausses dans cette pile.

▸ Reprendre la même démarche avec la carte suivante : « Je porte **toujours** des vêtements pour aller à l'école. » Former une nouvelle pile de cartes présentant des histoires vraies.

▸ Dire aux élèves qu'il faudra mettre toutes les cartes présentant des histoires vraies dans cette nouvelle pile.

▸ Poursuivre le jeu avec les élèves en suivant la démarche décrite précédemment.

▸ Lorsque le jeu est terminé, photocopier les feuilles **Cartes du jeu *Vrai ou Faux?*** et les relier selon chacune des deux piles pour fabriquer deux livres. Les exposer au salon de lecture.

Variante

Inventer d'autres histoires qui sont vraies et d'autres qui sont fausses. Les utiliser pour jouer à un autre jeu de cartes au centre de mathématiques ou pour créer des livres.

Cartes du jeu *Vrai ou faux?*

Je porte toujours des vêtements pour aller à l'école.

Je porte toujours un maillot de bain pour aller à l'école.

Je ne dors **jamais** la nuit.

À l'école, il faut **toujours** marcher dans le corridor.

Je mange **toujours** la nuit.

Il faut **toujours** se laver les mains avant de manger.

Je ne vois jamais le soleil.

Il faut toujours se brosser les dents avant de se coucher.

Il neige jamais.

Il faut **toujours** porter un manteau.

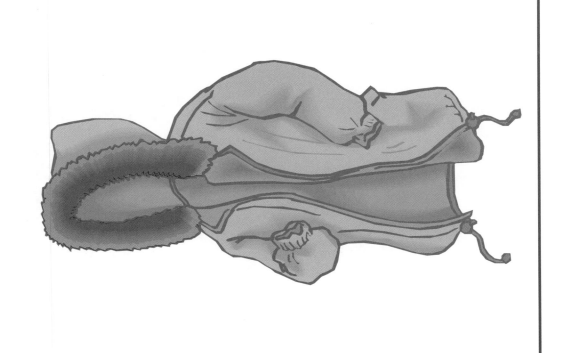

Je mange toujours dans la salle de bain.

Il faut toujours regarder de chaque côté de la rue avant de la traverser.

Je dors **toujours** par terre la nuit.

Je ne dors **jamais** dans mon lit.

Lorsqu'un ami m'aide, je ne dois jamais dire « Merci! ».

Je marche toujours en dormant.

Je dors **toujours** les yeux ouverts.

Je dors **toujours** en fermant les yeux.

Je mange **toujours** de la pizza le vendredi.

Janvier

D	L	M	M	J	V	S

Je ris **toujours** en jouant.

Je marche **toujours** sur mes pieds pour aller au gymnase.

Je ne joue **jamais**.

J'écris toujours en courant.

Je marche toujours en ouvrant les yeux.

Des histoires de cubes (jardin)

| X | en groupe-classe | | en équipe | | individuelle |

> Au cours de cette activité, l'élève prend part au jeu *Des histoires de cubes* dont le but est de créer des phrases décrivant des situations possibles ou impossibles.

Piste d'observation

L'élève comprend et utilise les termes *possible* et *impossible* pour reconnaître et décrire de façon informelle la probabilité d'un événement.

Matériel requis

✓ cartons épais bleu, rouge et vert de 28 cm × 43 cm (11 po × 17 po)
✓ paire de ciseaux
✓ crayon à mine
✓ ruban-cache
✓ feuilles **Des histoires de cubes**
✓ feuille **Cube à fabriquer**

Avant la présentation de l'activité

– fabriquer trois cubes différents, dont un bleu, un rouge et un vert, en utilisant du carton épais, en partant du modèle de la feuille **Cube à fabriquer** et en suivant la démarche suivante :
  • agrandir la feuille **Cube à fabriquer** sur une feuille de 28 cm × 43 cm et découper la forme du cube;
  • tracer le contour du cube découpé sur chaque carton de couleur;
  • laminer les trois cubes avant de les plier et de les assembler;
– retirer du guide les feuilles **Des histoires de cubes**, les découper et les plastifier pour en faire des cartes à coller sur les cubes;
– fabriquer trois cubes en collant, sur chacune des faces, les cartes découpées des feuilles **Des histoires de cubes** (p. ex., un cube bleu de personnages, un cube rouge d'actions et un cube vert de lieux).

Déroulement

▸ Inviter les élèves à venir s'asseoir dans l'aire de rassemblement.

▸ Dire aux élèves que vous allez leur montrer le jeu *Des histoires de cubes*.

▸ Expliquer aux élèves que, pour jouer à ce jeu, il faut lancer les trois dés et regarder les illustrations sur les cubes pour raconter une histoire de cubes.
Exemple : *Si je lance le cube bleu des personnages et que j'obtiens « L'abeille », le cube rouge des actions et que j'obtiens « lit » et le cube vert des lieux et que j'obtiens « dans le bain. », l'histoire est la suivante : « L'abeille lit dans le bain. »*

▸ Poser aux élèves les questions suivantes : « Cette histoire est-elle **possible** ou **impossible**? Pourquoi? »
Voici des exemples de réponses :
  ◆ C'est **impossible** parce qu'une abeille ne peut pas lire.
  ◆ Ce n'est **pas possible**! L'abeille ne peut pas prendre un bain.

▸ Demander à un ou à une élève de lancer les trois dés selon l'ordre bleu, rouge et vert, et de dire l'histoire obtenue.

▸ Demander à l'élève si l'histoire est possible ou impossible et lui dire de justifier sa réponse.

▸ Poursuivre le jeu de façon que chaque élève ait son tour.

Variantes

1. Mettre le jeu *Des histoires de cubes* au centre de mathématiques pour permettre aux élèves de jouer.

2. Augmenter les difficultés en ajoutant d'autres cubes (p. ex., le cube du temps (« quand »), le cube de la manière (« comment »)).

3. Demander aux élèves de composer des phrases qui racontent des histoires possibles et d'autres qui racontent des histoires impossibles, et de représenter chaque histoire au moyen d'un dessin. Coller chaque dessin sur une carte de jeu et jouer de nouveau au jeu.

Des histoires de cubes
Cube des personnages

La fille

Le garçon

Le chat

Le dinosaure

Le papa

L'abeille

Cube des actions

marche

vole

dort

lit

joue

saute à la corde

Cube des endroits

dans l'armoire.

dans le bain.

dans le foyer.

dans la maison.

dans le ciel
(ou sur la lune).

dans le jardin.

Cube à fabriquer

(à agrandir sur une feuille 27,94 cm × 43,18 cm (11 po × 17 po))

Banque de chansons et de comptines

Banque de chansons et de comptines

Notes :

Les chansons et les comptines de cette banque se trouvent sur le cédérom *Au jardin de Math et Mathique… un peu, beaucoup, à la folie!*, fourni avec le guide pédagogique *Les mathématiques… un peu, beaucoup, à la folie! – Maternelle et jardin d'enfants*, qui traite des domaines Géométrie, Sens de l'espace, Modélisation et Probabilité.

Les feuilles comprises dans cette section peuvent être reproduites en vue d'être insérées dans le cahier de chansons et de comptines de chaque élève.

Si vous désirez fabriquer des affiches, il est possible d'agrandir les chansons et les comptines sur des feuilles de 28 cm × 43 cm (11 po × 17 po) et de les colorier en vue de les afficher dans la salle de classe.

Les mathématiques… un peu, beaucoup, à la folie!
Géométrie/Sens de l'espace/Modélisation

Module 1 – Partout! Partout! Partout! Je vois des formes partout! (géométrie)
25. J'ai un gros château (maternelle)
26. Pinceton, le caneton (jardin)
27. Mon village de formes (maternelle)
28. Les formes (jardin)
29. Partout! (maternelle)
30. J'ai trouvé (jardin)

Module 2 – Changeons de côté, on s'est trompés! (sens de l'espace)
31. Gaston, le papillon (maternelle)
32. Gaston, le papillon (sans parole)*
33. C'était un bel oiseau (jardin)
34. Belle hirondelle (maternelle)
35. Jeu de balle (jardin)
36. Entre les deux (jardin)

Module 3 – De l'ordre, s'il vous plaît! (modélisation)
37. Mon grand-père (jardin)
38. À l'école, j'aime, j'aime, j'aime (jardin)
39. Mon père m'a donné (maternelle)
40. Il faut marcher (jardin)
41. Je vais dans mon jardin (maternelle/jardin)

* On trouve cette chanson en version instrumentale sur le cédérom *Au jardin de Math et Mathique… un peu, beaucoup, à la folie!*.

J'ai un gros château

J'ai un gros château
Ma tantirelirelire
J'ai un gros château
Ma tantirelireleau.

Il est plein de formes
Ma tantirelirelire
Il est plein de formes
Ma tantirelireleau.

Peux-tu les retrouver
Ma tantirelirelire
Peux-tu les retrouver
Ma tantirelireleau?

Il y a plein d'carrés
Ma tantirelirelire
Qui servent de fenêtres
Ma tantirelireleau.

Des rectangles aussi
Ma tantirelirelire
Sur les blocs de pierre
Ma tantirelireleau.

Un peu de triangles
Ma tantirelirelire
Sur le haut des tours
Ma tantirelireleau.

Je ne vois qu'un cercle
Ma tantirelirelire
Qui sert de poignée
Ma tantirelireleau.

Et puis, j'ai fini!
Ma tantirelirelire
Et puis tombe dans l'eau!
Ma tantirelireleau

Glou... glou... glou...

Pinceton, le caneton

Pinceton est un caneton
Pince, Pince, Pinceton
Pinceton est un caneton
Qui est doux, doux, doux comme un agneau.

Sauf qu'il a un tout petit défaut
Pince, Pince, Pinceton
Sauf qu'il a un tout petit défaut
Quand il tousse, il pince, pince, pince!

Pinceton est un caneton
Pince, Pince, Pinceton
Pinceton est un caneton
Qui veut se construire une maison.

Quelle forme prendra sa maison?
Pince, Pince, Pinceton
Carré, cercle, rectangle ou triangle,
Ovale, octogone ou losange?

De quels solides aura-t-il besoin?
Pince, Pince, Pinceton
De quels solides aura-t-il besoin?
De cylindres, de cubes, de cônes ou de sphères?
Qui vivra verra!

Mon village de formes

(Source : Francine Charette-Poirier et Monique Le Pailleur.
Chansons et comptines I, CFORP.)

Plein de cercles font un bel arbre.
Un grand rectangle fait un beau tronc.
Un p'tit triangle fait un sapin
Et le carré, une petite maison.

Un petit cercle fait un soleil.
Un long rectangle, une porte toute rouge.
Un p'tit triangle fait un toit noir
Et le carré, une petite fenêtre.

Les formes

Je suis un petit cercle
Rond comme une assiette.
J'aime beaucoup rouler
Essaie de m'attraper!

Je suis le triangle,
Trois côtés et trois coins.
J'ai l'air très piquant
Mais je suis amusant!

Je suis un carré.
J'ai quatre côtés
De la même longueur,
De la même couleur.

Je suis un rectangle.
J'ai deux côtés longs
Et deux côtés courts.
Ça fait quatre côtés en tout!

Partout!

Refrain :
Partout, partout, partout,
Je vois des solides partout!

1. Quand je vois une sphère,
   Je pense à un gros ballon.

Refrain

2. Quand je vois un cube,
   Je pense à un petit dé.

Refrain

3. Quand je vois un cône,
   Je pense à un chapeau de
   fête.

Refrain

4. Quand je vois un cylindre,
   Je pense au rouleau de
   papier.

Refrain :
Partout, partout, partout,
Je vois des solides partout!

J'ai trouvé

J'ai trouvé un petit **cube**.
Mon ami l'avait caché
Dans ma belle boîte à lunch
Sous la grosse grappe de raisins
À côté du petit pain.

J'ai trouvé un p'tit **cylindre**.
Mon ami l'avait caché
Dans la boîte de jouets
Derrière la grande étagère
Sur le rouli-roulant de Pierre.

J'ai trouvé un petit **cône**.
Mon ami l'avait caché
Dans l'armoire de la maison
Sur la tablette du **bas**
Par-dessus le dé géant.

J'ai trouvé une petite **sphère**.
Mon ami l'avait cachée
Dans le bac à sable
Sur le **haut** de la montagne
Devant le gros camion.

Gaston, le papillon

Refrain :
Bonjour, le voilà,
Gaston, le papillon,
Tout blond, tout blond,
Qui aime les bonbons
Tout ronds, tout ronds,
Tout ronds comme des
ballons.

1. Vole, vole avec Gaston
   Très **haut**, très **haut**, **dans** le ciel.
   Vole, vole avec Gaston
   Très **haut**, très **haut**, **dans** le ciel,
   dans le ciel.

2. Vole, vole avec Gaston
   Très bas, tout **près du** trottoir.
   Vole, vole avec Gaston
   Très bas, tout **près du** trottoir,
   du trottoir.

3. Vole, vole avec Gaston
   Autour des beaux grands sapins.
   Vole, vole avec Gaston
   Autour des beaux grands sapins,
   grands sapins.

4. Vole, vole avec Gaston
   Sous le beau pont d'Avignon.
   Vole, vole avec Gaston
   Sous le beau pont d'Avignon,
   d'Avignon.

5. Vole, vole avec Gaston.
   Repose-toi **sur** un des bancs.
   Vole, vole avec Gaston.
   Repose-toi **sur** un des bancs,
   un des bancs.

   La-la-la...

Gaston, le papillon

Refrain :
Bonjour, le voilà,
Gaston, le papillon,
Tout blond, tout blond,
Qui aime les bonbons
Tout ronds, tout ronds
Tout ronds comme des
ballons.

1. Vole, vole avec Gaston
   Très **haut**, très **haut**, **dans**
   le ciel.
   Vole, vole avec Gaston
   Très **haut**, très **haut**, **dans**
   le ciel, **dans** le ciel.

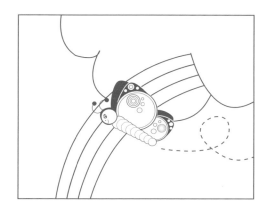

2. Vole, vole avec Gaston
   Très **bas**, tout **près du**
   trottoir.
   Vole, vole avec Gaston
   Très **bas**, tout **près du**
   trottoir, **du** trottoir.

3. Vole, vole avec Gaston
   Autour des beaux grands
   sapins.
   Vole, vole avec Gaston
   Autour des beaux grands
   sapins, grands sapins.

4. Vole, vole avec Gaston
   Sous le beau pont
   d'Avignon.
   Vole, vole avec Gaston
   Sous le beau pont
   d'Avignon, d'Avignon.

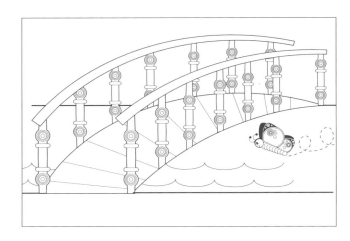

5. Vole, vole avec Gaston.
   Repose-toi **sur** un des
   bancs.
   Vole, vole avec Gaston.
   Repose-toi **sur** un des
   bancs, un des bancs.

   La-la-la...

C'était un bel oiseau

(sur l'air de la chanson *Ne pleure pas*, Jeannette)

C'était un bel oiseau
Picolo-lo-lo, Picolo-lo-lo
C'était un bel oiseau
Qui aimait se promener
Qui ai, qui ai, qui aimait
se promener. (bis)

Se promener tout **là-haut**
Picolo-lo-lo, Picolo-lo-lo
Se promener tout **là-haut**
Autour des gros nuages
Autour, autour, autour
des gros nuages. (bis)

Il volait **sous** les ponts
Picolo-lo-lo, Picolo-lo-lo
Il volait **sous** les ponts
Avec sa belle famille
Avec, avec, avec sa belle
famille. (bis)

Il marchait **sur** les toits
Picolo-lo-lo, Picolo-lo-lo
Il marchait sur les toits
Tout **près de** ma maison
Tout **près**, tout **près**, tout **près**
de ma maison. (bis)

Il sautait **par-dessus**
Picolo-lo-lo, Picolo-lo-lo
Il sautait **par-dessus**
Les pierres et les cailloux
Les pierres, les pierres,
les pierres et les cailloux. (bis)

Pour aller se promener
Picolo-lo-lo, Picolo-lo-lo
Pour aller se promener
Dedans le petit boisé
Dedans, dedans, dedans
le petit boisé. (bis)

Et courir **à côté**
Picolo-lo-lo, Picolo-lo-lo
Et courir à côté
À côté des pommiers
À cô, à cô, **à côté des**
pommiers. (bis)

C'était un bel oiseau
Picolo-lo-lo, Picolo-lo-lo
C'était un bel oiseau
Qui aimait se promener
Qui ai, qui ai, qui aimait
se promener. (bis)

C'était un bel oiseau
(sur l'air de la chanson *Ne pleure pas, Jeannette*)

C'était un bel oiseau
Picolo-lo-lo, Picolo-lo-lo
C'était un bel oiseau
Qui aimait se promener
Qui ai, qui ai, qui aimait se
promener. (bis)

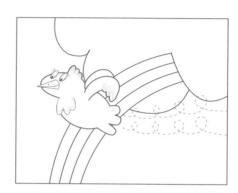

Se promener tout **là-haut**
Picolo-lo-lo, Picolo-lo-lo
Se promener tout **là-haut**
Autour des gros nuages
Autour, autour, autour des
gros nuages. (bis)

Il volait **sous** les ponts
Picolo-lo-lo, Picolo-lo-lo
Il volait **sous** les ponts
Avec sa belle famille
Avec, avec, avec sa belle
famille. (bis)

Il marchait **sur** les toits
Picolo-lo-lo, Picolo-lo-lo
Il marchait sur les toits
Tout **près de** ma maison
Tout **près**, tout **près**, **tout
près** de ma maison. (bis)

Il sautait **par-dessus**
Picolo-lo-lo, Picolo-lo-lo
Il sautait **par-dessus**
Les pierres et les cailloux
Les pierres, les pierres, les
pierres et les cailloux. (bis)

Pour aller se promener
Picolo-lo-lo, Picolo-lo-lo
Pour aller se promener
Dedans le petit boisé
Dedans, dedans, dedans le
petit boisé. (bis)

Et courir **à côté**
Picolo-lo-lo, Picolo-lo-lo
Et courir à côté
À côté des pommiers
À cô, à cô, **à côté des**
pommiers. (bis)

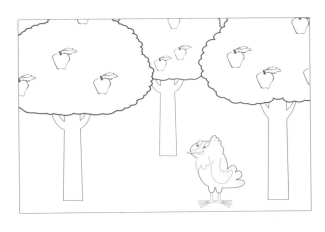

C'était un bel oiseau Picolo-lo-
lo, Picolo-lo-lo
C'était un bel oiseau
Qui aimait se promener
Qui ai, qui ai, qui aimait se
promener. (bis)

Belle hirondelle

(jeu de ligne : se placer en ligne droite et se déplacer comme l'hirondelle)

Belle hirondelle
Passe, passerelle
Passe par ici   (bis)
Sous le très long pont.

Belle hirondelle
Passe, passerelle
Passe par ici   (bis)
Sur les longues lignes.

Belle hirondelle
Passe, passerelle
Passe par ici   (bis)
Autour du cerceau.

Belle hirondelle
Passe, passerelle
Passe par ici   (bis)
Entre ces deux chaises.

Belle hirondelle
Passe, passerelle
Saute par ici   (bis)
Par-dessus le banc.

Belle hirondelle
Passe, passerelle
Cours par ici   (bis)
Vite et **loin** d'ici.

Belle hirondelle
Passe, passerelle
Marche **sur** le cercle   (bis)
Fais une farandole.

Jeu de balle

À la balle, belle balle,
Je la lance **sur** le mur
Avec une main.
Avec l'autre main,
Devant moi, **par derrière**,
Bien **haut**, bien **bas**,
D'un côté, de l'autre,
Sous une jambe, **sous** l'autre jambe.

À la balle, belle balle,
Je lui fais faire de petits bonds
Avec une main.
Avec l'autre main,
Devant moi, **par derrière**,
Bien **haut**, bien **bas**,
D'un côté, de l'autre
Sous une jambe, **sous** l'autre jambe.

À la balle, belle balle,
Je la lance dans les airs.
Très **bas**, très **haut**,
En tapant les deux mains,
En faisant des moulinets
Et en faisant des tourniquets.
I, 2, 3!

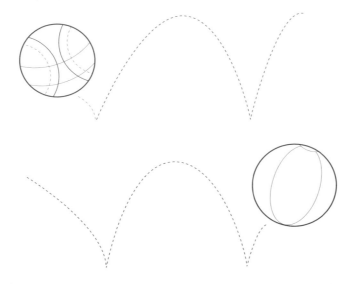

Entre les deux

Gaston, le papillon **sur** la branche d'en bas
L'oiseau Picolo **sur** la branche d'en haut
Et Frétille, la chenille au beau milieu,
Entre les deux, et c'est tant mieux!

Mon grand-père

Mon grand-père
Ma grand-mère
Mon cousin
Et vire le moulin!

À l'école, j'aime, j'aime, j'aime
*(Source : Francine Charette-Poirier et Monique Le Pailleur.
Chansons et comptines 2, CFORP, p. 3.)*

À l'école, j'aime, j'aime, j'aime,

J'aime la musique, sique, sique,

Les mathématiques, tiques, tiques,

Et la gymnastique!

Mon père m'a donné

(suite à motif croissant : mouvements cumulatifs)

Mon père a donné (bis)
Un cadeau à René (bis)
Et ce joli cadeau (bis)
Est une paire de souliers. (bis)

Mon père a donné (bis)
Un cadeau à Marie-Pierre (bis)
Et ce joli cadeau (bis)
Est une petite cuillère. (bis)

Mon père a donné (bis)
Un cadeau à Pierrette (bis)
Et ce joli cadeau (bis)
Est une casquette. (bis)

Mon père a donné (bis)
Un cadeau à Marco (bis)
E ce joli cadeau (bis)
Est un grand cerceau. (bis)

Mon père a donné (bis)
Un cadeau à Nathasha (bis)
Et ce joli cadeau (bis)
Est du chocolat. (bis)

Mon père m'a donné (bis)
Un cadeau du zoo (bis)
Et ce joli cadeau (bis)
Est un singe comme toi! (bis)
Ha! ha! ha!

Il faut marcher

(suite à motif croissant : mouvements cumulatifs)

Il faut marcher, marcher la tête haute
Et saluer tous les passants
Qui vous regardent en traversant
Et saluer tous les passants
Qui vous regardent en souriant
Attention! Attention!
Les amis, les amis,
Le pied droit va commencer.

Il faut marcher, marcher la tête haute
Et saluer tous les passants
Qui vous regardent en traversant
Et saluer tous les passants
Qui vous regardent en souriant
Attention! Attention!
Les amis, les amis,
Le pied gauche va commencer.

Il faut marcher, marcher la tête haute
Et saluer tous les passants
Qui vous regardent en traversant
Et saluer tous les passants
Qui vous regardent en souriant
Attention! Attention!
Les amis, les amis,
La main droite va commencer.

Il faut marcher, marcher la tête haute
Et saluer tous les passants
Qui vous regardent en traversant
Et saluer tous les passants
Qui vous regardent en souriant
Attention! Attention!
Les amis, les amis,
La main gauche va commencer.

Il faut marcher, marcher la tête haute
Et saluer tous les passants
Qui vous regardent en traversant
Et saluer tous les passants
Qui vous regardent en souriant
Attention! Attention!
Les amis, les amis,
La p'tite tête va commencer.

Je vais dans mon jardin

Je vais dans mon jardin.
Il y a plein de légumes
Mais surtout il y a...
Des chiens qui font Wouf! Wouf! Wouf!

Je vais dans mon jardin.
Il y a plein de légumes
Mais surtout il y a...
Des chats qui font Miaou! Miaou!
Des chiens qui font Wouf! Wouf! Wouf!

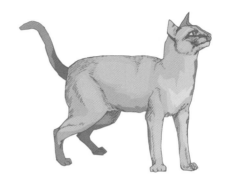

Je vais dans mon jardin.
Il y a plein de légumes
Mais surtout il y a...
Des loups qui font Aou... Aou...
Des chats qui font Miaou! Miaou!
Des chiens qui font Wouf! Wouf! Wouf!

Je vais dans mon jardin.
Il y a plein de légumes
Mais surtout il y a...
Des merles qui font Cui! Cui! Cui! Cui! Cui!
Des loups qui vont Aou... Aou...
Des chats qui font Miaou! Miaou!
Des chiens qui font Wouf! Wouf! Wouf!

Banque de jeux et d'activités pour les centres d'apprentissage

Notes :

– Avant de permettre aux élèves de faire des activités et des jeux aux centres d'apprentissage, il est important de leur présenter la démarche et de s'assurer qu'elles et ils sont en mesure de travailler en petits groupes.

– Si certaines et certains élèves ont besoin d'aide pour faire les jeux ou les activités, jouer avec elles et eux, les aider à jouer avec leurs camarades et leur poser des questions dans le but de les amener à utiliser le vocabulaire mathématique et à réfléchir sur leurs stratégies.

– Selon les besoins des élèves, il est possible de modifier les activités ou les jeux en augmentant ou en diminuant leur degré de difficulté.

– En tout temps, permettre aux élèves :

• d'explorer les figures planes et les solides et de découvrir des attributs et des propriétés de formes géométriques en utilisant du matériel de manipulation;

• d'explorer l'espace en utilisant du matériel de manipulation, en jouant à des jeux et en faisant des mimes;

• d'explorer les régularités en utilisant du matériel de manipulation, en faisant des gestes ou en produisant des sons;

• de faire des essais et des erreurs, d'observer les autres, d'échanger et d'explorer diverses stratégies pour consolider leurs apprentissages.

Module 1

Activités ou jeux	maternelle	jardin
1. Des cure-dents, des cure-pipes ou des pailles? (figures planes) Les élèves forment les frontières (les contours) de diverses figures planes à l'aide de cure-dents, de cure-pipes ou de pailles découpés selon différentes longueurs, qu'elles et ils collent sur des cartes. Ces cartes sont mises au centre de mathématiques pour permettre aux élèves de les classer de diverses façons. **Variante** Les élèves regroupent les cartes en vue de former des paires. Puis, elles et ils placent pêle-mêle les cartes faces contre table pour prendre part au *Jeu de mémoire*.	✓	✓
2. Des boîtes décoratives (figures planes et solides) L'élève trace chaque face d'une boîte sur du carton de couleur ou du papier d'emballage. Elle ou il découpe les faces et les colle sur la boîte pour créer une boîte décorative.	✓	✓
3. Jeu *Dans le noir, je vois des formes!* (figures planes) Les élèves fabriquent des cartes de jeu en traçant une forme par carte et en décorant la frontière de chaque forme avec de la colle à brillants, de la colle fluorescente ou du sable. Lorsque les cartes sont sèches, on les met dans un sac-cadeau ou une boîte. À tour de rôle, chaque élève ferme les yeux, tire une carte du sac et touche la frontière de la forme pour nommer la forme tirée. Si l'élève réussit à nommer la forme, elle ou il garde la carte, sinon la carte est remise dans le sac. Le jeu se termine lorsqu'il ne reste aucune carte dans le sac. L'élève qui a le plus grand nombre de cartes gagne la partie.	✓	✓
4. Des formes à manger Mmm! Mmm! (figures planes) Chaque élève apporte une tranche de pain et une tranche de fromage ou de jambon dans sa boîte à lunch. Elle ou il utilise un couteau en plastique pour découper des formes dans la tranche de jambon ou de fromage, puis décore sa tranche de pain en mettant ces formes sur la tranche de pain. **Variante** Au lieu d'utiliser une tranche de pain, l'élève peut choisir des craquelins de formes variées.		✓

Activités ou jeux	maternelle	jardin
5. Combien de formes? (figures planes et solides) Les élèves nomment les faces des solides qu'elles et ils voient sur diverses boîtes. Ex. : Les élèves comptent le nombre de carrés ou de rectangles qu'elles et ils voient sur chacune des boîtes. Ex. : Les élèves trient les boîtes et les classent à leur façon : – les boîtes dont les faces sont toutes des rectangles; – les boîtes dont les faces sont toutes des carrés; – les boîtes dont les faces sont des rectangles et des carrés; – les petites boîtes; – les grandes boîtes; – …		✓
6. Jeu *Boîtes et cartons* (figures planes et solides) Deux élèves tracent, sur un grand carton, les contours de figures planes à l'aide de boîtes de grandeurs variées. Elles et ils les découpent et prennent part au jeu *Boîtes et cartons* en associant chaque boîte à la forme tracée qui y correspond. **Variante** Jeu *Des boîtes et des couvercles, en voulez-vous?* : L'élève doit disposer des boîtes de grandeurs variées ainsi que leur couvercle un peu partout sur la table. Elle ou il doit associer le couvercle à sa boîte.	✓	✓
7. Jeu *Des formes élastiques* (figures planes) Le jeu se joue en équipe de deux. La première joueuse ou le premier joueur lance un dé sur lequel on a collé diverses formes (p. ex., deux triangles, deux carrés et deux rectangles). Les deux joueurs et joueuses étirent l'élastique en s'aidant de leurs mains pour représenter la frontière de la forme indiquée sur le dé.		✓
8. Des formes au bout des doigts (figures planes) Les élèves dessinent des formes en faisant de la peinture aux doigts avec de la pouding au chocolat ou de la poudre de Jello que l'on a étendue sur une grande assiette.	✓	✓
9. Des empreintes (figures planes et solides) Les élèves impriment des figures planes à l'aide de peinture et d'éponges de formes variées.	✓	✓

Activités ou jeux	maternelle	jardin
10. Jeu des blocs cachés (figures planes) La meneuse ou le meneur du jeu dépose, sur une table, de quatre à six blocs logiques (p. ex., un carré rouge, un triangle bleu, un cercle jaune, un rectangle vert) devant ses camarades qui regardent attentivement les blocs. Elle ou il leur demande de fermer les yeux pour qu'elle ou il puisse retirer un bloc et le cacher derrière son dos ou dans une boîte. Ensuite, ses camarades ouvrent les yeux et doivent trouver le bloc logique qui a disparu. **Variante (solides)** On peut remplacer les blocs logiques par des solides.	✓	✓
11. Jeu d'association sur une corde à linge (figures planes) Les élèves doivent associer des illustrations de solides ou de figures planes à des photos d'objets que l'on trouve dans la salle de classe et les épingler par paires sur une corde à linge.		✓
12. Dessiner à l'ordinateur, c'est amusant! (figures planes) Les élèves font des dessins à l'ordinateur à l'aide d'un logiciel de dessin tel que *Kid Pix* ou *Tux Paint*. Ce dernier logiciel est gratuit et peut être téléchargé en partant du site Web suivant : www.tuxpaint.org/download/lang=fr.	✓	✓
Autres sites Web présentant des jeux et des activités : www.momes.net/education/geometrie/geometrie.html#formes Jeu de construction en ligne www.momes.net/jeux/pip/petitscarres.html Jeu amusant qui se joue en équipe de deux www.momes.net/education/geometrie/modeles/formes.html Activité dont le but est de reproduire un château	✓ ✓	 ✓

Module 2

Activités ou jeux	maternelle	jardin
1. Jeu de mémoire Utiliser deux paquets de 14 cartes des feuilles **Passe-Pois, la coccinelle** pour jouer au *Jeu de mémoire* (voir l'activité 2 du Module 2 et utiliser toutes les cartes, à l'exception des cartes 1, 16 et 17).	✓	✓
2. Jeu de loto Fabriquer des cartes de loto à l'aide des cartes des feuilles **Passe-Pois, la coccinelle** (voir l'activité 2 du Module 2 et utiliser toutes les cartes, à l'exception des cartes 1, 16 et 17). Utiliser quatre paquets de 14 cartes des feuilles **Passe-Pois, la coccinelle** pour jouer à ce jeu.	✓	✓
3. Jeu des contraires (jeu de coopération) Le but du jeu est d'amasser le plus de cartes possible en trouvant les contraires (p. ex., *La coccinelle est **devant** la maison/La coccinelle est **derrière** la maison*). Utiliser quatre paquets de 14 cartes des feuilles **Passe-Pois, la coccinelle** (voir l'activité 2 du Module 2 et utiliser toutes les cartes, à l'exception des cartes 1, 16 et 17).		✓
4. Jeu des paires Le but du jeu est de trouver le plus de paires possible qui représentent Passe-Pois dans la même position. Utiliser quatre paquets de 14 cartes des feuilles **Passe-Pois, la coccinelle** (voir l'activité 2 du Module 2 et utiliser toutes les cartes, à l'exception des cartes 1, 16 et 17).		✓
5. Des structures jumelles (jeu d'écran) Le jeu se joue en équipe de deux. Les élèves sont assis face à face et ont devant elles et eux de petits blocs et divers solides. Entre les deux, il y a un écran. La première joueuse ou le premier joueur réalise une structure et, au fur et à mesure, décrit à sa ou à son partenaire la façon de placer chaque bloc (p. ex., « Je place un cube en premier. Je place un cylindre sur ce cube. »). L'autre membre de l'équipe doit construire la même structure.		✓

Activités ou jeux	maternelle	jardin
6. La parade des animaux Mettre, dans un centre d'apprentissage, des cartes géantes sur lesquelles on trouve des flèches et des lignes variées (voir l'exemple ci-dessous). Les élèves doivent former un parcours à l'aide des flèches et des lignes variées. Lorsque le parcours est terminé, les élèves font la parade en marchant comme des soldats sur le parcours ainsi créé. Voici des exemples de cartes à utiliser et à agrandir 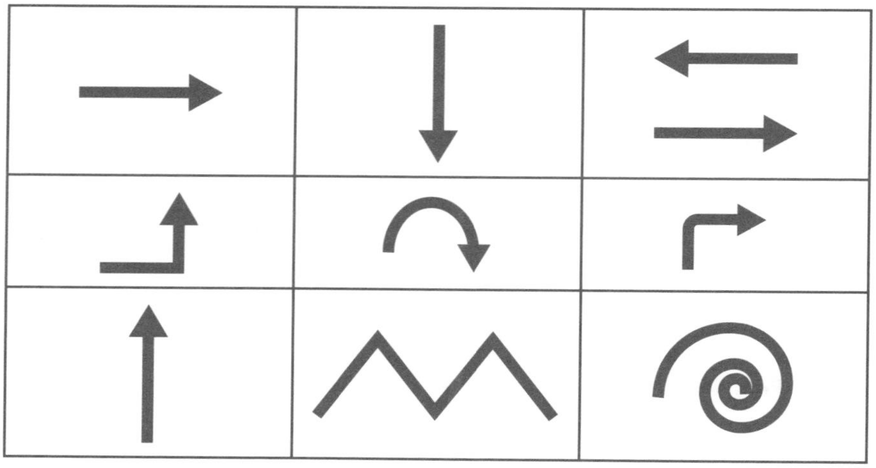 : 	✓	✓
7. Jeu des actions Au préalable, prendre des photos d'élèves en action pour préparer les cartes du jeu ou le dé géant. Exemples de cartes : – L'élève saute **par-dessus** des blocs. – L'élève marche **près du** mur. – L'élève se déplace **sous** la table. – ... À tour de rôle, les élèves tirent une carte ou lancent le dé. Chaque élève interprète la carte ou le dé, explique l'action à imiter et se déplace selon l'indication de la carte ou du dé.	✓	✓
8. C'est le temps de ranger Prendre des photos d'élèves qui rangent des objets pour préparer les cartes du jeu. Exemples de cartes : – L'élève range une boîte **sur** la tablette du bas d'une étagère. – L'élève range un objet **sur** la table. – L'élève range un objet **en dessous de** la table. – ... À tour de rôle, les élèves tirent une carte du jeu et imitent l'action dans le but de faire deviner aux autres l'endroit où a été rangé l'objet.	✓	✓

Activités ou jeux	maternelle	jardin
9. Trouve-moi! Le jeu se joue en équipe de quatre. Les élèves mettent des objets trouvés dans la salle de classe sur la grille à neuf carreaux. La première personne à jouer décrit l'endroit où se trouve un objet qu'elle a choisi dans sa tête dans le but de permettre aux autres de trouver l'objet choisi. Chaque élève, à tour de rôle, fait deviner aux autres l'objet choisi dans sa tête.		✓
10. En voyage avec Gaston (maternelle) ou **En voyage avec Picolo** (jardin) À tour de rôle, les élèves déplacent la marionnette Gaston ou Picolo selon les indications données (p. ex., un élève dit : « Gaston (ou Picolo) voyage à un endroit qui est sous un pupitre. »).	✓	✓

Module 3

Activités ou jeux	maternelle	jardin
1. Jeu de la magicienne ou du magicien À tour de rôle, les élèves jouent le rôle d'un magicien ou d'une magicienne qui fait disparaître un ou des objets dans une suite. Voici un exemple de suite à trous : □ ○ □ ○ □ ○ ? ○ □ ? □ **Variante** Les élèves peuvent substituer des objets dans la suite ou en déplacer plutôt que d'en enlever.	✓	✓
2. Jeu *La fabrique de suites* En équipe de deux, chaque élève fabrique un collier à motif répété à l'aide de perles, de macaronis, de bouts de paille, etc. Elle ou il échange son collier avec sa ou son partenaire et doit prolonger la suite du collier de l'autre.	✓	✓
3. Des suites de solides L'élève complète la suite de solides qu'a créée sa ou son partenaire. **Suggestions de questions** – Peux-tu changer ta suite pour la rendre plus difficile? Comment? Montre-le. – Combien de blocs y a-t-il dans la suite? – Quel est le solide le plus utilisé? le moins utilisé?	✓	✓
4. Des colliers à manger L'élève fabrique un collier à motif répété à l'aide d'un bout de laine et de céréales en forme d'anneaux. Elle ou il crée un motif et le répète. **Variante** Sur chaque brochette de bois, l'élève fabrique une brochette de céréales et de guimauves de couleurs variées en créant des suites. **Suggestions de questions** – Comment pourrais-tu créer la même suite, mais en utilisant ton corps? (p. ex., tape des mains, saute deux fois…) – Peux-tu reproduire cette suite sur du papier? Montre-le.	✓	

Activités ou jeux	maternelle	jardin
5. Jeu du parcours Tracer des faces de solides en vue de former un parcours. Les élèves doivent couvrir le parcours à l'aide de solides pour créer une suite à motif répété. **Suggestions de questions** Y a-t-il des solides qui sont couchés? debout? Lesquels?		✓
6. Un cadeau pour toi! L'élève fabrique une boîte ou un porte-crayons décoré de suites à motifs répétés. **Suggestions de questions** – Quelles formes vas-tu utiliser pour créer ta suite? Quelles couleurs? – Quelle forme vient après celle-ci? Pourquoi?		✓
7. Un bandeau bien décoré L'élève décore un bandeau d'une suite d'autocollants ou de pictogrammes selon le thème à l'étude. **Variante** Le cœur ou l'ami du jour décore sa couronne de suites à motifs répétés.	✓	✓
8. Des cartes en suites L'élève crée des suites à l'aide d'un jeu de cartes ordinaire. Exemples de suites possibles : – 2, 4, 2, 4, 2, 4, 2, 4... – cœur, cœur, pique, pique, cœur, cœur, pique, pique... **Suggestion de question** Peux-tu créer une suite en utilisant l'autre côté (l'endos) des cartes de jeu? **Variante** L'élève peut utiliser un jeu de cartes de figures géométriques.		✓
9. Des biscottes en formes Remettre une seule forme de biscotte à chaque élève et lui demander de créer une suite à motif répété.		✓

Activités ou jeux	maternelle	jardin
10. Des moules à muffins en suites L'élève dépose les moules de papier de deux couleurs dans le contenant de moules à muffins et les dispose pour créer une suite. **Variante** L'élève dépose, dans le contenant, de petits objets pour créer une suite.	✓	✓
11. Des suites à suspendre L'élève reproduit des suites ou en crée en suspendant des objets : mitaines, bouts de tissu, épingles de couleur, feuilles de couleur, etc. **Suggestions de questions** – As-tu déjà vu des suites présentées sur des cordes à linge? Lesquelles? – Peux-tu remplacer un élément par un autre tout en conservant la suite?	✓	✓
12. Devine un peu à la fois À l'aide d'une douzaine de cubes, l'élève crée un train à motif répété. Elle ou il met son train à l'intérieur d'un rouleau de papier et fait sortir un cube à la fois en demandant aux autres élèves de deviner le cube qui vient après. **Suggestions de questions** – Pourquoi dis-tu que c'est le cube jaune qui vient après le cube vert? – Quel cube vient toujours après le cube jaune? avant?		✓
13. Des éponges pour imprimer L'élève trempe des éponges de formes différentes dans de la peinture et les appose sur une longue bande de papier pour former une suite. **Variante** Utiliser des tampons en caoutchouc avec tampon encreur ou des pièces de monnaie pour créer des suites.	✓	✓
14. Des suites partout! L'élève recherche, dans son environnement scolaire, des suites de toutes sortes et prend des photos qu'elle ou il montrera aux autres élèves sous forme de diaporama à l'ordinateur.		✓
15. Des cure-dents bien rangés! L'élève roule la pâte à modeler en forme de long rondin et y pique des cure-dents en vue de créer une suite.	✓	✓

Ressources

Géométrie

Baker, Alan. *Lapin Brun aime les formes*, coll. La bibliothèque des petits lapins, Paris, Rouge et or, 1995.
Lapin Brun reçoit un beau cadeau enveloppé dans du papier décoré de triangles. Le lapin découvre, de page en page, des objets de formes différentes. Un très beau livre et une histoire à structure répétitive bien racontée! à avoir absolument!

Beers, Jack. Traduction de Johanne Tremblay. *Les rectangles*, coll. Chenelière Mathématiques, Livrets de lecture Émergent, Montréal, Éditions de la Chenelière, 2003.

Beers, Jack. Traduction de Johanne Tremblay. *Les triangles*, coll. Chenelière Mathématiques, Livrets de lecture Émergent, Montréal, Éditions de la Chenelière, 2003.

Brown, Janet Allison. Traduction d'Hélène Ladégaillerie. *Mon premier livre pour découvrir les formes et les couleurs*, Paris, Succès du livre, 2002.

Cabrera, Jane. *Mon carré bleu*, coll. Les petits cartonnés de Lou, la souris, Toulouse, Milan jeunesse, 2003.

Cabrera, Jane. *Mon cercle jaune*, coll. Les petits cartonnés de Lou, la souris, Toulouse, Milan jeunesse, 2003.

Cabrera, Jane. *Mon étoile verte*, coll. Les petits cartonnés de Lou, la souris, Toulouse, Milan jeunesse, 2003.

Cabrera, Jane. *Mon triangle rouge*, coll. Les petits cartonnés de Lou, la souris, Toulouse, Milan jeunesse, 2003.

Carle, Eric. Traduction de Laurence Bourguignon. *La chenille qui fait des trous*, Namur, Mijade, 1995.

Crossley, David. *Petit Chien et les formes*, coll. Rêvapaillettes, Paris, Succès du livre, 2003.

De Bourgoing, Pascale, et Céline Bourg. *Où est le rectangle?*, France, Calligram, 1997.

De Bourgoing, Pascale, et Colette Camil. *Où est le triangle?*, France, Calligram, 1995.

De Bourgoing, Pascale, et Colette Camil. *Où sont les ronds?*, France, Calligram, 1997.

Ekblad, Linda. Traduction de Johanne Tremblay. *Les carrés*, coll. Chenelière Mathématiques, Livrets de lecture Émergent, Montréal, Éditions de la Chenelière, 2003.

Emberley, Ed. *Tout le monde est en formes*, coll. Aux couleurs du monde, Paris, Circonflexe, 2003.

Félix, Monique. *Histoire d'une petite souris qui construit une maison*, coll. Petite souris, Paris, Gallimard, 1991.

Fox, Christyan. Adaptation française de Catherine Andréucci. *Willy et les formes*, coll. Willy, Paris, Gründ, 2002.

Genechten, Guido (Van). *1, 2, 3… sommeil!*, Toulouse, Milan, 2001.

Grée, Alain. *Petit Tom découvre les formes*, coll. Cadet-rama Petit Tom, Tournai, Éditions Casterman, 1970.

Harcourt, Lalie, et Ricki Wortzman. *Chez Mamie*, coll. Domino, Montréal, Éditions de la Chenelière, 2003.

Harcourt, Lalie, et Ricki Wortzman. *En route…*, coll. Domino, Montréal, Éditions de la Chenelière, 2003.

Hill, Eric. *Spot découvre les formes*, coll. Les Mini Spot, Paris, Nathan, 1987.

Hoban, Tana. *Toutes sortes de formes*, Paris, Kaléidoscope, 2004.

Klein, Adria. Traduction de Johanne Tremblay. *Les cercles*, coll. Chenelière Mathématiques, Livrets de lecture Émergent, Montréal, Éditions de la Chenelière, 2003.

Les formes. Traduction de Louma Atallah, coll. Apprends-moi, Saint-Lambert, Héritage jeunesse, 2002.

Loew, Frédérique. *Des formes toutes bêtes*, Sommières, R. Pages, 2003.

Mon grand livre des formes, coll. Mon grand livre, Paris, Succès du livre, 2003.

MONTAGUE-SMITH, Ann. Traduction de Frankland Publishing Services. *Mon premier livre des formes*, London, Kingfisher, 2003.

MULLENHEIM, Sophie (de), Calino. *J'apprends les formes comme à la maternelle! : de 3/4 ans*, coll. Comme à la Maternelle, Champigny-sur-Marne, Lito, 2004.0

PITTAU, F. *La ligne rouge*, Paris, Seuil jeunesse, 2004.

RUILLIER, Jérôme. *Quatre petits coins de rien du tout*, Mont-près-Chambord, Bilboquet, 2004.
Petit carré aime s'amuser avec ses amis les Petits Ronds. Mais comment les rejoindre dans la grande maison? La porte est ronde!

TEYSSÈDRE, Fabienne. *Phil et Pam découvrent les formes*, coll. Phil et Pam, Paris, Hachette jeunesse, 2002.

TIBO, Gilles. *Simon et la ville de carton*, Montréal, Livres Toundra, 1992.

TISON, Annette. *Barbapapa et les formes*, coll. Découvre avec Barbapapa, Paris, Les Livres du Dragon d'or, 2004.

VALAT, Pierre-Marie. *Les formes*, coll. Mes toutes premières découvertes, Paris, Gallimard, 2001.

VAN GOOL, André. *Je lis, j'apprends les formes et les couleurs avec les trois petits cochons*, Saint-Lambert, Héritage jeunesse, 2002.

WALTER, Nadine. *Vive le cirque!*, coll. Cache-cache, Chevron, Hemma, 2004.

WENINGER, Brigitte. Traduction de Danièle Ball-Simon. *Zara Zébra dessine*, coll. Zara Zébra/Un livre d'images Nord-Sud, Zurich, Éditions Nord-Sud, 2002.
Zara connaît les noms des formes et aime bien les dessiner.

YOON, Salina. *Mes premières formes*, coll. Petits brillants, Saint-Lambert, Héritage, 1999.

YOULDON, Gillian. Adaptation de J. Henno. *Les formes*, coll. Livre-jeux Granger, Montréal, Granger, 1979.

Sens de l'espace

ALLEN, Pamela. Traduction d'Isabel Finkenstaedt. *Un lion dans la nuit*, Paris, Flammarion, 1986.
Carte : sens de l'espace, vocabulaire lié à la direction.

ANFOUSSE, Ginette. *La cachette*, coll. Les aventures de Jiji et Pichou, Montréal, Éditions La courte échelle inc., 1978.

BAKER, Alan. *Lapin Gris joue à Qui se cache là?*, coll. La bibliothèque des petits lapins, Paris, Rouge et or, 1995.
Lapin Gris est à la recherche de son livre préféré; il décide de ranger ses jouets. Les enfants sont sollicités pour trouver un intrus qui se cache sur chaque page du livre. Les enfants apprennent à trier, à utiliser le vocabulaire lié au sens de l'espace et à reconnaître les couleurs et les formes.

BOURGEOIS, Paulette. Traduction de Nicole Ferron. *Découvre ce qui se cache sous tes pieds*, coll. Savoir faire, Saint-Lambert, Héritage, 1991.

BROWN, Ruth, Traduction d'Anne de Bouchony. *Le voyage de l'escargot*, Paris, Gallimard jeunesse, 2000.

BURNINGHAM, John. Traduction de Catherine Deloraine. *Le panier de Stéphane*, Paris, Flammarion, 1980.
Stéphane va à l'épicerie et revient avec un panier bien garni. Sur le chemin du retour, il rencontre divers personnages (ours, singe, kangourou, chèvre) qui lui réservent des surprises. Un bon texte où les personnages s'expriment avec humour.

Cache-toi ou je t'attrape, Belgique, Le Ballon, [S. A.].
Bambou et ses amis jouent à cache-cache dans les bois. à chaque page, l'enfant doit retrouver une petite coccinelle. Très beau livre à rabats, cartonné et coloré! (jardin)

CARLE, Éric. Traduction de Laurence Bourguignon. *Le message secret*, Namur, Mijade, 1998.
François trouve un message qui doit le mener à son cadeau d'anniversaire. Il doit suivre les indices qui le renvoient à des formes. Une initiation aux formes et au déplacement dans l'espace! (jardin)

CLÉMENT, Claire. Illustrations de Lucy Brum. *Cache-cache avec papa*, coll. Léo et Popi, Paris, Bayard jeunesse, 2005.
Léo aime se cacher chaque fois que son père rentre à la maison. (maternelle)

DAIGNAULT, Thérèse. *Lire-Tôt a perdu son livre*, coll. Lire-Tôt, Québec, Éditions Passe-temps, 2002.

Dedans et dehors, coll. Pré-école, Mortsel-Anvers, Chantecler, 1978.

Dedans, dehors et tout autour, coll. Barney, Montréal, Phidal, 2002.

DELVAL, Marie-Hélène. Illustrations de Thierry Courtin. *Lili et Mistigri jouent à cache-cache*, Paris, Bayard, 2000.

Devant, derrière, dedans, dehors. ISBN 2-227-75602-0

DUQUENNOY, Jacques. *Camille peint tout partout*, coll. Camille, Paris, Albin Michel jeunesse, 2004.
Une série amusante mettant en vedette l'intrépide et débrouillarde girafe Camille qui aime peindre sa maison. (maternelle)

EDWARDS, Richard. Traduction d'Hélène Pilotto. Illustrations de Susan Winter. *Où te caches-tu, Cachou?*, Markham, Scholastic, 2004.

GIRARD, Nicole, et Paul DANHEU. *À la recherche de Chabichou*, coll. Mimi Paul et Chabichou, Laval, Mondia, 1986.
Chabichou se cache partout au supermarché.

HARCOURT, Lalie, et Ricki WORTZMAN. *Chez Mamie*, coll. Domino, Montréal, Éditions de la Chenelière, 2003.

HARCOURT, Lalie, et Ricki WORTZMAN. *En route...*, coll. Domino, Éditions de la Chenelière, 2003.

HOBAN, Tana. *Où précisément?*, Paris, Kaléidoscope, 1992.

LIGIER, Françoise. *À droite ou à gauche?*, coll. Lirelyre Espace, Saint-Laurent/Paris, Trécarré/Gamma, 1994.

Loupy, Christophe. *Dans la cour de l'école*, Toulouse, Milan, 2000.

Miller, Virginia. *Où se cache le petit chat gris?*, Paris, Nathan, 2002.

Munch, Robert N. Traduction de Raymonde Longval. *Les fantaisies d'Adèle*, Montréal, Éditions La courte échelle, 1997.

Adèle aime bien se distinguer. Alors que personne à l'école n'a de queue de cheval, elle s'en fait faire une. Le lendemain, toutes ont une queue de cheval sur le côté. Le surlendemain, toutes ont une queue de cheval sur le dessus, etc. Fâchée, Adèle annonce qu'elle va se raser la tête. Toutes se rasent la tête... sauf Adèle. Un récit bien illustré et très amusant!

Perrault, Charles. Illustrations de Charlotte Roederer. *Le petit poucet*, coll. Les petits cailloux, Paris, Nathan, 2004.

Prater, John. *Où se cache Léon?*, Paris, Nathan, 1998.

Reasoner, Charles. *Devine qui se cache*, coll. Livre magique, Paris, Albin Michel, 1993.

Taylor, Kim. Traduction de Claude Helft. *Qui se cache dedans?*, coll. L'œil vert, Paris, Hatier, 1990.

Taylor, Kim. Traduction de Claude Helft. *Qui se cache dessous?*, coll. L'œil vert, Paris, Hatier, 1990.

Weigelt, Udo. Traduction de Géraldine Elschner. *Qui se cache dans l'œuf de Pâques?*, coll. Un livre d'images Nord-Sud, Zurich, Éditions Nord-Sud, 2001.

Modélisation

BEAUMONT, Émilie. *Les chiffres,* coll. L'imagerie des tout-petits, Italie, Éditions Fleurus, 2001.

BOURGEOIS, Paulette, et Brenda CLARK. *Benjamin et la nuit*, Markham, Scholastic, 1986.

BOURGEOIS, Paulette, et Brenda CLARK. *Benjamin veut un ami*, Markham, Scholastic, 1996.

BROWN, Margaret WISE. Illustrations de Clement Hurd. *Bonsoir lune*, Paris, L'École des loisirs, 1981.
   Après avoir dit bonsoir à tout ce qui l'entoure, le petit lapin s'endort. Des illustrations simples à la portée des jeunes!

CARLE, Eric. Traduction de Laurence Bourguignon. *La chenille qui fait des trous*, Namur, Mijade, 1998.

CARLE, Eric. Traduction de Laurence Bourguignon. *Le grillon qui n'a pas de chanson*, Namur, Mijade, 2002.

CONNAT, Martine. Illustrations d'Ellen Appleby. *Les Trois Barbichu*, éd. par Peter Christen Asbjornsen, Toronto, Scholastic-Tab, 1986.

DAVIS, Aubry. Traduction de Michel Bourque. *La grosse patate*, Markham, Scholastic, 1997.

DUTRUC-ROSSET, Florence. Illustrations de Marylise Morel. *C'est la vie, Lulu! Je ne peux jamais faire ce que je veux!*, Paris, Bayard jeunesse, 2005.
   Une collection de scénarios amusants illustrant les petits problèmes du quotidien d'une fillette pétillante. Ici, Lulu en a assez de ne jamais faire tout ce qu'elle veut. Avec ses amis qui partagent les mêmes frustrations, elle monte un petit spectacle révolutionnaire à l'intention des parents. Cette initiative porte fruit : Lulu et ses parents négocient un cadre de liberté. Un dossier documentaire et de judicieux conseils accompagnent ce petit roman d'apprentissage.

FERNANDES, Eugenie. Illustrations de Kim Fernandes. Traduction de Cécile Gagnon. *Grosse journée, petite souris*, Markham, Scholastic, 2002.
   La petite souris est bousculée par le chien turbulent qui fait Ouaf! Ouaf!. Le chien va rejoindre le cochon qui fait groin! groin!. Le cochon taquine le mouton qui fait bêê! bêê!. Le mouton se cache sous… qui fait…, etc. Un texte simple aux jolies illustrations faites de pâte à modeler.

GROSSMAN, Virginia. Traduction de Marie-France Girod. *Dix petits lapins*, Paris, Gautier-Languereau, 1991.
   Livre avec des illustrations comportant des motifs.

HARCOURT, Lalie, et Ricki WORTZMAN. *Le collier*, coll. Domino, Montréal, Éditions de la Chenelière, 2003.

HARCOURT, Lalie, et Ricki WORTZMAN. *Le dragon*, coll. Domino, Montréal, Éditions de la Chenelière, 2003.

HOBAN, Tana. *Toutes sortes de formes*, Paris, Kaléidoscope, 2004.
   Une trentaine de photographies de scènes urbaines proposent aux tout-petits de repérer 11 formes géométriques préalablement présentées en première page à travers elles. Les voiles d'un bateau deviennent ainsi des triangles, les fenêtres d'une maison, des rectangles, les billots de bois et les pylônes des ronds, etc. Esthétique contemporaine.

Les trois petits cochons, coll. Raconte-moi, Allemagne, Delphino, 2001.

Les trois petits cochons (Traduction de Marie-Thérèse Duval), coll. Je sais lire, Saint-Lambert, Boum Boum, 2002.

MARTIN, Bill. Traduction de Laurence Bourguignon. *Ours brun, dis-moi*, Namur, Mijade, 2000.
   Livre portant sur l'observation.

MUNSCH, Robert N. Adaptation française de Robert Paquin. Illustrations de Sheila McGraw. *Je t'aimerai toujours*, Scarborough, Firefly Books Ltd., 1988.

MUNSCH, Robert N. Traduction de Raymonde Longval. *Les fantaisies d'Adèle*, Montréal, Éditions La courte échelle, 1997.

Adèle aime bien se distinguer. Alors que personne à l'école n'a de queue de cheval, elle s'en fait faire une. Le lendemain, toutes ont une queue de cheval sur le côté. Le surlendemain, toutes ont une queue de cheval sur le dessus, etc. Fâchée, Adèle annonce qu'elle va se raser la tête. Toutes se rasent la tête… sauf Adèle. Un récit bien illustré et très amusant!

MUNSCH, Robert N. Traduction de Christiane Duchesne. *Un bébé alligator*, Markham, Scholastic, 1997.

NUMEROFF, Laura JOFFE. Traduction de Christiane Duchesne. *Souris, tu veux un biscuit?*, Markham, Scholastic, 1986.

NUMEROFF, Laura JOFFE. Traduction de Christiane Duchesne. *Un muffin, grand orignal?*, Markham, Scholastic, 1993.

PULLEY SAYRE, April, et Jeff SAYRE. Traduction d'Isabel Finkenstaedt. *Un pour l'escargot, dix pour le crabe*, Paris, Kaléidoscope, 2003.

TRAVERSY, Martin. Illustrations de Philippe Germain. *Je ne pleure jamais!*, coll. 3 à 8 ans, Saint-Hubert, Éditions du Raton laveur, 1997.

Les genoux et les coudes éraflés, éclaboussé par six camions à ordures, les doigts, le nez et le pied coupés, chez le dentiste, etc., Jonathan est impassible. Il ne pleure jamais, sauf s'il est délaissé par sa mère; là, il pleure et pas qu'un peu! Cette énumération amusante souligne le courage de l'enfant et l'importance de la mère. Un texte court, des illustrations décontractées à l'emporte-pièce.

WALLWORK, Amanda. *Il n'y a plus de dodos*, Paris, Éditions du Sorbier, 1993.

Une très jolie présentation des nombres de 1 à 10, accompagnée de quelques informations portant sur les animaux.

WEST, Colin. Adaptation d'Anne-Marie Thuot. *Bzz, bzz, bzz! fit le bourdon*, coll. Les nouveaux drôlalire, Paris, Gründ, 1996.

WEST, Colin. Adaptation de Monique Souchon. *Salut, grand gros crapaud*, coll. Drôlalire, Paris, Gründ, 1987.

WILSON, Henrike. *C'est toujours moi! dit Petit Lion*, Paris, Seuil jeunesse, 2003.

« C'est toujours moi! » s'exclame Petit Lion lorsque ses parents lui demandent de faire les choses qu'il déteste : aider papa à sortir les poubelles, ranger ses jouets, se laver la crinière, aller au lit. Lorsqu'il est l'heure de lire une histoire, c'est au tour de papa de protester… Couleurs tendres rehaussées de contours noirs.

Probabilité

COUDRAY, Philippe. *Tout est possible*, coll. Ours Barnabé, Paris, Mango jeunesse, 2005.

PITTAU, F. *Je n'ai jamais vu*, Paris, Seuil jeunesse, 2004.
> Amusant album traitant de l'apprentissage des couleurs. Sur la page de gauche, des associations de couleurs impossibles (« Je n'ai jamais vu… une tortue orangée, des petits pois orangés, un crocodile orangé, etc. ») et, sur la page de droite, une association possible que l'on découvre en soulevant un volet.

ROCKLIFF, Mara. Traduction de Claudine Azoulay. Illustrations de Pascale Constantin. *Toujours plus grand*, Markham, Scholastic, 2005.
> Une fillette énumère les éléments de son pique-nique dans un pré (insectes compris) par ordre croissant de taille en les comparant entre eux. Finalement, elle est toujours la plus grande!

WILSON, Henrike. *C'est toujours moi! dit Petit Lion*, Paris, Seuil jeunesse, 2003.
> « C'est toujours moi! » s'exclame Petit Lion lorsque ses parents lui demandent de faire les choses qu'il déteste : aider papa à sortir les poubelles, ranger ses jouets, se laver la crinière, aller au lit. Lorsqu'il est l'heure de lire une histoire, c'est au tour de papa de protester… Couleurs tendres rehaussées de contours noirs.

SCHEFFLER, Ursel. Traduction de Marie-Josée Lamorlette. Illustrations d'Ulises Wensell. *Petit-Ours! Nous t'aimerons toujours*, Paris, Gautier-Languereau, 2001.
> Ses parents étant sortis, Petit-Ours entraîne sa petite sœur dans des jeux agités, sous la pluie. La petite tombe dans la boue, attrape la fièvre. Petit-Ours est grondé. Croyant que ses parents ne l'aiment plus, il est triste et inquiet. Il adopte une conduite exemplaire. Le lendemain, il est rassuré : ses parents sont contents et l'assurent de tout leur amour.

TEXIER, Ophélie. *Bébé chat a toujours froid*, coll. Giboulées – Maman et bébé, Paris, Gallimard jeunesse, 2000.

Collections

Collection Chenelière Mathématiques, Montréal, Éditions de la Chenelière, 2003.

Collection Domino, Montréal, Éditions de la Chenelière, 2003.

Collection Math et mots, série Découverte, niveau primaire, Laval, Groupe Beauchemin, éditeur ltée, 2004.

Collection Math et mots, série Exploration, niveau préscolaire, Laval, Groupe Beauchemin, éditeur ltée, 2006.

Sites Web

http://perso.orange.fr/jeux.lulu
Une variété de jeux intéressants, à partir de 4 ans

www.ac-versailles.fr/etabliss/ien-lfa/lfa/pages/janvier05/resolutionpb.htm
Divers jeux

www.astro52.com/pedagoaccueil.htm
Divers jeux

www.momes.net/education/geometrie/geometrie.html
Divers jeux

www.momes.net/education/geometrie/modeles/formes.html
Activité dont le but est de reproduire un château

http://cressonnets.free.fr/exposes/chateau/chateau.html
Vocabulaire – Parties d'un château fort

www.petitmonde.com/enfants/bibliotheque/contesplj/50501.asp
Conte rédigé par des élèves : *Le château inimaginable.* Le roi Arthur, qui veut un château, veut un immense château pour pouvoir abriter ses dinosaures. Il l'aura en trois jours grâce à Vincent qui va le construire à condition d'épouser sa fille, la princesse Sara. Si tu lis l'histoire ou si tu l'écoutes bien, tu apprendras la façon dont il va se faire aider par la licorne, mais aussi ce qui va lui arriver à cause du méchant magicien Boubouloune qui voulait, lui aussi, épouser la princesse.

Vocabulaire mathématique

Formes

Sphère

Triangle Suites logiques

Cube

Trapèze Face

Géométrie

Probabilité Cylindre

Math

Mathique

Vocabulaire mathématique
Géométrie – Modélisation

Note : Pour produire cette section, nous nous sommes inspirés des documents suivants :

CENTRE FRANCO-ONTARIEN DE RESSOURCES PÉDAGOGIQUES, CONSEIL DES ÉCOLES CATHOLIQUES DE LANGUE FRANÇAISE DU CENTRE-EST. *Les mathématiques... un peu, beaucoup, à la folie!, 1re année – Modélisation et algèbre*, 2003.

CENTRE FRANCO-ONTARIEN DE RESSOURCES PÉDAGOGIQUES, CONSEIL DES ÉCOLES CATHOLIQUES DE LANGUE FRANÇAISE DU CENTRE-EST. *Les mathématiques... un peu, beaucoup, à la folie!, 1re année – Traitement des données*, 2003.

DE CHAMPLAIN, D., et coll. *Lexique mathématique – Enseignement secondaire*, Beauport, Éditions du triangle d'or, 1996.

MATHIEU, P., D. DE CHAMPLAIN et H. TESSIER. *Petit lexique mathématique*, Beauport, Éditions du triangle d'or, 1990.

MINISTÈRE DE L'ÉDUCATION DE L'ONTARIO. *Guide d'enseignement efficace des mathématiques de la maternelle à la troisième année – Géométrie et sens de l'espace.* Stratégie de mathématiques au primaire de l'Ontario, 2003.

MINISTÈRE DE L'ÉDUCATION DE L'ONTARIO. *Guide d'enseignement efficace des mathématiques de la maternelle à la troisième année — Numération et sens du nombre.* Stratégie de mathématiques au primaire de l'Ontario, 2005.

MINISTÈRE DE L'ÉDUCATION DE L'ONTARIO. *Le curriculum de l'Ontario de la 1re à la 8e année – Mathématiques – édition révisée – 2005.*

MINISTÈRE DE L'ÉDUCATION ET DE LA FORMATION DE L'ONTARIO. *Mathématiques – Objectifs d'apprentissage de la maternelle à la 6e année*, Ottawa, Centre franco-ontarien de ressources pédagogiques, 1993.

Attribut. Caractéristique qui décrit l'apparence physique d'un objet que l'on observe ou manipule (p. ex., couleur, taille, position, texture).

Carré. Quadrilatère ayant quatre côtés égaux et quatre angles de 90°.

Cercle. Figure plane formée d'une ligne courbe fermée.

Classer. Action qui consiste à prendre des objets, des éléments, des figures ou des données, à créer des classes et à les disposer dans la bonne classe.

Classifier. Action qui consiste à prendre des objets, des éléments, des figures ou des données, à les disposer dans des classes prédéterminées, selon les caractéristiques de chacune des classes. Ces caractéristiques doivent être connues de celle ou de celui qui devra classifier.

Composer ou décomposer une suite. *Composer* veut dire « créer une suite ». *Décomposer* veut dire « couper la suite en morceaux, selon le motif répété ».

Cône. Solide à base circulaire, terminé en pointe.

Cube. Polyèdre régulier dont toutes les faces sont des carrés.

Cylindre. Solide formé d'une surface courbe et de deux surfaces planes (cercles) qui sont les bases.

Face. Se dit de chacun des polygones (figures planes) qui délimitent un polyèdre (solide) (p. ex., les faces du cube sont toutes des carrés). **Ex. :** La surface colorée représente une face (un côté).

 ← face (côté)

Note : Les bases sont aussi des faces. Concernant les corps ronds, on parle de surface courbe ou de surface plane.

Figure plane. Figure dont tous les points appartiennent à un même plan.

Formes géométriques. Termes englobants représentant les figures planes et les solides.

Losange. Quadrilatère ayant quatre côtés congrus et deux paires de côtés parallèles.

Matériel concret. Blocs, jetons, mosaïques géométriques, blocs logiques, solides et tout autre matériel adéquat qui peut être utilisé pour enseigner les concepts de base et les apprendre.

Matériel semi-concret. Illustrations ou dessins d'un objet plutôt que l'objet même.

Motif. Partie qui se répète de façon régulière dans une suite (p. ex., carré, cercle, carré, cercle.).

Nombre ordinal. Nombre qui indique la place ou le rang occupé d'un objet mis dans un certain ordre (p. ex., le premier, le deuxième, le troisième).

Propriété géométrique. Caractéristique qui définit une forme géométrique ou une famille de formes géométriques (p. ex., formes, côtés, coins, lignes droites, ronds).

Prisme. Solide ayant deux bases parallèles et congruentes, et dont les autres faces sont des carrés, des rectangles ou des parallélogrammes.

Rang (ou position). Le rang d'un objet ou d'une illustration dans une suite, c'est la position de cet objet ou de cette illustration dans la suite (p. ex., dans la suite carré, cercle, triangle… la première forme est un carré).

Rectangle. Quadrilatère dont les côtés opposés sont égaux et dont les quatre angles mesurent 90°.

Régularité. Phénomène uniforme qui définit une suite, ce qui permet d'en déterminer les

termes **Ex. :** Dans la suite … la

régularité est que le motif est toujours répété.

Solide. Corps plein à trois dimensions comprenant les polyèdres (p. ex., cube, prisme, pyramide) et les corps ronds (p. ex., cône, cylindre, sphère).

Sphère. Solide limité par une surface courbe.

Suite non numérique. Ensemble d'objets, de figures géométriques, de mouvements, de sons, etc. disposés selon un ordre et habituellement soumis à une règle.
Remarque : « Prolonger une suite » signifie trouver les prochains termes (éléments) de la suite tout en maintenant la régularité.

Trapèze. Quadrilatère qui possède au moins une paire de côtés parallèles.

Triangle. Figure plane et polygone qui possède trois côtés.

Trier. Choisir des objets, des photos, des illustrations, etc. parmi d'autres, extraire d'un ensemble, sélectionner, examiner un ensemble et éliminer ce qui ne convient pas, ce qui ne correspond pas à l'attribut choisi ou donné.

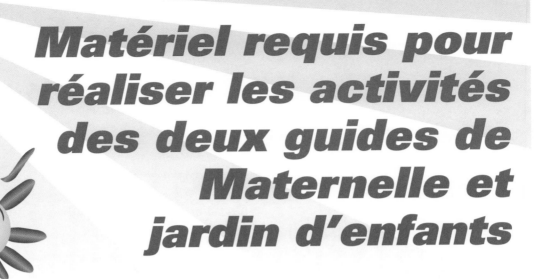

Matériel requis pour réaliser les activités des deux guides de Maternelle et jardin d'enfants

Matériel requis pour réaliser les activités des deux guides de Maternelle et jardin d'enfants

Note : Il est important :
- d'avoir une quantité suffisante de matériel de manipulation pour que tous et toutes les élèves puissent prendre part aux activités du groupe-classe;
- de donner aux élèves la chance de se familiariser avec le matériel;
- de faire ressortir la façon de bien manipuler le matériel et de le ranger;
- de s'assurer d'avoir une somme d'argent suffisante pour acheter des collections de livres en vue d'établir des liens entre les concepts mathématiques et les contextes de la vie quotidienne (voir la section **Ressources**).

- balance à plateaux
- billes décoratives (billes plates)
- blocs de construction
- blocs logiques (blocs attributs)
- blocs logiques magnétiques
- blocs logiques pour rétroprojecteur
- carreaux de couleur
- carreaux de couleur pour rétroprojecteur
- cartes de figures planes
- cartes de solides
- contenants de grandeurs variées
- corde ou laine
- cubes emboîtables
- cubes de bois
- cubes géants à pochettes transparentes
- cubes non emboîtables
- dés à points
- dés numériques
- droite numérique géante de 1 à 30
- droites numériques de 1 à 10 et de 1 à 30
- ensembles de solides géométriques
- gabarits de figures géométriques à tracer
- géoplans et bandes élastiques
- grille de nombres de 1 à 30 (ou de 1 à 100)
- jetons de couleurs variées
- jetons transparents de couleurs variées

- jetons bicolores
- jeux de cartes
- jeux de cartes géantes
- jeux de dominos variés
- jeux de Tangram
- lacets et perles de bois
- maillons de chaîne en plastique
- matériel de dénombrement et matériel de manipulation (p. ex., boutons, oursons de grandeurs différentes, dinosaures, petits animaux, figurines, petites autos)
- matériel de recyclage
- matériel de bricolage
- mosaïques géométriques
- mosaïques géométriques magnétiques
- mosaïques géométriques pour rétroprojecteur
- papier grand format
- papier quadrillé grand format
- pièces de monnaie
- roues de probabilité (à couleurs, à nombres, à formes et vierge)
- Rekenreks à 20 perles
- sabliers de 1, de 2 et de 5 minutes
- tableau à pochettes transparentes
- tampons en caoutchouc variés et tampons encreurs
- tapis de nombres
- trombones de différentes couleurs

Achevé d'imprimer en mai 2007
sur les presses du
Centre franco-ontarien de ressources pédagogiques